DICHTUNG
UND GLAUBE

PROBLEME UND GESTALTEN
DER DEUTSCHEN GEGENWARTSLITERATUR

VON

WILHELM GRENZMANN

1950

ATHENÄUM-VERLAG · BONN

Meiner Frau
und meinen Söhnen Meinrad und Michael

INHALT

EINLEITUNG

I.

Das Thema dieses Buches, „Dichtung und Glaube", will in einem weiten Sinne verstanden sein. Es wird der Versuch unternommen, an Hand zeitgenössischer Literatur von Rang die Bewußtseinslage unserer Gegenwart zu verdeutlichen und am Gebilde der Dichtung abzulesen, welcher Problematik wir zugeordnet sind. „Glaube" bedeutet dabei zunächst nichts anderes als die in überrationalen Überzeugungen wurzelnde Anschauung vom Ganzen der Welt. Er umgreift die Begründungen des Verstandes und bildet die Grundlage der Dichtung. Alle große Dichtung ist Spiegelung einer Weltdeutung und eines Weltverhaltens. In diesem Sinne ist auch der „Unglaube", der sich nur bestimmten, aus entgegengesetzten Richtungen her kommenden Glaubensansprüchen versagt, in der Regel nichts anderes als eine Form des Glaubens.

Was die Dichtung unserer Zeit betrifft, so ist es in besonders sichtbarem Maße ihr Anliegen, bis in den Grund unserer Welt vorzustoßen. Deutlicher als in vielen anderen Zeiten ist sie Weltanschauungsdichtung und nichts als das. Sie sucht die Welt zu verstehen und darzustellen. Man spürt in ihr das allgemeine Bemühen, Totalzusammenhänge zum Gegenstand zu nehmen und in Tiefen einzudringen. Vordergründigkeiten und Zwischenschichten werden übersprungen oder beiseite geschoben; der Mensch sieht sich in letzte Verhältnisse einbezogen und vor äußerste Entscheidungen gestellt. In der gegenwärtigen Dichtung wird ein tiefbegründetes Verlangen der Menschen unserer Tage sichtbar: nach so vielen Zusammenbrüchen im Bereiche der Kultur und der Überlieferung und so vieler fundamentloser, aber fest hingenommener Gewißheiten in ein neues gesichertes, geprüfteres Verhältnis zum Ganzen der Welt zu gelangen. „Glaube" ist dabei nicht so sehr Ausdruck einer intellektuellen Bescheidenheit, als handle es sich um eine unkontrollierbare oder gar phantastische Annahme, sondern vielmehr der höhere Anspruch, in einer über alle rationalen und empirischen Erkenntnisse hinausgehenden Schau die Welt als Ganzes zu sehen. Dichtung von heute verdeutlicht den Bezug des denkenden, erlebenden und gestaltenden Menschen zur Sinnmitte der Welt – aus Enttäuschung und Not. Im christlichen Bereich spiegelt sie das Weltbild des theologischen Glaubens, durch den der Mensch Antwort gibt auf den Anruf des persönlichen Gottes.

Mit dieser allgemeinen Charakteristik ist noch nichts ausgesagt über die besondere Weise der heutigen dichterischen Verkündigungen. Im Gegenteil: es eröffnet sich ein weites Feld möglicher Glaubenshaltungen. Wohl aber gibt es eine allgemeine, von allen geteilte Erlebnisgrundlage; das gesamte Schrifttum unserer Zeit ist erfüllt von den Erschütterungen der Gegenwart. Wer auch immer die Feder zur Hand nimmt, ob die Verzweifelnden oder die Hoffenden, sie alle sind durch die Verwandlungen einer Zeit hindurchgegangen, die an umgestaltender Kraft in der Weltgeschichte wenige ihresgleichen besitzt. Daß wir uns in einer Gerichtsstunde der Geschichte befinden, die mit ihren Stürmen vieles hinwegfegt, was wichtig genommen wurde, und vor ganz neue Aufgaben stellt, ist in jedermanns Bewußtsein. Im Zeichen der Krisis treffen sich die Alten und die Jungen.

Das Wort will in seiner ursprünglichen und strengen Bedeutung genommen sein. Wir leben im Zustande der Entscheidungen. Der Sache nach verdeutlicht auch das Wort „Grenzsituation" den Zusammenhang, in dem wir leben. Daß wir politisch und wirtschaftlich auf schmalem Grat wandern, von dem wir abstürzen können, bezweifelt niemand. Aber nicht dies geht uns hier an, sondern das Offenbarwerden einer allgemeinen Grundlagenkrisis. „Grenzsituation" bedeutet, daß das Ende einer Entwicklung erreicht ist, über das hinaus weder gedacht noch gelebt werden kann. Wir werden uns dabei nicht wundern, daß Gedanken, die sich in ruhigen Zeiten ein harmloses Aussehen gaben, heute ihre Gefährlichkeit und Abgründigkeit für jedermann dartun. An die Stelle des latenten Zustandes einer schleichenden Krankheit sind heftige Stöße getreten, eine Zunahme des Fiebers, das auf ein Ende hinweist, Leben *oder* Tod.

Überschauen wir die Gesamtheit des gegenwärtigen Schrifttums, so finden wir in dem weitgespannten Bogen zwischen Hoffnungslosigkeit und vertrauender Heilsgewißheit einen Chor von vielen Stimmen. Das Spielbrett der Gegenwart ist mit zahlreichen Figuren besetzt. Wir müssen sie im einzelnen abschreiten, um einen Überblick über das Ganze zu gewinnen. Es kann dabei nicht übersehen werden, daß im außerdeutschen Schrifttum manches klarer und symptomatischer ist als bei uns. Die Wechselwirkungen sind bedeutend. Jedoch sind die Deutschen heute mehr als früher die Empfangenden; die fremden Kräfte strömen in den deutschen Raum als in ein Land, das lange keine rechte Frucht getragen hat, und dennoch wirkt vieles von dem, was bei uns Bedeutung hat, auch in die Fremde hinein. Der Deutsche steht im Kraftfeld zahlreicher Einflüsse. Das französische und das angelsächsische Drama müßten geradezu das eigene, das bisher fast ganz ausfällt, ersetzen, damit verdeutlicht werden könnte, was Gegenwart ist. Auch tritt das amerikanische Schrifttum mit eigener Stimme und eigener Meinung auf. Dadurch sieht sich der europäische Bereich von einer neuen Seite her außerordentlich bereichert. Gleichwohl soll – von einzelnen Ausblicken abgesehen – die Untersuchung auf die deutsche Literatur begrenzt bleiben.

Sucht man nach einer Formel für das allgemeine Anliegen, so stellt sich als die grundlegende und umfassende die nach Sinn oder Nichtsinn des Daseins dar. Sie bezeichnet die Existenzkrise des heutigen Menschen.

Sie hat eine Vorgeschichte von Jahrhunderten. In Unordnung geraten ist das Menschenbild schon am Ende des Mittelalters; im Prozeß der Säkularisierung ist durch die falsche Einschätzung oder die Negierung ganzer Wirklichkeitsbereiche eine von Jahrhundert zu Jahrhundert wachsende Verarmung des Menschenbildes eingetreten, die in unserm Jahrhundert zum Bewußtsein des vollendeten Entwurzeltseins und zur absoluten Fragwürdigkeit geführt hat. Schelers Wort ist bekannt: „Wir sind in der ungefähr zehntausendjährigen Geschichte das erste Zeitalter, in dem sich der Mensch völlig und restlos ‚problematisch' geworden ist, in dem er nicht mehr weiß, was er ist, zugleich aber auch weiß, daß er es nicht weiß[1]“. Diese Erschütterung greift heute jedermann an und reicht bis in den christlichen Raum, wofür das Denken Peter Wusts und Theodor Steinbüchels eindrucksvolle Zeugnisse sind. Was vor zwanzig Jahren Entdeckung, Formel und Anliegen eines kleinen Kreises von Fachphilosophen war, ist inzwischen zum Schlagwort vieler geworden; diese Wirkung wäre nicht möglich gewesen, wenn nicht in der Tat die wunde Stelle der Zeit berührt worden wäre. Es gibt niemanden, der nicht die Erfahrung der Fragwürdigkeit unseres Lebens teilte

oder doch wenigstens verstünde, so verschieden auch die Ordnungen sind, in denen Menschen denken. Im einfachen empirischen Bereich sind die Stürme am ehesten zu spüren: allen
gemeinsam ist die Überzeugung, daß menschliche Gebilde,
auf die man zu bauen glaubte, leicht zerbrechen können, die
meisten sogar über Nacht und auf einen bloßen Stoß hin. Die
Erfahrung der Vergeblichkeit alles menschlichen Tuns und
Opferns bedrängt die Völker der Welt nun schon seit mehr
als dreißig Jahren, es ist „das große Umsonst alles Geschehe-
nen und Getanen[2]", die ewige Wiederkehr des Anfangens, die
Sinnlosigkeit des Duldens, Hungerns und Sterbens. Aber
nicht dies führt in die Tiefe der Existenzkrise, sondern die
Tatsache, daß unter der Wucht der Ereignisse die geistigen
Stützen zerbrechen: Scheinwelten gehen zugrunde, Ersatzreligionen werden beiseite geschoben. Der Pendel schlägt
weit aus: auf den Fortschrittsglauben folgt ein radikaler Pessimismus, auf das Bewußtsein bürgerlicher Sekurität das Bangen großer Unsicherheit. So kommt es, daß es in der Literatur
der Gegenwart im Grunde nur *ein* Problem gibt; es geht um
nichts als um den Menschen. *Er* soll beobachtet, begriffen,
dargestellt und gedeutet werden. *Sein* Bild ist zurückzugewinnen. Das Gemeinsame, dem alle Dichtung untersteht, ist die
Frage: Was ist der Mensch in dieser Welt?

Auf diese Frage hat die Dichtung unserer Zeit eine gemeinsame Antwort bereit: Er ist bedroht. Damit wird eine sozusagen negative Bestimmung als allgemeinste Erfahrung ausgesprochen. Der Mensch sieht sich Tag für Tag von ungreif-
baren Mächten umgeben. Angst und Sorge sind tief einge-
wurzelte Erscheinungen der Seele; mit ihnen ist sie auf der
Hut gegen die Gefahr des Einbruchs dunkler Realitäten. Die
Grundsituation des Menschen, jeden Augenblick zur Gegenwehr bereit sein zu müssen angesichts der Möglichkeit, der

„Übermachtung" zum Opfer zu fallen, verursacht den dunklen, pessimistischen, tief unfrohen Zug in der Dichtung unserer Zeit. Die Objektivität des uns entgegenstehenden Unbekannten wird Thema in den Werken zahlreicher Dichter des In- und des Auslandes. Für den Menschen von heute sind neue Abgründe der Wirklichkeit sichtbar und darstellbar geworden. Wie man es auch nennen mag, das Chaos oder das Böse, es tritt uns in vielfacher Gestalt entgegen und ist vielen Deutungen ausgesetzt. Es erreicht den Menschen in Krankheit und Tod. Wir finden es inmitten der Katastrophen im Bereiche der Natur, in der Unermeßlichkeit des Sterbens, in den geistigen Katastrophen und der Furchtbarkeit menschlicher Grausamkeit. Die Dichtung breitet ein Panorama des Bösen vor uns aus.

Bei solchen Erfahrungen gerät das Leitbild eines „harmonischen" Menschen, der zwischen den Kräften von Leib, Seele und Geist ein Gleichgewicht schaffen möchte, in eine hoffnungslose Bedrängnis. In einer Welt, die sich dem Unheil ausgeliefert weiß, gedeiht keine humanistische Bildung im hergebrachten Sinne. Nicht auf ein Bilden-Umbilden kommt es an, sondern auf das Bestehenkönnen. Indem sich der Mensch auf Grund der Erfahrungen, die er in den letzten Jahrzehnten mit sich selbst gemacht hat, neu zu begreifen sucht und seinen Zusammenhang mit den Mächten der unteren und der oberen Welt erprobt, gelangt er zu einer neuen Einschätzung seiner selbst, die von der früheren oft radikal abweicht. Was das Denken und Dichten unserer Zeit gerade in dieser Frage auszeichnet, ist eine unerbittliche Wahrhaftigkeit. Sie macht auch die verzweifeltste und gequälteste Lösung zu einem Dokument echter Menschlichkeit, die auf der Suche nach sich selber ist.

II.

Es sind im Bereiche der gegenwärtigen Dichtung – von vielen Differenzierungen abgesehen – drei Stufen des Weltverhaltens und der Weltdeutung zu unterscheiden.

1. Die Stufe radikaler Weltskepsis und Weltungläubigkeit. Sie repräsentiert sich am stärksten in der Dichtung des französischen Existentialismus. Die Welt ist sinnlos. Es ist die Lehre, die uns in jedem der zahlreichen Werke von Jean-Paul Sartre entgegengebracht wird. Die alte Wertewelt ist preisgegeben, der Mensch findet sich einsam, ausgesetzt auf den „Bergen seines Herzens". Gott, so meint man, sei nicht nur fern, sondern er sei nicht da; die Konstruktion der Welt erkläre sich nicht durch Sündensturz oder durch Verteufelung im Sinne reformatorischer Anschauungen, sondern sei Chaos in sich selbst. Wenn die Gestalten seines in Deutschland vielgespielten Dramas „Tote ohne Begräbnis" sich verzweifelt um Sinnfindung bemühen und sich in einem Akt der Freiheit über sich selbst erheben, so machen die Schüsse aus dem Hinterhalt dem sinnlosen Treiben ein Ende. Es ist das Menschlichste, was geschehen konnte, belehrt uns der Dichter am Ende. Zwar ist dieses „Dennoch" das einzige, was der Mensch angesichts der umfassenden Sinnlosigkeit zu tun vermag — als könnte er durch solches Tun erst einen Sinn erschaffen. Nach Camus drückt der Mythos des Sisyphos den Sinn des Menschendaseins am tiefsten aus: er werde den Stein niemals bis auf die Spitze des Berges rollen, sondern immer wieder seinen Händen entgleiten sehen, aber er räche sich an den Göttern durch Verachtung[3]. Die politische Ausformung einer solchen Haltung ist bemerkenswert. Die Ethik einer seinsfremden Philosophie ist dem Wesen nach voluntaristisch; sie gründet sich auf das Gebot der eigenen oder einer fremden

Autorität. So kommt es, daß es nicht nur eine Ethik des Mitleids gibt, sondern auch des Forderns und des Gehorchens,
wobei das eine so unbedingt gilt wie das andere. Im politischen Bereich verlangen die Machthaber, daß ihre Maßstäbe
als verbindlich hingenommen werden. Oft sind die Dichter
ihre Sprecher.

Noch vor einiger Zeit konnte mit Recht gesagt werden, daß
die eigentlich repräsentativen Bücher des Jahrhunderts dieser
Gruppe angehören, „Endbücher", über die hinaus weder inhaltlich noch auch künstlerisch eine Aussage gemacht werden
könnte[4]. Namen wie André Gide und Joyce werden – so weit
es sich um Ausländer handelt – heute durch Sartre und Camus
ergänzt. Ihr hervorragendster Vertreter unter den lebenden
Deutschen ist Thomas Mann mit seinem Alterswerk, vor
allem mit Doktor Faustus, einem Werk, das wie wenige andere
bis an die Grenze des Nichts führt und alle Konsequenzen
zieht. Sichtbar und eindrucksvoll führt in die Existenzkrise
das Werk Franz Kafkas, mit ganz anderen Mitteln und aus
ganz anderen Voraussetzungen heraus. Es liegt nahe, auch
Hermann Kasack in diesem Umkreis zu nennen, und selbst
Wiechert steht nicht völlig außerhalb. Bemerkenswert ist der
Nachruhm des späten Rilke, der mit der Philosophie der „Dui-
neser Elegien" heute ins allgemeine Bewußtsein tritt und auch
im Ausland lauten Wiederhall findet. In den Dienst politischer Zwecke haben sich vor allem Johannes R. Becher und
Anna Seghers gestellt, ohne doch ihr Dichtertum darüber ein-
zubüßen. Auch heute hat diese Literatur noch ein ungeheures
Gewicht. Die Zone des Unheimlichen und Grausigen wirkt
wie ein Bann auf die Geister der Gegenwart, so, als gäbe es in
der Welt überhaupt keine andere Wirklichkeit mehr.

2. Dennoch: angesichts dieser im ganzen so bedrückenden
Welt, die sich sowohl im deutschen wie im ausländischen

Sprachraum auftut, begibt sich das Merkwürdige, daß inmitten der Flut des Mißtrauens und der Weltverneinung ein neues Vertrauen zur Schöpfung aufwächst. Gleich als sei mit dieser äußersten Sinnentleerung die Grenze des Menschenmöglichen erreicht, schlägt die Stimmung in eine neue Gläubigkeit um. Bekanntlich hat Peter Wust einmal von den Urvertrauenden und den Urmißtrauenden gesprochen und damit die Gesamtheit der Menschen in zwei Gruppen eingeteilt: in diejenigen, die dem Ganzen der Welt feindselig, fremd und böse gegenüberstehen, und in die Liebenden, die von der Welt her ihre Eindrücke empfangen. Obwohl die erhellende Kraft dieser offenbar am Erlebnis der Philosophie Max Schelers gewonnenen Kategorien nicht überschätzt werden soll, lassen sie sich auf die Bewußtseinslage der Gegenwart fruchtbar anwenden: es ist eine für unsere Zeit höchst bemerkenswerte Tatsache, daß es ein neues Ordnungsdenken gibt. Die Tabula rasa, die wir durch die vorher Genannten geschaffen gesehen, füllt sich neu mit Linien und Gestalten. Fragt man nach dem bleibenden Gewinn unserer Zeit auf dem Felde der Philosophie, so gehört die Begründung einer neuen Ontologie ohne Zweifel dazu. Wir sprechen von Schichten, Stufenfolge und Rangordnung. Anders ist das materielle, anders das organische, anders das geistige Sein. Das Höhere ruht auf dem Niederen. Das Lebendige versteht niemand mehr als eine addierbare Summe, sondern als eine Ordnungskategorie der Ganzheit. Der Nominalismus ist überwunden. Das einzelne wird vom Ganzen her umgriffen und hat seine Stelle im Zusammenhang der Dinge.

Die außerordentliche Entdeckung stellt die Verbindung mit dem „alten Wahren" wieder her. Sie besagt nichts anderes, als daß die Welt nicht von unten, sondern von oben her verstanden werden muß. Das einzelne Ding wird transparent

für hintersinnige Verhältnisse. Jaspers spricht von der Chiffre-
sprache des Seienden, Ernst Jünger von der Runenschrift.
Man ahnt „von ferne die Maße, auf die die Welt gegründet
ist." „Gott gab die Rätsel auf… Wer kennt denn die Bedeutung auch nur des kleinsten Hieroglyphen auf einer Muschel,
auf einem Schneckenhaus?⁵" Es gehört zu den denkwürdigen
Ereignissen dieser Zeit, daß Goethe in den Jahren um seinen
200. Geburtstag mit seiner Lehre von Urphänomen und Typus als Verteidiger des Ordnungscharakters der Welt gefeiert
werden konnte.

Damit treten wir in eine Situation, in der neue Dichtung
gedeihen kann. Die Begegnung mit der Wirklichkeit ist Befreiung vom Nihilismus. Das dauernde Verharren im Chaos
und die Auflösung aller Wirklichkeit hätte notwendig den
Untergang der Dichtung zur Folge, die nur in echten Seins-
begegnungen gelingt. In dem Augenblick, wo Wirklichkeit als
solche erfahren wird, füllt sich die Welt mit Dingen, an denen
das Ich sich entfaltet und wächst. Wer die Welt als eine Ordnung erfährt, steht vor neuen, unübersehbaren metaphysischen Möglichkeiten.

Am Beispiel Ernst Jüngers läßt sich später verdeutlichen,
wie in unserm Bereich – dem von Literatur und Dichtung –
die Wirklichkeit durchbricht und begriffen wird. Hier handelt
es sich nicht mehr um ein abenteuerndes Schwimmen durch
ordnungsfreie Welten, wie wir es zu Beginn der Neuzeit vom
Durchbruch des Nominalismus kennen, sondern um ein Innewerden von Gliederung, Stufung und Zuordnung. Es ist zugleich ein staunendes Durchschreiten der Schöpfung, die Jünger vorsichtig deutend langsam zu begreifen sucht. Eine
Haltung ähnlicher Art bezeugt sich im Werk Carossas, der
unter den Dichtern unserer Zeit vielleicht am meisten der
Tradition verbunden ist, der getreueste Jünger Goethes, ein

geduldiger Freund aller organischen Entwicklungen und ein Feind alles Plötzlichen, Abrupten und Einbrechenden. In der jüngeren Generation meldet sich – fern von allen existentialistischen Beschwerden – eine unbefangene Erzählfreude, ein Zeichen dafür, daß die Daseinsnot im extremen und ausschließenden Sinne bereits zum Gestrigen gehört. Von den Franzosen sei Antoine de Saint-Exupéry genannt. In anderer Weise tritt das amerikanische Schrifttum in die neue Situation; es bietet ungeheuere, geistig nur zum Teil von ihm selbst bewältigte Massen.

3. Die christliche Welt bedeutet gegenüber den auf dem Wege der Philosophie gesicherten Beständen eine Zunahme um die Unendlichkeit der Offenbarungswirklichkeit. Es ist bemerkenswert, welchen Raum der Bereich des christlichen Glaubens im dichterischen Schaffen der Gegenwart einnimmt. Indem christliche Dichtung durch das Werk einer Reihe bedeutender Autoren zu Rang und Ansehen erhoben wird, hilft sie entscheidend mit an der Überwindung der Verzweiflungen unseres Zeitalters. Die Rückgewinnung der Übernatur als eines Teils der Wirklichkeit, in der wir Menschen zu leben haben, bedeutet die endgültige Bereicherung der Dichtung unserer Zeit, die nun in die Lage gesetzt wird, Diesseits und Jenseits zu einer Einheit zu verbinden und dem Menschen die ihm zugemessene Stellung im Schnittpunkt zwischen Natur und Übernatur anzuweisen. Von dieser Stelle kommen heute die helleren Züge in das dunkle Antlitz der Zeit. Es ist vollkommen wahr, was ein namhafter christlicher Kritiker (Hans Egon Holthusen) erklärt hat: wir sind so sehr am Ende, „daß christliches Denken die Rolle des Aufklärers übernehmen muß in einer von vielen heidnischen Ideologien, Philosophemen und Hirngespinsten verdunkelten Welt[6]".

Diese innerhalb des Christentums niemals preisgegebene

Auffassung von der Gesamtwirklichkeit erhält nun für die Dichtung unserer Zeit ihre besonderen Akzente durch die Teilnahme an der allgemeinen Problematik. Die Erregungen der Gegenwart teilen sich auch dem Christentum mit, das die Fragen des jeweiligen Augenblicks annimmt und in unsere Zeit das „heute" geltende Wort spricht. Es wird seinerseits in einer ganz bestimmten Weise beansprucht und befragt, und es hat sich zu überlegen, welche Antworten gerade jetzt zu geben sind. Ihm selbst ist in den Stürmen der Zeit die Gelegenheit zur Erneuerung gegeben, indem es die unwahre Eingrenzung durch kleinbürgerliche Denkweisen und ein unechtes Sekuritätsbewußtsein überwindet, an den Ansprüchen der suchenden Umwelt wächst und sich der eigenen Sendung in der Welt bewußt wird. Der Christ unserer Tage ist erregt, und seine Dichtung ist „existentiell", insofern sie aus dem Zeitbewußtsein heraus die eigene Problematik nimmt und ihre Lösungen aus einem ewigen Bewußtsein zu entwickeln sucht. Es ist vielleicht nicht vermessen zu sagen, daß sie das Böse noch mächtiger, dunkler und furchtbarer sieht. Sie kann nicht anders, als den Wirrwarr dieser Welt anzuerkennen und begreift es sehr wohl, daß der andere sich dem Abgrund ausgeliefert fühlt. Denn sie stellt in Rechnung, daß es eine Hölle gibt, die in unser Dasein hineinstrahlt, und findet es höchst verständlich, daß der Teufel wieder auftaucht: bei Bernanos, Dostojewskij und Elisabeth Langgässer. Daß dies wieder möglich ist, ist kein geringes Zeichen ihrer Kraft.

Es ist eine Bemerkung von Hans Zehrer [7] in seinem Nachwort zu Graham Greenes Roman „Das Herz aller Dinge", daß diese Haltung stark protestantische Züge trage. Es sei eine merkwürdige Erscheinung unserer Zeit, daß ein gewisser Teil der protestantischen Intelligenz zur katholischen Kirche konvertiere, das Grunderlebnis, soweit es in der Dichtung sichtbar ist, jedoch protestantische Züge trage: die Vorstellung von dem verborgenen Gott, der unerforschlich und furchtbar sei, die Unbedingtheit des Gewissens, das sich verloren und allein vor Gott befinde. Die Auffassung ist in einer kleinen Modifizierung richtig; es handelt sich um eine gemeinchristliche Erfahrung bei starker Belastung durch protestantische Gewichte; der Katholik erkennt ein solches Bewußtsein von der Schwere der Zeit durchaus als das seinige an. Es gibt auch Kritiker, die der Meinung sind, es werde über dem Dunklen alles andere vergessen, und es sei nun genug. Und dennoch kann dem entgegengehalten werden, daß ausgehalten werden muß, was auf uns gelegt ist, und niemand die Erlaubnis hat, die Last der Zeit abzuwerfen.

Auch ist dafür gesorgt, daß sie nicht unerträglich wird. Aus der christlichen Dichtung wird man nicht ungetröstet entlassen. Denn sie verdeutlicht uns, daß die Welt nicht des Teufels ist, sondern Gottes, der seine Schöpfung nicht preisgibt und sich nur scheinbar zurückzieht. Aus der Gesamtsituation will auch die Rolle verstanden sein, die selbst die sakramentale Wirklichkeit in unserer Dichtung spielt.

Vielleicht ist für die Eigenart der christlichen Dichtung in unserer Zeit nichts so bezeichnend wie die zahlreichen Priestergestalten. In ihnen werden die am meisten Gefährdeten, die durch das Sakrament Überbeauftragten gezeichnet, das Gegenteil von friedlichen Pfarrhausexistenzen, wie sie in früheren Zeiten halb ironisch, halb idyllisch dargestellt worden sind. Es werden dabei auch nicht moralisch-psychologische Themen behandelt wie z. B. in Federers „Papst und Kaiser im Dorf", wo der Starrköpfige gegenüber dem Eisernen im Unrecht bleibt. In den Gestalten Graham Greenes, Ouwendijks, Bernanos' und der Elisabeth Langgässer wird das erregende Schauspiel sichtbar, das sich aus dem Verhältnis des

durch das Sakrament ausgezeichneten Menschen zu Gott und
zur Welt ergibt: in Überanstrengung und Schwäche unter-
liegend, vom Teufel über jedes Maß versucht, von Gott
scheinbar im Stich gelassen und auf die Straße des Elends geschickt, wird er zuletzt doch gnadenhaft gehalten und zu sich
und seiner Aufgabe stark gemacht. Greenes Roman „Die
Kraft und die Herrlichkeit" ist vielleicht das größte Beispiel
für die Macht der Gnade, die auch im Reich der Finsternis
waltet und verdeutlicht, daß nach geheimnisvollen Ratschlüs-
sen der Mensch gehalten und bewegt wird. Im entscheidenden Augenblick wird er von einem Anruf aus dem Jenseits getroffen.

Was „christliche Dichtung heute" darzustellen hat, ist die
Wirklichkeit des von den Menschen unserer Zeit Gesuchten:
die Gesamtheit des Weltbaus, die Wirksamkeit eines gütigen,
allwissenden und allmächtigen Gottes, die Tatsache der Erlösung, das Fortwirken Christi, die Sendung der Kirche. Den
religiös Suchenden vermittelt sie in Wort und Gestalt die
christliche Deutung von Welt und Zeit. Leben und Dichten
sei „nichts als Lobgesang", heißt es in einem von Bergengruens schönen Gedichten, und große Hymnen schreiben sowohl Gertrud von le Fort wie Rudolf Alexander Schröder.
Was andere Schicksal oder schicksalhafte Fügung nennen,
nimmt für den Christen den Charakter einer Gnadenstunde
an. Auseinandergerissene Geschehnisse, verworrenes Leben,
schuldhafte Last, ungebüßte, aber schwer getragene Frevel
werden von einer unsichtbaren Hand zusammengerückt. Unter dem Eindruck solcher Erlebnisse tragen starke Naturen
unter den Dichtern von heute außerordentliche Gewichte in
das Schrifttum hinein; man braucht nur an Stefan Andres'
„Utopia" und seine übrigen Romane zu erinnern. So ist es
auch im Werk Elisabeth Langgässers: der Einbruch der Gnade

bringt den Abschluß einer Konversion, und alle Werke, besonders die letzten, von Gertrud von le Fort gehen um dieses Thema.

Daß es aber auch einen klareren Himmel gibt, dessen versichern uns andere Dichter, meist ältere, die in einer ungebrochenen Heiterkeit des christlichen Glaubens leben und schaffen, von der dunklen Problematik unserer Zeit weniger berührt sind, das ewige Christentum kennen und die Begegnung zwischen Zeit und Ewigkeit nicht mit den schwersten Gewichten belasten. Sie schauen auf die Welt weniger mit den Augen der Zeit als mit denen der Ewigkeit, haben weniger den furchtbaren Gott als den liebenden Vater im Sinn. Sie sind die eigentlichen Wahrer der Überlieferung. Peter Dörfler gehört zu ihnen, und auch Bergengruen sieht trotz seiner Teilhabe an den Anliegen der Zeit die Ehre des christlichen Dichters darin, zu den Bewahrern der ewigen Kontinuität gerechnet zu werden.

III.

Was die dichterischen Gattungen anbelangt, so ist festzustellen, daß sie sich alle als geeignet erweisen, Gefäß für die Anliegen der Zeit zu sein. Aber es ist für die gegenwärtige Situation in hohem Maße bezeichnend, daß unter dem Andrang neuer Gedanken, unter der Wucht neuer Erlebnisse die klassischen Formen zerbrechen. Im Hintergrund steht das Problem der Kunst und des Künstlertums schlechthin. Die Schwierigkeit, diese Welt ästhetisch zu begreifen, stellt die Kunst vor die Existenzfrage ihrer selbst. Kann die Kunst das neue Erlebnis des Menschen meistern, der sich Aug' in Auge mit der Wahrheit sieht oder neue, bisher nicht bekannte Wirklichkeiten bewältigen muß? Der Künstler unserer Zeit beant-

wortet die Frage meist skeptisch. Thomas Mann läßt in seinem
„Faustus" den Zweifel aufkommen, ob das Spiel der Kunst
„bei dem heutigen Zustand unseres Bewußtseins, unserer Erkenntnis, unseres Wahrheitssinnes noch erlaubt und geistig
möglich, noch ernst zu nehmen ist, ob das Werk als solches,
das selbstgenügsam und harmonisch in sich geschlossene Gebilde, noch in irgendeiner legitimen Relation steht zu der
völligen Ungesichertheit, Problematik und Harmonielosig-
keit unserer gesellschaftlichen Zustände, ob nicht aller Schein,
auch der schönste, und gerade der schönste, heute zur Lüge
geworden ist[8]". Diese so gestellte Frage wird um so mehr be-
jaht, je radikaler die Wirklichkeiten bezweifelt werden, die für
die Kunst Voraussetzung und Gegenstand waren: abendlän-
discher Humanismus, christliche Bildung, Vermächtnis der
Antike, Wert der geschichtlichen Kontinuität. Soweit sich die
gegenwärtige Kultur am Ende weiß, sieht sich auch die Kunst
am Ende. Dies kennzeichnet sich nicht nur durch äußerstes
Raffinement, das keine weitere Verfeinerung mehr zuläßt,
sondern auch durch den Einbruch der „Sache selbst", die als
Stoff, als spekulative Erörterung, als Deutung das Kunstwerk
als Kunstwerk zertrümmert. Statt dessen bauen sich neue
Formen auf, die sich ihr Recht neben den alten erobern. Die
Krise der Kunst ist also begründet in der neuen Wirklichkeitsbegegnung und -bewältigung.

    Vor allem scheint der Roman schwer getroffen zu sein. Die
Problematik der Kunstform des Romans ist seit Joyces Ulysses
offen, und auch Eliot stellt die Frage, „whether the novel has
not outlived its function since Flaubert and Joyce[9]". Die
Krise hat mannigfaltige Kriterien. Die Ironie, von Thomas
Mann zur mitbestimmenden Stilform seines Romanwerks er-
hoben, gehört an erster Stelle dazu. Das Ironische macht den
Romanschriftsteller – nach einem Wort von Max von Brück –

„zum Kritiker und Interpreten seiner selbst, innerhalb der Fabel, und durchsetzt, allerdings willentlich, die romanhafte Form: die Anschauung mit Erkenntnis, die Fabel und fiction mit Essayistik[10]". In Ironie und Parodie macht sich der Autor zum Mitspieler in der von ihm geschaffenen Handlung und steht seinen Gestalten kritisierend gegenüber. In anderer Weise zerschlägt Elisabeth Langgässer die klassische Form des Romans, indem sie nicht nur einen umfangreichen Text dokumentarischer Prosa in das Gefüge ihres Werks einsetzt, sondern den Erzählvorgang durch Zusammenfassungen und Abkürzungen unterbricht. Die Tradition des Bildungsromans ist in hohem Maße preisgegeben. Und da es nicht so sehr um das Schicksal des Individuums geht, sondern die Gattung Mensch sich in Gefahr weiß, erhalten persönliche Erlebnisse den Rang von typischen. Der konkrete Vorgang wird Verdeutlichung einer allgemeinen Erscheinung. Dabei wird das einzelne leicht durch Symbolschichten überladen und zum Transparent von Vieldeutigkeiten und Hintersinnigem gemacht. Die Romankunst unserer Zeit erscheint streckenweise stark entindividualisiert, die Psychologie entwertet; es geht ihr um die allgemeinen großen Bezüge, um Seinserhellung und Seinserkenntnis. „Kunst will Erkenntnis werden", läßt Thomas Mann seinen Leverkühn ausrufen.

Ähnlich, in vieler Hinsicht sogar noch schärfer ausgeprägt, ist die Situation des Dramas. Das klassische Maß des Fünfakters ist schon lange preisgegeben zugunsten einer kompositorisch viel lockereren Folge von Szenen und Bildern. Aber die Auflösung der alten Formen hat seitdem Fortschritte gemacht, wie das „epische Theater" zeigt. Wie im Roman tritt der Autor dem Stück gegenüber, indem er die Figur des Interpreten schafft, der mit dem Zeigestock das Geschehen auf der Bühne erläutert, und es kann sein, daß sich im Interpreten der

Autor selbst verbirgt, der seine Gestalten auf der Bühne agieren läßt und dann ihr Tun und Lassen kritisiert (ähnlich wie es im Roman neuestens durch Stefan Andres in der „Sintflut" geschieht). So ist es in Thornton Wilders „Unsere kleine Stadt", und auch Claudel macht davon Gebrauch. In Bert Brechts „Mutter Courage und ihre Kinder" gehört der die Szenen untereinander verbindende Text zum Geschehen auf der Bühne. Das Theater ist Kritik, ernüchternd, entzaubernd, die Gebilde der Phantasie im Kern auflösend. Dabei ist eine Stufenfolge der Entschlossenheit zu erkennen: neben der Ibsen-Nachfolge in Priestleys „Ein Inspektor kommt" steht das existentialistische Drama der Franzosen, insbesondere Sartres, der das Leben „schwimmend über dem Abgrund des Nichts" sieht. Die Verwandlung, die sich die aus dem antiken Drama auf die Bühne hinübergeführten Gestalten des Orest, des Ägisth, des Kreon, der Antigone und der Eurydike gefallen lassen müssen, macht deutlich, wie sehr das Drama in der Problematik der Zeit verfangen ist. Sichtbar ist, daß die Entscheidungen auf dem Felde des Dramas ebenso vollzogen werden wie im Roman, vielleicht noch mehr. Das deutsche Drama kennzeichnet sich vielleicht am ehesten durch starke sozialrevolutionäre Tendenzen bei Brecht und — in seinem Gefolge — bei Weisenborn. Die großen Formen des Dramas sind jedoch noch nicht gewonnen. Jenseits der Scheidelinie baut sich ein neues christliches Drama auf, in England durch Eliot, in Deutschland geschieht vielleicht durch Egon Viettas „Monte Cassino" ein verheißungsvoller Anfang; Claudels Dramenwerk steht in erhabener Einsamkeit da.

Offenbar hat an solchen Veränderungen die Lyrik unserer Zeit keinen Anteil. Es fällt auf, daß wir in diesem Bereich nicht nur keine Auflösungserscheinungen haben, sondern im Gegenteil die Hinneigung zu strengen Formen, wie zum Beispiel die Vorliebe für die Kunstform des Sonetts zeigt. Zur Verdeutlichung des Bildes unserer Zeit trägt sie gleichwohl in ihrer Weise bei: sie strebt vom subjektiven Ausdruck weg zur Anerkennung der Objektivität überpersönlicher Gesetze und zeigt dabei, wie groß der Unterschied der seelischen Haltung unserer Generation gegenüber den Schaffenden aus der Zeit nach dem ersten Weltkrieg ist. Als Vergegenwärtigung der elementaren Erschütterung unserer Epoche ist die Lyrik natürlich ein besonders deutliches Ausdrucksmittel. Vor allem hat der unmittelbare Eindruck des Zusammenbruchs und das Erlebnis der Endzeitlichkeit eine Flut von Lyrik zutage gefördert, wovon doch nur ein geringer Teil Rang und Höhe erreicht. Dieser allerdings spiegelt Tod und Untergang, Flucht und Rettung, Trümmer und Elend, Zweifel und Hoffnung, Leugnung Gottes sowie Trost in der Prüfung oft in bewunderungswürdiger Weise. Namen wie Marie Luise Kaschnitz, Rudolf Alexander Schröder, Manfred Hausmann, Hans Egon Holthusen und Konrad Weiß, von vielen anderen zu schweigen, dürften zu den Dauernden gehören.

Auffällig ist der Anteil der Tagebücher am Schrifttum unserer Zeit. Oft sind es Nachtbücher und bezeichnen sich auch so. Die Unmöglichkeit, der täglich sich erneuernden und immer wieder anstürmenden Ereignisse der äußeren und der inneren Erfahrung Herr zu werden, zwingt den Nachdenklichen zur abendlichen und nächtlichen Meditation über die Vorfälle des Tages. Das eindruckvollste Zeugnis dafür bieten die zahlreichen Tagebücher Ernst Jüngers, der mit ihnen einen großen Teil seiner Lebensleistung darstellt. Mit seinen „Strahlungen" erreicht er in diesem Bereiche die vorläufig größte Höhe. Er selbst sagt von der Tagebuchmethode: „Die Wahrnehmung, die Mannigfaltigkeit der Töne kann sich in einem Maße steigern, daß die Form bedroht ist. Demgegenüber ist das Tagebuch das beste Medium. Auch bleibt es im totalen Malstrom das letzte mögliche Gespräch[11]". Tagebücher sind oft Zeugnisse dafür, wie mühsam Stück für Stück der Wirklichkeit geistig bewältigt wird. Abermals ist es Jünger, der das Tagebuch mit einem Logbuch vergleicht. Es enthält Notizen auf der Fahrt durch die Meere, „in denen der Sog des Malstroms fühlbar wird und Ungeheuer auftauchen". Auf systematische Erkenntnis ist das Tagebuch nicht angelegt; aber es stellt in einer großen Summe Element neben Element. In der Anlage herrscht Ordnung und Methode, die „Ordnung des Anfalls von Dingen und Gedanken zählt zum Kursus, zur Aufgabe, die sich der Autor stellt". Wie das Ergebnis beschaffen ist, hängt von der Betrachtungsweise des jeweiligen Schreibers ab. Jünger bemüht sich, durch die Erscheinung zum Unsichtbaren durchzustoßen und das Konkrete phänomenologisch zu durchdringen. Haeckers hinterlassene „Tag- und Nachtbücher" zeigen einesteils dasselbe Bemühen, bieten dabei jedoch mehr die Kennzeichen des vom theologischen Glauben Erleuchteten, während die „Nocturnen" von Ida Görres-Coudenhove einen Zug zur Andacht und Meditation besitzen, an die geistlichen Betrachtungsbücher erinnernd, die die eigentliche Urform der später säkularisierten Niederschriften sind. Daß es sich bei dieser Tagebuchliteratur um eine verbreitete Grundform gegenwärtiger Aussageweise handelt, könnten viele Namen in Deutschland wie im Ausland zeigen. Es sei nur an Kafka, Carossa, Weisenborn und André Gide erinnert.

Ausdruck der Zeit ist auch der Aphorismus. Er gehört zu den Stilmitteln von Krisenzeiten, und ist einer der Problematiker unter den Aussageweisen, vom systematischen, gesicherte oder unbezweifelte Bestände ergreifenden Denken am weitesten entfernt. Es begreift sich, daß heute, in der ungesichertsten aller Lagen, der Aphorismus zu einer beachtenswerten Literatur anwächst, in der einige unserer namhaftesten Schriftsteller ihr Bedeutendstes sagen.

IV.

Die nachfolgenden Seiten geben nur einen Teilausschnitt aus dem Schaffen der Gegenwart. Sie wollen keine Bestandsaufnahme sein; diese würde sich nicht nur schwer ermöglichen lassen, sondern auch zu keinem nützlichen Ziele führen. Die unmittelbar nach dem Kriege vergeblich erwartete Flut von Erscheinungen hat mittlerweile eingesetzt und beschert uns eine täglich wachsende Fülle. Es ist daher nicht zu vermeiden, daß im folgenden manche Gestalt fehlt, deren Würdigung erwartet werden mag. Auch trägt die Auswahl subjektive Züge: es finden sich diejenigen dargestellt, die dem Verfasser aus irgendeinem Grunde zugeordnet waren. Gleichwohl: selbst eine begrenzte Zahl kann den Anspruch erheben, ein Abbild der Gegenwart zu bieten, wenn der einzelnen Gestalt der Rang einer Stellvertretung zukommt.

Auch die Methode der Darstellung bedarf eines Wortes der Erläuterung. Zweifellos hätte sich das Anliegen des Buches auch auf anderen Wegen erfüllen lassen. Es wäre denkbar gewesen, von der Gattung oder vom Problem auszugehen. Es wurde jedoch der Plan vorgezogen, das Werk einer Reihe bedeutender Menschen unter monographischen Gesichtspunkten zu behandeln und damit deren Rolle im Kräftespiel unserer Tage als Repräsentanten einer Welthaltung sichtbar werden zu lassen. Von einer „Einordnung" in einem auch nur annähernd exakten Sinne kann dabei natürlich keine Rede sein. Jeder Mensch ist unantastbar und unvergleichlich. Es können höchstens bis zu einem gewissen Grade Verwandtschaften in der

geistigen Haltung dargetan werden, vor allem zum Zwecke
der wechselseitigen Erhellung. Und auch in diesem Sinne ist
Vorsicht am Platze. Die Aufeinanderfolge bedeutet keine logische Kette, sondern einen Zug der Gestalten, die jeweils
eine geistige Welt in sich gebildet haben.

DIE LITERATUR DER KRISIS

THOMAS MANN: DAS SPÄTE WERK

Die Situation des Endes

Daß Thomas Mann an den Anfang der Überschau gestellt wird, begründet sich in seiner unter vielen Gesichtspunkten repräsentativen Stellung in der Gegenwartsliteratur. Bei allem Streit um seinen schriftstellerischen Rang und sein Verhalten gegenüber dem deutschen Volke ist er trotz allen Kompliziertheiten in seinem riesigen Lebenswerk eine vom Grunde her durchaus eindeutige Gestalt. Er ist derjenige unter den deutschen Romanciers, der die Situation des Endes am vielseitigsten und umfassendsten verdeutlicht, nach Wesen und Bildung mit der Glaubens- und Hoffnungslosigkeit der Zeit in der Tiefe verbunden ist, und wenn es schon das Kennzeichen des jungen und des mittleren Thomas Mann war, mit seinem Werk Erscheinungsformen des Endes darzustellen, so ist das Spätwerk, je mehr es auf die Gegenwart zuschreitet, das „Ende des Endes¹".

Die weltanschaulichen Grundlagen sind – ungeachtet aller Varianten bei ihm – denen zahlreicher Schriftsteller unserer Zeit verwandt. In der Tradition der Jahrhunderte liegt das Bekenntnis zur Weltimmanenz, die längst nicht mehr als das Allgöttliche, sondern als das Dunkle und Verfluchte erfahren wird. Über das Schrifttum der Gegenwart fällt breit der Schat-

ten Nietzsches, und auch dort, wo man sich mit ihm ausein-
andersetzt, bleibt er in der Regel der Sieger. Wer sich mit
Thomas Mann zur ungeschiedenen Weltfülle der Tiefe bekennt, muß mit der Gefahr rechnen, die Gewalt der dunklen
Mächte an sich zu erfahren und nicht die Gottnatur. So sehr
haben sich die Zeiten verdüstert.Gleichwohl kündet sich auch
in solch einer Hinwendung zu den letzten Dingen ein religiöses Anliegen an. Thomas Mann hat es oft genug bekannt,
daß er das Ästhetische preisgibt um religiöser Fragen willen.
Die Sehnsucht nach den Ursprüngen und dem Übererfahr-
baren, das Ja zu den irrationalen Mächten, selbst die Sorge um
das eigene Heil sind die treibenden Kräfte. Das abgründigste
Problem: Wie komme ich zum Durchbruch? bleibt jedoch un-
gelöst. Schon die Frage wird in der eigenen Hoffnungslosigkeit erstickt.

Das Spätwerk Thomas Manns kennzeichnet sich durch eine
dreifache Thematik; durch sie wird klar, in welchem Maße
der Schriftsteller sich bemüht, in die tiefsten Schichten vorzudringen. Es handelt sich um den Josephsroman, das Goethe-
bild und den Doktor Faustus.

Thomas Mann beginnt mit dem Abstieg ins Mythische.
Vorausgegangen war 1925 der „Zauberberg"; es folgte noch
eine kleine Erzählung, „Unordnung und frühes Leid", bevor
er, 1926, die erste Zeile seines auf vier Bände anschwellen-
den und ihn sechzehn Jahre in Anspruch nehmenden Romans „Joseph und seine Brüder" schrieb. Die Wendung im
Thema ist außerordentlich. War es eine Flucht aus den be-
drängenden Unruhen der Zeit und eine Übersättigung durch
das Bürgerliche, was ihn zu den allgemeinen Formen des
Menschlichen, den zeitabgewandten Vorkommnissen einer
unvordenkbaren Vergangenheit führte? In einem „Höllenfahrt" genannten „Vorspiel" zum ersten Roman führt er sei-

nen Leser ein in den „Brunnen der Vergangenheit", indem er
ihn an seinen Absichten teilnehmen läßt, nachzugehen dem
„Rätselwesen, das unser eigenes natürlich-lusthaftes und über-
natürlich-elendes Dasein in sich schließt und dessen Geheimnis sehr begreiflicherweise das A und das O all unseres Redens
und Fragens bildet, allem Fragen seine Inständigkeit verleiht.
Da denn nun gerade geschieht es, daß, je tiefer man schürft,
je weiter hinab in die Unterwelt des Vergangenen man dringt
und tastet, die Anfangsgründe des Menschlichen, seiner Geschichte, seiner Gesittung, sich als ganz unlotbar erweisen
und vor unserem Senkblei, zu welcher abenteuerlichen Zei-
tenlänge wir seine Schnur auch abspulen, immer wieder und
weiter ins Bodenlose zurückweichen[2]". Er verläßt also sein
bisheriges Thema, die bürgerliche Gesellschaftskritik, und bewegt sich in die Richtung der Ursprünge, dort, wo – wenn
nicht Urbilder, so doch Grundkräfte ahnbar werden, die alles
Menschliche durchziehen, die „Urvorkommnisse des Men-
schenlebens, Liebe und Haß, Segen und Fluch, Bruderzwist
und Vaterleid, Hoffart und Buße, Sturz und Erhebung
kündend[3]".

Er bedient sich dazu des biblischen Stoffes wie so viele vor
ihm. Die Geschichte reicht bis in die Jugend Jaakobs zurück,
ja, bis zu Abraham, und verliert sich in unergründlichen Ver-
gangenheiten. Wir hören von den Urgeschichten der Menschheit, von der großen Flut, dem Turmbau, dem Sündenfall,
dieser „Stiftung der moralischen Welt", wodurch sich das
Gute von dem Bösen schied. Wir treten in große geographi-
sche und geschichtliche Räume ein und wandern, leise, jedoch
nachdrücklich geführt von moderner Völker- und Religionsgeschichte, die Jahrhunderte umfassenden Entwicklungen
entlang. In den Begegnungen und Trennungen sollen sich
menschliche Grundverhältnisse dartun. Zeugen und Gebären

und der ganze Naturbereich des Geschlechtlichen spielen eine
große Rolle. Wie Riesen der Urzeit ragen die Erzväter heraus, Herdenkönige, mit denen Gott seinen „Bund" schloß. Es
ist der Weg aus menschlicher Finsternis in immer größere geschichtliche Helle[4].

Arbeitsweise, Weltanschauung und philosophische Grund-
einsichten sowie die dazu gehörige Glaubenshaltung Thomas
Manns zeichnen sich trotz der Fremdartigkeit des Stoffes über-
deutlich ab und machen das Werk zu einem unverkennbaren
Eigentum des Dichters. Es lassen sich mehrere Schichten
unterscheiden, die sich in diesem Roman durchdringen. An
erster Stelle zu nennen ist die gelehrte Stoffsammlung. Vor
unsern Augen wird ein ungeheures Wissen ausgebreitet. Jüdische und ägyptische Archäologie, Sitten und Lebensweisen
der biblischen und außerbiblischen Völker, religiöses Brauch-
tum und Leben, Sprachformen und deren Geschichte, Entwicklungen und Überlagerungen der Dialekte, Geographie,
Ethnographie, Religionsgeschichte, Kulturgeschichte und alle
übrigen Wissenschaften, die in das Leben vergangener Völker
einführen, haben ihren Beitrag geleistet. Thomas Mann durch-
wandert Afrika, Palästina, Kleinasien, Mesopotamien, erfin-
det Stätten und Städte zu den bestehenden, schließt die Lük-
ken in den Erzählungen, ruft zu den biblischen Gestalten
andere ins Leben und baut sie ein, vom Minister bis zum
Hofzwerg.

Vielleicht noch interessanter und reicher ist die innere Menschenwelt. Die Fähigkeit, die fernen Gestalten seelisch zu erfassen, ihre Motive für ihr Handeln sichtbar zu machen oder
solche zu erraten, ruft eine Welt lebendiger Charaktere hervor und macht jeden einzelnen greifbar und gegenwärtig. So
werden die Menschen des Romans nicht nur zu Trägern von
Grundkräften, sondern verdeutlichen die immerwährende Ge-

genwärtigkeit ihrer Herzensregungen, Willensimpulse und intellektuellen Anlagen. Man folgt gern der psychologischen Meisterschaft des Dichters, der Kinder und Greise, Herren und Diener, Männer und Frauen der Patriarchenzeit zum Leben erweckt und mit nie ruhender Erfindungsgabe Vorgänge und Gestalten schafft. Man würde sich der Erzählkunst Manns unbefangener hingeben, wenn nicht allzu viel Seelenanalyse und modernes Aufklärertum die Hand im Spiele hätten, Freudsche Psychoanalyse die großen Grundverhältnisse nicht immer wieder in Verwirrung brächte, nicht jeder Vorgang mikroskopisch und „haarklein" untersucht würde.

Denn Thomas Mann ist immer dicht am Erklären. Die „religiöse" Grundkonzeption ist überall spürbar: daß jenseits der geschichtlichen und psychologischen Aufhellung der biblischen Geschichten von einem Offenbarungsgeheimnis oder einer göttlichen Weltführung nicht gesprochen werden kann. Thomas Mann will im Grunde den Offenbarungsanspruch des Alten Testaments widerlegen; er glaubt, die Mittel dazu in der Hand zu haben, um die reine Natürlichkeit aller Wunderberichte zu beweisen. Da er das Wunder und die Offenbarung nicht anerkennt, wird sein Roman die dichterische Bewältigung der Naturgeschichte des Menschen, ja, sie ist vielleicht weniger als dies, da man überall den wissenden und kritisierenden Literaten unserer Zeit erkennt, dem es unmöglich ist, das Gottgeheimnis der Welt zu sehen.

Denn was Thomas Mann hier und fortan Gott nennt, ist der dunkle Weltgrund, der, durch den Prozeß der Menschheitsgeschichte, durch das Wachwerden des Geistes zu sich selbst gebracht, aus seiner Unbegreiflichkeit befreit und von sich selbst erlöst werden muß. Diese Erlösung vollzieht sich stufenweise, indem jede folgende Generation und jedes religiöse Genie das früher Erkannte in sich aufnimmt und nach

dem Maß seiner Erfahrungen weiterbildet und höher hebt.
Der Mensch aber habe sich allmählich aus einem halbwachen
Zustand zur Bewußtheit, von irdischer Erkenntnis zum Wis-
sen um Gott heraufgebildet. Gott spiegelt sich in den Men-
schen nicht allein nach ihrer Weise, vielmehr erhält er durch
sie erst seine Existenz. So wird der biblische Boden nicht der
Ort der Begegnung von Gott und Volk, auserwählte Stätte
göttlicher Führung, sondern Durchbruchstelle natürlicher
Entwicklungen, ein Orient, über dem die Morgensonne des
Geistes geleuchtet hat. Es ist etwas anderes zu sagen, daß
Gott nur mit Hilfe des Menschengeistes zur Weltvollendung
gelangen könne, und zu meinen, daß über die menschliche
Leistung hinaus kein Gott seine Hand im Spiele der Ge-
schichte habe.

Dieser Unglaube macht es dem Dichter unmöglich, zu dem
biblischen Stoff in eine echte Beziehung zu treten. Der Leser
muß sich fast Seite für Seite über die staunenswerten Möglichkeiten seiner Schriftstellerei wundern, aber er wird eigentlich nirgendwo warm. Er läßt sich gern durch die fremden
Welten führen, aber er erkennt nicht so sehr Patriarchen und
biblische Gestalten als Verwandte aus Thomas Manns übriger
Romanwelt. Man kann vielleicht moderne psychologische
Methoden verwenden, um Vergangenes zu sich heranzuho-
len, aber man kann nicht mit Fortschrittsglauben und einem
voluntaristischen Weltimmanentismus das Alte Testament erklären. Er wird ihm in vielem zustimmen und sich sogar
freuen über die Kühnheit manches Klärungsversuchs (zum
Beispiel im Falle der lang ausgesponnenen Geschichte von
Joseph und der Frau des Putiphar), er wird sich aber oft ent-
täuscht abwenden angesichts der Billigkeit mancher rationa-
listischen Erhellung.

Der Weg aber, den der Dichter im Josephsroman zu beschreiten unternimmt, setzt sich geradlinig fort, nicht immer gleich sichtbar. Das Fundament bleibt dasselbe. Der dunkle Urstoff der Welt, den das Menschengeschlecht im Verlaufe seiner geschichtlichen Verwandlungen ins Bewußte und Geistige hinüberträgt, ist schicksalhaftes Element jeglicher Individualität, aus dessen Tiefe alles Unbegreifliche, Schöpferische, Rätselhafte auftaucht – in dessen Bodenlosigkeit wir auch wieder versinken müssen.

Zwei Erzählungen aus diesem Umkreis stehen mehr am Rande.

Ein unmittelbarer Nachklang zu den Joseph-Geschichten ist die im Frühjahr 1943 entstandene Novelle „Das Gesetz", die die Entstehung des Dekalogs zum Gegenstande hat, im Unterschied „von der quasi-scientifischen Umständlichkeit[5]" des großen Werks eine Arbeit von schnell fortschreitender Handlung und frischem Erzähltempo, von dem eben abgeschlossenen Roman auch dadurch verschieden, daß sie das bis dahin heimliche, wenn auch überall spürbare Aufklärertum in der Behandlung der alttestamentlichen Texte offen zur Schau stellt und dadurch selbst ironisiert. Das Ganze wirkt wie ein Werk aus der Feder Voltaires, das Legendäre sollte bewußt scherzhaft behandelt werden – ein Werk, das der Dichter sich selbst zur Erholung schrieb, nachdem er sich aus der langen Fron des großen Romans entlassen sah. Die wichtigsten Züge der Geschichten um Joseph kehren gleichwohl wieder; immer geht es um den Versuch, die weit entfernten Begebnisse des Alten Testaments mit historischen und psychologischen Einsichten zu durchsetzen, die Lücken der Berichte durch eigene Erfindungen zu schließen und das Ganze zum Träger eigener weltanschaulicher Überzeugungen zu machen. So entsteht ein Spiegelbild von Thomas Manns Weltbild auch dann, wenn man einrechnet, daß diese Erzäh-

lung von Moses, seiner Herkunft und seinen Taten gewollt
groteske Züge trägt. Es ist übrigens nicht ohne Kennzeichen
eines Pamphlets: die Schmährede, die der enttäuschte Moses
an sein abtrünniges Volk richtet, hatte im Grunde eine andere
Adresse.

Einige Jahre vorher, 1940, als Thomas Mann noch inmitten der Arbeiten um seinen großen Roman stand, schrieb er
nach indischen Motiven, die er dem Werk des eben verstorbenen Freundes Heinrich Zimmer entnahm, die Legende „Die
vertauschten Köpfe", eine kleine Geschichte, bei der ihm die
unbeschwerte Heiterkeit Wielands die Hand geführt zu haben
scheint. Sie führt nun stärker aus unserem Zusammenhang.
Liebe und Verwechslung sind die Elemente eines reizvollen
Spiels, dessen verborgener Tiefsinn spielerisch bewältigt wird.
Wir hören von einem Freundespaar, das in einem indischen
Dorfe aufwächst; der erste, ein Brahmanensproß, hat bei
schwächlicherem Wuchs ein edles Antlitz, der andere, der
Sohn eines Grobschmieds, ein gewöhnlicheres Gesicht bei
prachtvollem Körper. Der Brahmane heiratet die schöne
Sita, aber das Glück ist nur unvollkommen, da die junge Frau
infolge ihres Begehrens nach dem schönen Leib in dauernder
Gedankensünde lebt. Bei einer Reise zu dritt, auf der sie wider
Willen in die Nähe eines Tempels geführt werden, wählt der
Gatte in plötzlichem Entschluß den Opfertod der Selbstent-
hauptung, und Nanda, der Freund, opfert sich ihm nach. Die
Verzweifelte wird von der Stimme der Allmutter Kali-Durga
aufgefordert, Kopf und Rumpf wieder zusammenzusetzen.
Sie tut es, verbindet jedoch das Falsche, unwissentlich und
doch aus dunklem Antriebe. Wer ist nun ihr Gatte? Hat sie
den Kopf oder den Leib geheiratet? Sie selbst neigt dem
Kopfe zu, und als ein zur Entscheidung angerufener Einsiedler diese ihre Meinung bestätigt, zieht sie mit dem erneuerten

Gatten froh nach Hause. Aber es bleibt nicht dabei: der Leib modelt sich alsbald unter dem Diktat des Kopfes, und umgekehrt bleibt das Antlitz nicht ganz ohne die Einwirkungen, die von dem gröberen Stoffe des Leibes ausgehen. Die entsprechenden Wirkungen spürt Nanda, der sich in die Wüste zurückgezogen hat: der schwächliche Leib, der ehemals dem Freunde gehörte, wird stärker, das Antlitz edler. So beginnt eine neue Verstrickung, als Sita eine Wanderschaft der Sehnsucht in die Wüste antritt. Das Ende ist der gemeinsame Flammentod der beiden Männer und ihrer Frau. Ist es dies, daß Schönheit und Geist sich nicht zusammenfügen lassen?

Was sich auf dem Felde des Mythos ereignete, die Aufdeckung der dunklen Gründe der Menschheit, wiederholt sich im fortdauernden Schaffen Thomas Manns an ganz anderer Stelle: in der Beschäftigung mit der deutschen Bildungswelt. Er hat sich im Laufe seines langen Lebens mit vielen Gestalten umgeben, die ihm zur Klärung der eigenen Anschauungen verhalfen, es scheint aber, daß keine für ihn die Bedeutung Goethes und Nietzsches erhalten haben, und wenn nun von Goethe die Rede sein soll, so muß ihm der Name Nietzsches beigesellt werden, denn der Blick Thomas Manns auf den großen Dichter ist durch die Blickrichtung bestimmt, in die er sich durch Nietzsche zwingen ließ.

Überschaut man die vielfachen Bemühungen in unserer Zeit, zu einem erneuerten Verständnis von Goethes Persönlichkeit und seinem Schaffen zu gelangen, so ergibt sich im Resultat eine erfreuliche Annäherung in grundlegenden Fragen. Ins Bewußtsein unserer Zeit tritt ein Goethe, der in großen Ordnungen gelebt, gedacht und gedichtet hat, die Welt mit den Augen der Griechen sah, die Kreise des Daseins durchschritt und an den Pforten des ewigen Gottes in ehrfürchtigem Schweigen verharrte, demütig die letzte Antwort aus dem Jenseits erhoffend. Demgegenüber entwickelt Thomas Mann ein Bild des Dichters, das aus wesentlich älteren Beständen stammt und nun fremd und nicht mehr recht verstanden vor uns steht. Aber es ist nicht schwer zu erkennen, daß Thomas Manns Goethe ein Bild aus *seinem* Geiste ist, daß, indem er sich ihn anverwandelt, er ihm Gewalt antut, so eindrucksvoll er auch das Teilhafte darzustellen vermag. Es geschieht, von mehreren früheren Beiträgen abgesehen, in einem Aufsatz über Goethe, den er als Einleitung einer Auswahl von Goethes Werken voranstellte, in seiner Frankfurter Goethe-Rede und in seinem Roman „Lotte in Weimar".

Es geht ihm um den Versuch, das Wesen des Genies aus seinen irrationalen, letztlich chaotischen Tiefen zu begreifen und in den dunklen Schacht des Lebens hinabzusteigen. Er erfährt das Erschrecken in Verbindung mit dem Erstaunen. Mit besonderer Aufmerksamkeit registriert er das Wort Goethes aus seinem letzten Brief an Wilhelm von Humboldt, worin er angesichts des Todes die Summe seiner Existenz zieht: „Das beste Genie ist das, welches alles in sich aufnimmt, sich alles zuzueignen weiß, ohne daß es der eigentlichen Grundbestimmung, demjenigen, was man Charakter nennt, im mindesten Eintrag tue, vielmehr solches noch erst recht erhebe und durchaus noch befähige ... Die Organe des Menschen durch Übung, Lehre, Nachdenken, Gelingen, Mißlingen, Fördernis und Widerstand und immer wieder Nachdenken verknüpfen ohne Bewußtsein in einer freien Tätigkeit das Erworbene mit dem Angeborenen, so daß es eine Einheit hervorbringt, welche die Welt in Erstaunen setzt." Das Wort zeigt ihm an, daß hier der größte Deutsche des Jahrhunderts – jenseits aller umwälzenden Ereignisse der Geschichte, die ihn durch acht Jahrzehnte begleitet haben, jenseits aller Erlebnisse und Verwandlungen - das eigene Ich als ein Fremdes versteht, das mit ihm gewandert ist. Wer „Persönlichkeit" sagt, so meint Thomas Mann, verläßt die Sphäre des bloß Geistigen, Vernünftigen, Analysierbaren, und tritt ein in einen Bereich des Natürlichen, Elementaren, Dämonischen, welches „die Welt in Erstaunen setzt". Ohne Zweifel, Goethe hat dies oft und deutlich gesagt. Für Thomas Mann wird Goethe ein Fall, der zum Beweise und zur Bestätigung seiner eigenen Lebenslehre dient.

Die Ungeschiedenheit des Weltstoffs, der die Gegensätze zusammenbringt und auf *einen* Ursprung zurückführt, wird für Thomas Mann vor allem durch ein auffälliges Faktum erweislich: das Zusammensein von Genie und Krankheit. Es ist nicht verwunderlich, daß er gewissen Erscheinungen in der Erblinie Goethes mit dem größten Interesse nachgeht und sie mit starken Gewichten belastet. Die Genialität des Dichters wird ihm auf diese Weise eine Verdeutlichung seiner Teilhabe an den schaffenden Kräften der Welt. Es ist derselbe Zug, den er in seiner Einleitung zu einer amerikanischen Dostojewskij-Ausgabe mit solcher Schärfe an dem großen Russen herausarbeitet. In der Erblinie des Vaters kamen, so argumentiert er, erhebliche Störungen vor, die sich den Kindern mitteilten, aber zu verschiedenen Wirkungen führten: die Schwester ging früh zugrunde; in dem Dichter, obgleich nach eigenem Geständnis die Gesundheit immer „auf Spitze und Knopf" gestanden habe, entzündeten sich die Kräfte. Dies der erste, entscheidende Grundzug. Den zweiten Grundzug von Goethes Persönlichkeit sieht er in der Kunst, über den Gegensätzlichkeiten zu schweben, sich nicht festzulegen, sich auf keine Zwecke einzulassen, Natur und Kunst als eine in sich ruhende Gabe zu betrachten, die Böses und Gutes gleichmäßig umfaßt. Er habe – ein Letzter – noch in heiterer Harmonie gelebt und wolle nicht mit eigentlich sittlichen Maßstäben gemessen werden. Das Dritte aber sei: die Welt fühle sich durch das Genie keineswegs bloß befreit oder gefördert, sondern auch gehindert und leide unter ihm. „Von Absolutismus und persönlichem Imperialismus hatte Goethes majestätisches Alter viel; der Druck dieses Alters auf alles, was neben ihm auch noch leben wollte, war schwer, und nicht nur Nymphenklage um den großen Pan wurde bei seinem Tode laut, sondern auch ein deutliches „Uff!" Der vierte Charakterzug sei eine umfassende, ins Unbegreifliche, Undefinierbare entgleitende Freiheit, „die Freiheit des Proteus, der in alle Formen schlüpft, alles zu wissen, alles zu verstehen, alles zu sein, in jeder Haut zu leben verlangt". So sei er der Umfassende geworden, der sich in romantischer und klassischer Luft bewegte, Heidentum und Christentum, Protestantisches und Katholisches, Ancien Régime und Amerikanismus an sich zog. „Es ist etwas wie Weltherrschaft als Ironie und heiterer Verrat des einen an das andere, und ein tiefer Nihilismus, der zum Scheiden und Werten unwillige Objektivismus der Kunst – und der Natur – ist darin wirksam, etwas Natur-Elbisches, das aller Eindeutigkeit entwischt, ein Element der Fragwürdigkeit, der Verneinung und des umfassenden Zweifels . . ." In seiner Naturkindlichkeit und resoluten Diesseitigkeit sieht Thomas Mann viel Anti-Christliches, das in Nietzsches Diatriben gegen die Religion des Mitleids auf die Spitze getrieben worden ist.

Es ist gut, diese Grundzüge seines Goethe-Bildes im voraus zu kennen, ehe man seinen Roman „Lotte in Weimar" zur Hand nimmt. Der Dichter begibt sich mit diesem Werk in eine merkwürdige Lage. Die Grenzen seines Schaffens sind vom Thema her auf das engste gezogen, die Gestalt des Dichters ist in allem, was an äußeren Fakten überhaupt festgestellt, was an inneren Vorgängen dokumentarisch belegt werden kann, vollkommen durchforscht, so daß jeder Versuch einer romanhaften Behandlung „sich am festliegenden Bilde stößt₆". Zudem arbeitet der Schriftsteller selbst mit einem Schatz bewunderungswürdiger Goethe-Kenntnis, die ihm das Ausweichen auf selbsterfundene Bereiche schwer gemacht hätte. Aber ein anderes war doch in seine Freiheit gestellt: den Dichter mit den Zügen zu versehen, die seiner Vorstellung entsprechen, und ihm Worte, Sätze, Meinungen in den Mund zu legen, die nicht Goethe, sondern Mann zugehören, und sie als „höhere Wahrheit" dem großen Dichter zuzuschreiben. Vor allem war es möglich, diejenigen Züge in Goethes Charakter zu betonen, die Thomas Manns eigenes Weltbild konstituieren. Das „Elbische" wird ein neues Stichwort: durch das Elementare sieht Thomas Mann den großen Dichter mit den Mächten der Tiefe verbunden.

Der Roman hat den Besuch der verwitweten Hofrätin Charlotte Kestner, geborenen Buff aus Wetzlar zum Gegenstand, die nach 44 Jahren – als 62jährige – zum erstenmal seit den Werthertagen zu Goethe fährt, um – wir wissen nicht recht, auf Grund welcher Eingebung – ihr Lottenerlebnis von Anno dazumal zu wiederholen. Die Begegnung verlief von Goethes Seite her uninteressant und ohne Widerhall. Die Annalen nennen nur ihren Namen neben andern Besuchern. Aber das geringfügige Ereignis wird für Thomas Mann der Ansatz zu einer glänzenden Romankomposition, die ihm die Möglichkeit zur Entfaltung seiner virtuosen Sprachmittel gibt. Die Ankunft der durch den Werther-Roman berühmten Frau genügt, um die Stadt in Bewegung zu bringen. Die im „Elefanten" abgestiegene Besucherin soll nicht zur Ruhe kommen, sie muß einen Neugierigen nach dem andern zu sich hereinlassen und ihm Rede und Antwort stehen. Bei all dem wird sichtbar: der eigentliche Held des Romans ist nicht sie, sondern Goethe, dessen Bild sie widerspiegeln soll, jeder einzelne leistet seinen Beitrag, bis die Gestalt des Abwesenden so vielseitig beleuchtet ist, daß er selbst in die Mitte treten kann. Zwischen den Partien des Romans herrscht eine bewunderungswürdige Architektonik: den Umkreis weitester Entfernung beschreibt der Oberkellner Mager, der Goethes Prosa in den Dienst seiner Höflichkeiten stellt; Miß Cuzzle, die anglo-irische Zeichnerin, hat zum Dichter wie zu Lotte Kestner das berufliche Verhältnis der Journalistin zur Celebrität; der ehemalige Geheimschreiber Riemer aber ist der erste, der Goethe aus nahem Umgang zu schildern vermag; er ist der Mann, der mit seiner Bewunderung für den Großen, den Gewaltigen, den Schöpferischen die Abneigung gegen das Rücksichtslose und Zerstörerische der Goetheschen Gegenwart verbindet und die Selbstrettung der Geringeren vor den Ansprüchen des Allvermögenden verteidigt. Adele Schopenhauer führt die Fremde in den familiären Umkreis des Großen von Weimar, sein Verhältnis zur eben verstorbenen Christiane, zu seinem Sohn, zur künftigen Schwiegertochter Ottilie von Pogwisch. Die Linien des Goethe-Bildes werden verstärkt: abermals liegt der Ton auf dem letztlich Unheimlichen seiner Person, die nicht nur Gewaltiges, sondern menschlich Unbegreifliches umfaßt, das Elbisch-Elementare seiner Anlage, die ihm die Kraft gibt, Menschen ungeachtet ihres Eigenwertes in seinen Dienst zu stellen und mit ihnen unbedenklich umzuspringen. August von Goethe, der letzte der Besucher, führt diese Entwicklung zur Höhe; er ist der kranke, neurotische, so oft diffamierte Sohn eines Mächtigen, er enthüllt sein Inneres in Bitterkeit, Hilflosigkeit und Bosheit, froh, dem Halbgott Allzumenschliches nachweisen zu können. Die konzentrische Linienführung stößt auf die Mitte zu. Wir erfahren in Variationen immer dasselbe: viele leben

beglückt, eine ganze Stadt ist erfüllt von seinem Geiste, diejenigen aber, die gezwungen sind, in seinem Umkreis zu sein,
sind, jeder in seiner Weise, bedrückt, eingeengt, im Schatten
eines riesigen Baumes, der ihnen die Luft wegnimmt und un-
duldsam alles in seinen Schatten rückt. „Complicen der Qual"
nennt Riemer die Zeit- und Weggenossen des Dichters. Sie
alle meinen, daß eine Rechnung mit dem Genius zu beglei-
chen sei, aber sie bleibt unerledigt. Auch Charlotte muß dem
zustimmen; hat sie es doch dulden müssen, daß vor 44 Jahren
ein „bunter Falter und Sommervogel" „schmarutzerhaft" an
der Blüte ihres Lebens naschte und davon flog, ohne sich wieder sehen zu lassen. Riemer, der fleißige, büffelnde, aber von
jeder Größe ausgeschlossene Pedant, fühlt sich vom Glanze
des Genies nicht nur beleuchtet, sondern auch ausgedorrt, in
seiner engen, ihm von der Natur zugebilligten Bahn noch
obendrein gehemmt, da Goethe ihn zwingt, im kleinen Dienste der Interpunktion und der Rechtschreibung seine Tage
für den Größeren abzuarbeiten. Nur dann und wann darf er
sich den Ruhm zusprechen, goethescher als Goethe zu schreiben, indem er dem Meister bei seinen Korrekturen hilft, ge-
legentlich mit seinen Verbesserungsvorschlägen durchdringt
und Perioden baut. Ihm, dem mühsam Schaffenden, kommt
es schwer an, zuzusehen, wie der Genius im Spiel sein Werk
tut, mit der leichtesten Hand und unangestrengt den Menschen zu tun gibt, den Meinungsverschiedenheiten der anderen zusieht, ohne sich daran zu beteiligen oder sich dafür zu
interessieren. Der vielbeschäftigte kleine Mann begreift nicht
den göttlichen Zeitüberfluß des Genies, das wenig tut und
immer Zeit hat (wenn auch nicht für jedermann). So bildet
sich der Stoff zum Ressentiment, und es ist nicht immer unberechtigt, es ist der Wunsch des kleineren Erdenbürgers, der
auch seinen Lebensraum haben will. Der Sohn zählt seine

Pflichten auf: er ist der freiwillige Helfer des Vaters in tausend durchaus wichtigen Dingen, aber er hat sich ihm in allem unterworfen – unmerklich und in aller Freundlichkeit bewahrt sich das Genie seinen Alleinplatz, es duldet bei aller Toleranz und aller Lässigkeit doch keinen Widerspruch in der Weite des eigenen Lebenskreises.

Der Roman gipfelt in dem darauffolgenden Monolog, den der Genius mit sich selbst veranstaltet – eine nicht nur kompositorisch, sondern auch inhaltlich glänzende Leistung Thomas Manns, nach so vielen Gesprächen über ihn, den Weltgeist, hegelisch zu reden, im Gespräch mit sich selbst zu zeigen. Wir erfahren in locker gefügter Rede, womit sich Goethe beschäftigt und was der Augenblick ihm zuträgt: über Schiller, den Faust, den Zusammenklang von Leib und Seele. Das Kapitel umfaßt wie in einem Kern nicht nur das sehr bedeutende Wissen Manns über den Dichter, sondern auch seine Auseinandersetzung mit ihm und wie er ihn versteht. Hier begreift er als das Eigentliche seiner Persönlichkeit das „Elbische", das mit dem naturhaft Dämonischen zusammenhängt und außerhalb aller geistigen und sittlichen Ordnungen zur „Dichtergesinnungslosigkeit" führe und als ein „neutral und boshaft Verwirrendes" wirke. So erkennt er in Goethe den Ausdruck einer „mehr ironischen und bizarren als gemütlichen, mehr negativen als positiven, mehr humoristischen als heitern Proteusnatur".

Wir wollen es unterlassen, den Fragwürdigkeiten und Schwierigkeiten dieses Goethe-Bildes nachzugehen. Die Entgegensetzung von Geist und Natur ist eine solche. Die Bedingtheiten des geistigen Lebens in der natürlichen Veranlagung berührt ohne Zweifel eines der fundamentalen und nicht aufhellbaren Rätsel unseres Lebens. Das Wort „elbisch" aber, das Thomas Mann zur Aufhellung dienen soll, deckt abgründige Wirklichkeiten mehr zu, als daß es sie enthüllt. Bei der Grundposition unseres Schriftstellers ist es nicht unmöglich, ja es ist sogar wahrscheinlich, daß er damit eine tiefpathologische Veranlagung meint, die als Stimulans des Geistigen wirkt. Denn die geniale Produktivität entwickelt sich nach ihm doch nur auf der Grundlage einer ins Geistige sich sublimierenden Krankheit. Das ist das eigentlich entscheidende Bedenken. Ist damit Goethe Genüge getan, daß wir den Blick nur auf die Ursprünge geheftet halten, darüber aber die große Leistung aus dem Auge verlieren, das Werk des Gedankens, die Schönheit der Poesie, die Größe der Weltschau? Ist es Thomas Mann erlaubt, die eigene, auf tiefen Enttäuschungen beruhende Abneigung gegen das Deutsche und die Deutschen, dem Größeren in den Mund zu legen, indem er ihn Worte sprechen läßt, die ihm nur nachgebildet sind?

Der Roman geht dann in der kompositorisch großen Linie schneller zu Ende. Die Einladung an Lotte wird widerwillig gegeben, es kommt zu einem Wiedersehen bei einem Diner, dessen offiziell höflicher Charakter das innere Unbeteiligtsein des Dichters sichtbar macht. Zwischen damals und heute liegt eine Welt; ein Gigant des Lebens hat eine gewaltige Lebenskurve hinter sich gebracht, während Lotte sich von dem großen Ereignis ihres Lebens nicht fortentwickelt hat und eigensinnig bei *ihrer* Vorstellung von Goethe beharrt. Diese Stunde bringt auch ihr die Klarheit. Man geht ungerührt auseinander, bei einer Vorstellung im Theater, der Lotte in Goethes Loge beiwohnen darf, findet sie sich allein. Aber das Ende zeigt den Schriftsteller noch einmal auf der Höhe seines Könnens. Er gibt dem Besuch einen großartig versöhnlichen Schluß: als Lotte Goethes Wagen besteigt, findet sie den Dichter in der entgegengesetzten Ecke. Das Unausgesprochene kleidet sich nun doch noch, soweit wie möglich, in

Worte, die Rollen kehren sich sogar bis zu einem gewissen
Grade um, der große, nicht glückliche Einsame da drüben,
hier die kleine, vom Leben ausgefüllte Frau: sie finden ver-
söhnliche und verstehende Worte.

Dem Joseph-Roman folgte der Dr. Faustus, Thomas Manns
größtes Alterswerk, „das, Bekenntnis und Lebensopfer durch
und durch, keine Rücksichten kennt und, indem es als ge-
bundenste Kunst sich darstellt, zugleich aus der Kunst tritt
und Wirklichkeit ist. . . [7]" Er hat den unmittelbaren Anteil
seines Lebens an den Schicksalen des Dr. Faustus oft betont
und sich selbst in das Webwerk dieses Buches tief einge-
schlungen. Wir werden ihn in den Gestalten und Vorgängen
mit wechselndem Antlitz immer wieder finden.

Über die Genese des Werkes sind wir durch sein Erläu-
terungsbuch „Die Entstehung des Dr. Faustus" auf das genaueste unterrichtet. Pläne zu einem Faustbuch finden sich
bereits 1901, aber was nun, 42 Jahre danach, entsteht, zieht
die Fülle eines angespannten und erlebnisreichen Lebens in
sich hinein und wird ein Monumentalwerk einer Zeit, der das
Bild des eigenen Unterganges entgegengehalten wird. Wenn
man in Thomas Manns Gesamtschaffen den Ausdruck einer
Endphase erkennt, so ist Doktor Faustus das Ende des Endes. Die Konzeption des neuen Planes scheint plötzlich und
ruckhaft gewesen zu sein. Tagebuchnotizen verdeutlichen
ihm nach der Vollendung, wie es eigentlich gekommen ist;
er sammelt Material: Nietzsche-Biographisches, Musikerbio-
graphien, Hugo-Wolf-Briefe und schafft in sich selbst durch
Anhören von Kompositionen Tschaikowskys, Brahms' und
des Don Juan die Bereitschaft zur Konzeption eines neuen
großen Werks. Er studiert die Gestalt des alten Magiers, der
sich mit dem Teufel verband, um die Grenzen menschlichen
Bereichs zu durchstoßen. Der Zauberer aber, der als Symbol

tiefer menschlicher Unordnungen am Anfang der Neuzeit steht, soll auch ihr Ende anzeigen: Thomas Mann macht ihn zur Endgestalt unseres Zeitalters, indem er ihn mit den Zügen modernen Titanentums versieht: in Adrian Leverkühn, dem deutschen „Tonsetzer", seinem Schicksal, aber auch seiner ganzen Umwelt, spiegelt sich der letzte Augenblick einer auf den Untergang hin eilenden Zeit, für die es offensichtlich keine Rettung mehr gibt.

Der neue Dr. Faustus ist Musiker. Thomas Mann hat bereits in seiner Rede über „Deutschland und die Deutschen" Goethe vorgeworfen, daß er seinen Faust nicht zum Musiker gemacht habe. In solchen Vorwürfen spricht sich die aus der Philosophie Schopenhauers und Nietzsches hergeleitete Auffassung aus, daß der Mensch mit den Ursprüngen der Welt durch das Medium der Musik verbunden sei. In der „Geburt der Tragödie aus dem Geiste der Musik" hatte Nietzsche die dionysischen Elemente im Bilde der Antike beschworen und die klaren Gestalten, in denen Winckelmann die Antike sich offenbaren sah, auf den Hintergrund alogischer, irrationaler Kräfte gestellt. Das Wesen der Welt sei Dunkelheit, Tiefe, Trieb, Chaos, Ungeschiedenheit. Es zeige sich im dionysischen Erlebnis, in der ekstatischen Besessenheit des Schwärmers, im Chortanz der griechischen Tragödie. Von Schopenhauers Gedanken angeleitet und begeistert von Wagners Musik, sah er im musikalischen Erlebnis den Zugang zu den Abgründen sich öffnen, in der Aufhebung des Individuellen, seiner Schmerzen, Nöte und Beschwerden den Durchbruch durch die Schranken und den Weg zur Erlösung.

Gedanken dieser Art bilden die Grundlagen zum Verständnis des neuen Doktor Faustus. Er steht in jeder Weise im Kraftfelde Nietzsches: der Grund unserer Welt ist ungestaltete, sinnlose, unpersönliche Tiefe. Wir werden ihrer in der

Musik inne. Der Durchbruch durch das Ich und der Rausch
der Erlösung wird also demjenigen zuteil, der die dionysischen Dunkelheiten in musikalische Formen umschafft. Auf
diesen Weg begibt sich Adrian Leverkühn. Nicht um unerhörter, sondern buchstäblich um ungehörter Dinge willen
macht er seinen Vertrag mit der Unterwelt.

Thomas Mann läßt das Leben seines Helden einen Chronisten
erzählen, den Freund Serenus Zeitblom. Nachmals Professor der
klassischen Sprachen am Gymnasium in Freising, ist Zeitblom
der Typ des Humanisten, wie ihn die Lebensform des 19. Jahrhunderts hervorgebracht hat: ein Mann, der auf Wissenschaft
und Bildung schwört und die Verletzlichkeit seines Weltbildes ignoriert, indem er weder den Vorrang des Religiösen
anerkennt noch zuläßt, daß die Dämonen in sein Reich einbrechen. Es ist der Anschauungsbereich der entdämonisierten
Bürgerlichkeit, die in Zeitblom ihren Sprecher gefunden hat.
Trotz seiner Harmlosigkeit, die ihn ohne die Gewalt der Erlebnisse alsbald zum Spießer gemacht hätte, ist er der Zwil-
lingsbruder Leverkühnscher Maßlosigkeit: der verweltlichte
Geist kommt zum Schluß entweder bei den Dämonen an oder
findet sich aller Bedeutung entleert. Thomas Mann findet in
ihm den Gegenstand, an dem er seine Kunst ironischer und
parodistischer Menschenschilderung zeigen kann: er liebt seine
Frau um so mehr, als sie mit ihrem Namen Helene (geborene
Oelhafen) gut in den Zusammenhang seiner klassischen Vorstellungen paßt, und als er einmal wider die Gewohnheit seiner
sonst so domestizierten Natur aus der Reihe springt, kennt
er sich selbst gut genug, um sich zu entschuldigen: der
Wunsch, den antiken Freimut praktisch zu erproben, hat ihn
vermocht, eine solche Bindung einzugehen. Immerhin: dieser
Altphilologe ist der Chronist Leverkühns. Läßt er auch keine
Dämonen zu sich herein, so weiß er doch um ihre Anwesen-

heit. Er ahnt, daß das Dämonische auf irgendeine verborgene Weise eine der konstituierenden Mächte der Welt ist. Diese heimliche Teilhabe an den dunklen Mächten bildet die Voraussetzung dafür, daß er überhaupt in der Lage ist, Leverkühn auf seinen dunklen Wegen zu folgen, das Entsetzen seiner Entwicklung, wenn schon nicht zu begreifen, so doch von ferne zu ahnen und zu beschreiben. Es gehört mit zu Thomas Manns Selbstironie, daß er sich hinter dem deutschen Philologen versteckt – ohne sich mit ihm zu identifizieren – und die Unmöglichkeit, dem furchtbaren Einbruch elementarer Mächte in diese Welt schriftstellerisch nahezukommen, hinter dem menschlichen Unvermögen Zeitbloms verbirgt. So bleibt es an den entscheidenden Stellen bei bloßer Andeutung, und nur in starker Überblendung werden wir zu sehen bekommen, was in Wahrheit jenseits der Beschreibung geschieht.

Aus all dem geht schon dies hervor: hier soll es sich nicht um ein Einzelschicksal handeln, vielmehr hat Leverkühns Leben und Untergang stellvertretenden und allgemeinbedeutenden Sinn. Er ist gekennzeichnet als Vollstrecker eines Zeitalters, letzter Sproß einer Phase, Endgestalt einer Epoche, die über sich selbst zu Gericht sitzt. Wir werden noch zu sehen haben, wie problematisch dieses Gericht ist.

Durch die Schaffung einer Reihe erzählerischer Ebenen gelingt es jedoch dem Dichter, rein kompositorisch bewunderungswert im Einzelschicksal das allgemeine zu erfassen. Leverkühns Leben ist synchronisiert mit dem deutschen Schicksal, das er vertritt. Es umfaßt die Zeitspanne von 1885 bis 1940, also jene Jahrzehnte, in denen die deutsche Geschichte einen immer steileren Abstieg genommen hat: nach scheinbarer Blüte der Gründerjahre, in die Leverkühns Jugend fällt, der erste Zusammenbruch, nach kurzer Erholung die schnell aufeinander folgenden Fieberwellen und die Katastrophe des zweiten Weltkrieges. In dem außerordentlich beziehungsreichen Buch ist es nicht zufällig, daß Leverkühn die letzten zehn Jahre seines Lebens im Wahnsinn zubringt. Die zweite Ebene der Erzählung ergibt sich dadurch, daß der Chronist seinen Bericht im Jahre 1943 zu schreiben beginnt, zu einer Zeit also, als die Alliierten sich anschickten, ihre Truppen in Frankreich zu landen und dem Dritten Reich den Todesstoß zu versetzen. Hier identifiziert sich Thomas Mann sogar mit seinem Berichterstatter, er und Zeitblom setzen im selben Augenblick die Feder an. So schafft er sich die Möglichkeit, den Fluß der Erzählung von Leverkühns Leben immer wieder zu unterbrechen durch Mitteilungen über das gegenwärtige Geschehen; während die innere Welt Leverkühns mit zunehmender Schnelligkeit zusammenbricht, sinkt auch das Deutsche Reich in Schutt und Asche. In den Bericht über die letzten lichten Tage des Helden fällt der Lärm des deutschen Zusammenbruchs – gleich als wenn sich alles zur Höllenfahrt rüste. Eine dritte, die beiden ersten umfassende Ebene ergibt sich dadurch, daß die entscheidenden Vorgänge des Buches im Deutsch des Faustbuches und der Luther-Sprache erzählt werden, wodurch sowohl der Anfang des dämonischen Einbruchs wie der zwischen Anfang und Ende sich erstreckende Zeitraum in die Geschichte einbezogen werden. Es ist Thomas Manns Meinung, daß damals die Dämonen bei uns hereingelassen wurden. Was uns heute bis in den Untergang führt, ging schon damals mit auf die Reise.

Die Rückbeziehung auf die Umbruchszeit des beginnenden 16. Jahrhunderts wird verstärkt durch die Ansiedlung in der Luthergegend. Die Domstadt Kaisersaschern, beziehungsweise die nähere Umgebung, ist die Heimat Zeitbloms wie Leverkühns. Die Gegend schließt Namen wie Wittenberg und

Eisleben, Halle und Naumburg ein. Die Bewohner werden geschildert zum Teil als Sonderlinge und Originale, die wie die alten Baulichkeiten zum Ortsbilde gehören: Vergangenes steckt in den Mauern wie in den Seelen. Mit ganz ähnlichen Worten hat Thomas Mann seine Vaterstadt Lübeck charakterisiert (in: Deutschland und die Deutschen). Wir schleppen die Vergangenheit mit, und nicht bloß das Gute daraus. Aber das ist noch nicht alles. In der Bildung des Namens Adrian Leverkühn mag man in den nach Norden wie nach dem Süden hindeutenden Bestandteilen den Willen zur Zusammenfassung des deutschen Geistes erkennen (der Familienname = Lieberkühn soll zugleich die Erinnerung an Nietzsche wachrufen), dieselbe Absicht, die in Tonio Kröger zu erkennen ist, und in der Teilnahme von Katholiken, Protestanten und Juden am Geschehen des Werkes vollendet sich der Längs- und Querschnitt in ganzer Fülle. Aus all dem ergibt sich eine der filmischen Montage verwandte Technik, die die künstlerische Form des großen Werks ebenso zusammenhält wie sie die überlieferte Kunstform des Romans sprengt und ein Neues schafft. Sie gehört indessen „geradezu zur Konzeption, zur Idee des Buches, sie hat zu tun mit einer seltsamen und lizensiösen seelischen Lockerung, aus der es hervorgegangen, seiner übertragenen und auch wieder baren Direktheit, seinem Charakter als Geheimwerk und Lebensbeichte, der die Vorstellung seines öffentlichen Daseins überhaupt von mir fernhielt, solange ich daran schrieb[8]".

Die Zuordnung der Welt zu den Mächten des Chaos, das ist also die Grundlinie, die dieses Werk von seinem Anfang bis zum Ende führt. Leverkühn erscheint von Anfang an als ein dämonischer Ausgesonderter, ein dämonisch Bevorzugter – teuflisches Gegenbild göttlicher Gnadenwahl. Er selbst erklärt in seinem letzten großen Bekenntnis, daß er nach dem

Teufel trachtete „von Jugend auf, wie ihr ja wissen müßt, daß der Mensch zur Seligkeit oder zur Hölle geschaffen und vorbestimmt ist, und ich war zur Höllen geboren." Die Frage mag hier unbeantwortet bleiben, was dieses Bekenntnis in der Gesamtheit von Thomas Manns Weltverhalten bedeutet. Der Vater wird uns als ein Sinnierer und Spekulierer geschildert, ein Bauer, der die Erscheinungen der Natur nachdenklich studiert und betrachtet und besonders ihren abseitigen Formen nachgeht, den Muscheln, Kegelschnecken und Schmetterlingen, darunter jenem, Hetaera Esmeralda genannten, der dem Knaben einige Jahre später in anderer Gestalt wiederbegegnen wird. Das Interesse für das Untergründige, Abnorme, Zauberhafte ist damit in dem Jungen geweckt. Was der Vater in seinen Mußestunden betreibt, wird des Sohnes ganzes Leben ausfüllen. Auf der Schule eignet er sich kraft außerordentlicher Begabung das dargebotene Wissen im Fluge an. Der Direktor warnt den Abiturienten vor Hochmut, der den Menschen dem großen Widersacher in die Arme treibe.

Der Student wendet sich in Halle dem Studium der Theologie zu, aber er verfehlt von Anfang an die Richtung: er will nicht unantastbare Wahrheit in Demut hinnehmen, sondern hochmütig sich die oberste aller Wissenschaften aneignen und von ihr Aufschluß über das Hintergründige der Welt gewinnen. Und da er von jeher den Nachtseiten der Natur auf der Spur ist, wird Theologie, die sich ja auch mit dem Teufel beschäftigen muß, für ihn zur Dämonologie. Vom Teufel hört er in Halle zweimal; zuerst in der Theologie des Pfarrers Kumpf, der mit der „Höllen und ihrer Spelunk" (das Wort ist dem Volksbuch entnommen) auf Duzfuß steht und als guter Luthernachahmer nach dem Teufel in der dunklen Zimmerecke zwar nicht mit Tintenfässern, sondern mit Semmeln wirft, und dann in der Religionspsychologie des Privatdozen-

ten Schleppfuß, der, seinem Namen Ehre machend, eine wahrhafte Dämonologie vertritt: das Böse sei notwendiger Zube-
hör zur heiligen Existenz Gottes. Und zugleich bezeichnet er
die Geschlechtssphäre des Menschen als denjenigen Bereich,
in dem sich der Teufel am liebsten tummelt, „den gegebenen
Ansatzpunkt für Gottes Gegenspieler" – unheimliche Vor-
bedeutung für das, was alsbald eintritt. Damit ergibt sich für
den jungen Leverkühn der vorläufig tiefste Aspekt auf das
Böse. Gegenüber allem Scheinhumanismus in der Runde bekennt er sich zu einer unhumanistischen Weltanschauung, die
mit dem Element der Zerstörung nicht nur rechnet, sondern
dieses als lebendigen Bestand, ja, als Wesen mit Vorrang in
den Prozeß der Welt und in die Entwicklung der Menschen
einsetzt.

Da die Theologie nicht weiter führt, muß er sich nach einem
andern Mittel der Welterschließung umsehen. Es wird die
Musik sein. Leverkühn ist keine Frühbegabung, seine Berufung erfolgt später. Aber es ist *seine* Form der Schicksalsbe-
gegnung. Frühere Entwicklungslinien werden wieder aufgenommen und in der gleichen Richtung weitergeführt. Im
Hause seines Onkels hatte er von einem ausgezeichneten Pia-
nisten bereits den ersten Unterricht genossen und dabei weit
über das Technische hinaus eine Ahnung des Hintergründigen in der Musik erhalten. Aus den Vorträgen des Lehrers
sondiert der Frühreife diejenigen Ideen aus, die ihn angehen:
daß alle Kultur nur transitorische Erscheinungen seien und
in das Gegenteil, die Barbarei, umschlagen können. Die Notwendigkeit einer Re-barbarisierung der Kultur beschäftigt
ihn seitdem. Das Chaos, der Grund der Dinge, holt alles wieder zu sich hinab, um neue Formen hervorzubringen. Ein
Brief an seinen Lehrer enthält eine Art Zwischenbilanz. Seine
Theologie ist nichts als ein allgemeines Weltgefühl, das das

Dämonische einschließt – ein Abfall von Gott ist ihm garnicht möglich, da Gott „alles in allem" ist, so wie er es versteht.

Der Weg geht schnell und konsequent weiter. Aus Leipzig
erhält Zeitblom einen Brief Leverkühns, der im barocken
Deutsch der nachlutherischen Zeit den unfreiwilligen Besuch in einem Freudenhaus schildert. Bis ins Einzelne ist
Nietzsches Kölner Erlebnis nachgezeichnet: sein Erschrecken
vor einer nicht bekannten Sphäre, die Flucht, die Glut, die,
nachdem sie einmal geweckt ist, weiterfrißt. Der Rückfall ist
alsdann eines der großen erschütternden Ereignisse in Adri-
ans Leben. Wir erfahren später vom Teufel selbst: es w a r das
entscheidende. Er reist dem Mädchen nach und findet in ihr
eine nicht einmal ganz Unwürdige. Sie ist gleichwohl ein
„giftiger Falter". Er nennt sie Hetaera Esmeralda, und in den
Tongeweben seiner Brentano-Lieder, so in dem herzaufwüh-
lenden Liede „O lieb Mädel, wie schlecht bist du", verarbeitet
er die Klangchiffre h - e - a - e - es: Hetaera Esmeralda.

Mit dieser Infektion nimmt nicht nur die Krankheit ihren
Lauf, sondern auch die Wirksamkeit des Teufels. Wiederum
erfährt er später vom Teufel selbst, was *eigentlich* in ihn gefahren ist. Es ist weit mehr als ein Herd von Bakterien. Die
„Kleinen von den Meinen", wie es in Goethes Dichtung heißt,
sind in Wahrheit die schlimmsten Abgesandten des Chaos. Sie
umkreisen das Gehirn in unaufhörlichen Schwärmen. Aber
in der Zerstörung liegt zugleich die Entbindung unendlicher
Kräfte. Aus der tödlichen Infektion gewinnt er die Fähigkeit,
in die Welt des Teufels einzudringen. Wir stehen vor einer der
zentralen Erfahrungen des Dichters. Der Zusammenhang von
Krankheit und genialen Leistungen wird bis zu Ende geführt,
in der sexuellen Selbstzerstörung öffnet sich das Tor zur Unterwelt. Der Dämon hat sich seine Einbruchsstelle geschaffen.

Er unterwirft sich den Eroberten: während er ihm unermeßliche Kräfte verleiht, macht er ihn zum Sklaven seines Willens.
Vier Jahre später erscheint er ihm in den Sabiner Bergen.
Plötzlich sitzt er im Dämmer vor ihm, von schneidender
Kälte umweht, ein Ludewig, spillerig, eine Sportmütze über
das Ohr gezogen. Ausgeburt einer schizophrenen Phantasie
oder Wirklichkeit? Er benimmt sich witzig, vorlaut, frivol.
Er schlägt ihm einen Pakt von 24 Jahren vor, aber er macht
ihm klar, daß er seit dem Hetaeren-Ereignis schon garnicht
mehr anders kann. Für diese Zeit bietet er das Äußerste an:
Aufschwünge, Entfesselung von Freiheit, Sicherheit, Leichtigkeit, Macht- und Triumphgefühl. Er sprengt ihm die Panzer der Seele weg und treibt ihm die verborgensten Wünsche
an die Oberfläche und macht ihn dazu bekannt mit seinen
eigenen unheimlichen Mitteln. Die Bakterien gehören dazu.
Dann wird der Teufel akademisch und gibt sich das Aussehen
eines deutschen Intelligenzlers mit Hornbrille: so verfolgt er
vor dem Auserwählten die Teufelslinie im Prozeß der Geschichte. Was Leverkühn schon wußte, wird ihm vom Teufel
bestätigt: über alle Verfeinerungen hinaus geht der Weg zurück ins Primitive. Abermals verwandelt er sich zurück in den
„käsigen Ludewig", der sein eigentliches Anliegen vorträgt:
seinem Opfer verspricht er ein werkgefülltes Leben, dann soll
er geholt sein. Aber dieses Leben, weil es ein Teufelsgeschenk
ist, muß schon in der Diesseitigkeit erkauft werden: durch
schmerzvolle Krankheiten, Fremdheit unter den Menschen,
völligen Verzicht auf Liebe und Wärme, Inkarnation teuf-
lischer Kälte. Dann ist der Teufel plötzlich verschwunden. Der
vor Ekel in Ohnmacht Versunkene hört aus der Sofaecke die
vertraute Stimme seines Freundes.

Der Roman geht dann, so scheint es, auf Nebenwegen weiter. Wir werden in das Milieu der Münchener Gesellschaft

geführt, wodurch eine andere Leitlinie des Werks aufgenommen wird: Auflösung des Gemeinschaftslebens und Rückfall in die Barbarei. Unter vielerlei Masken verbergen sich bekannte Namen von Münchener Künstlern und selbst ein Stück von Manns eigener Familiengeschichte. In den eisig-intellektuellen Gesprächen äußert sich die seelische Entleerung der Zeit. In dieser Gesellschaft steht eigentlich niemand mehr auf festem Grund: zerrüttete Ehen, ein Leben im Schein, verworrenes Weltverhalten, ehrfurchtsloses Gerede deuten darauf hin, daß hier alles zum Untergange reif ist.

Leverkühn lebt seit seiner Teufelsbegegnung in völliger Einsamkeit. Die Beziehungen zur Gesellschaft sind gelöst; zwischen ihr und ihm bedarf es der Mittlerschaft Zeitbloms. In Pfeiffering bei München (die Erfindung entstammt ebenfalls dem Volksbuch) wird ihm ein Asyl geboten, in dem er sich nicht stören läßt. Hier lebt er seinen Phantasien – so erzählt er dem erschreckten Freunde seinen Abstieg in die Tiefsee in einer Taucherglocke unter Leitung des amerikanischen Gelehrten Capercailzie (schott. Auerhahn = Satan) – und seinen Kompositionen. Auf schwere Depressionen folgen mächtige Aufschwünge. In der Krankheit tief erfahren, komponiert er das Oratorium „Apocalypsis cum figuris" – ein tönendes Gemälde, das aus biblischen und apokryphen Schreckbildern zusammengesetzt ist. Es sind die Furchtbarkeiten der Verdammnis, die eine verlorene Seele bedrängen.

Gegen Ende wird das Tempo immer schneller. Je mehr sich der Tag des Unterganges naht, um so heftiger die Folge der Katastrophen. Was mit ihm in Berührung kommt, wird vom Untergange bedroht. Der Verzweifelte merkt immer mehr, wie sehr er durch das Teufelsbündnis, das ihm die Freiheit bringen sollte, in Ketten gelegt worden ist. Nahe am Ende ergreift den zu ewiger Kälte Verurteilten die Liebe zu einer Frau. Sie aber entzieht sich seiner Werbung. Abermals sind Erinnerungen an Nietzsche verarbeitet. Sein kleiner Neffe Nepomuk Schneidewein, Leverkühns und jedermanns Freude und Augenweide, ein holdseliges Kind, stirbt an Hirnhautentzündung einen schrecklichen Tod. (In der „Entstehung des Doktor Faustus" berichtet Thomas Mann von dem Urbild dieser rührenden Gestalt.) Es ist, als wenn sich eine Zone des Verderbens um den Unglücklichen legte. Außer sich fordert er den Teufel heraus, mit Worten, die an Goethes „Prometheus" anklingen: „Nimm seinen Leib, über den du Gewalt hast! Wirst mir seine süße Seele doch hübsch zufrieden lassen müssen", aber die Auflehnung ist hier wie dort vergeblich. Er kommt zur letzten Schlußfolgerung: das Gute und das Edle, es soll nicht sein. Er will die Verkündung der Neunten Symphonie widerrufen – und so schreibt er seine letzte Komposition: Dr. Fausti Weheklag.

Dieses Werk sprachlich zu erfassen, ist dann des Dichters hauptsächliches Bemühen. Es wird als ein ungeheures Variationenwerk der Klage geschildert, negativ dem Finale der Neunten Symphonie mit seinen Variationen des Jubels verwandt. Mit einigen Griffen ist der Text des alten Faustbuches zur Unterlage seines Werks zusammengefügt worden. Dort erzählt Dr. Faust seinen Freunden und Gesellen kurz vor seinem Ende in einer würdigen, aber zerknirschten Rede, was mit ihm war und was jetzt mit ihm sein wird. In dieser „Oratio Fausti ad studiosos" bittet er, man wolle seinen Leib, wenn man ihn erwürgt finde, barmherzig zur Erde bestatten, denn er sterbe, sagt er, als ein böser und guter Christ, ein guter kraft seiner Reue, und weil er im Herzen immer auf Gnade für seine Seele hoffe, ein böser, sofern er wisse, daß es nun ein gräßlich Ende mit ihm nehme und der Teufel seinen Leib haben wolle und müsse. Diese Worte bilden das Generalthema des Variationenwerks. Der Komponist verwende dabei, so wird uns berichtet, alle Ausdrucksmittel des Barocks: wider-hallartige Fortsetzungen im Stil der Fuge, ungeheure Kon-trastwirkungen, so z.B. infernalische Lustigkeit, die wilde Idee des Niedergeholtwerdens als Tanz-Furioso. Auch das Buch-staben-Symbol kehrt wieder. Mit dem Blick auf Beethovens Neunte, als ihr Gegenstück, ist das Werk geschrieben. Es ist zugleich eine Negativität – nicht Negation – des Religiösen. Biblische Bilder tauchen auf, aber in einer dämonischen Kari-kierung. Gegen Ende sind die äußersten Akzente der Trauer erreicht, die letzte Verzweiflung ist Ausdruck geworden. Es ist, wie wenn Gott selbst klage über das Verlorengehen seiner Welt, wie ein kummervolles „Ich habe es nicht gewollt".

Es kommt die Stunde, da der Teufel ihn holt. Im Jahre 1930 lädt Leverkühn eine Gesellschaft zu sich ein; es sieht so aus, als wolle er ihr einen erlesenen Klavierabend bieten. Aber er wird ihr eine Rede halten. Es ist *seine* Oratio Dr. Fausti ad studiosos. Eine Zuhörerschaft von äußerster Banalität wird Zeuge des Furchtbarsten sein. Vor ihr bekennt er Schuld und Verhängnis seines Lebens: seine Buhlschaft mit dem Teufel, seinen Umgang mit der Esmeralda, seine teuf-lischen Inspirationen, seine Hoffnung auf Rettung. Als er die ersten Takte aus „Dr. Fausti Weheklag" spielt, bricht er über dem Klavier zusammen. Der hoffnungslos Erkrankte wird in eine Anstalt gebracht und dann, als die lautesten Symptome der progredierenden Paralyse verklungen sind, der Mutter zur weiteren Pflege übergeben. Noch im Wahnsinn scheint er an die Rettung seiner Seele zu denken. Zeitblom sieht ihn noch zweimal wieder in Zuständen, die an den kranken Nietz-sche erinnern. So weit das Leben im größten Umriß.

Der Leser, der sich in dieses Werk vertieft hat, braucht viel Mühe, um sich von den Eindrücken zu lösen und die Freiheit zur Kritik zurückzugewinnen. Ein Schriftsteller von sehr hohem Rang hat in diesem Buch das Größte seines Lebens geleistet. Im sprachlichen Ausdruck erreicht er den Gipfel der Könnerschaft. Nachdem er sich in seiner Weise ein Leben lang in die Zucht der Sprache gestellt hat, scheint es für ihn überhaupt keine Schwierigkeit mehr zu geben. Die Wandlungsfähigkeit des Ausdrucks je nach dem Gegenstand setzt in Erstaunen; bei unverkennbarer Wiederaufnahme alter Bestände steigt er doch auf neue Stufen der Sprachbewältigung. Man fragt sich, wer in Deutschland das noch vermag: dies Nebeneinander der Sprache des täglichen Umgangs, der Burschikosität, der feinsten Unterscheidung, des Ausdrucks aufgewühlter Sexualität, des ausbrechenden Wahnsinns, der teuflischen Besessenheit neben der Schilderung zartester Kindertümlichkeit und engelhafter Unschuld.

Aber es geht hier nicht allein um die künstlerischen Seiten dieser außerordentlichen Leistung, sondern um ein Weltbild. Wir stehen dabei vor einem riesigen Gewebe, und selbst wenn man sich bemüht, nur ein paar große Linien zu erkennen und sichtbar zu machen, bleiben unaufhellbare Widersprüche übrig. Die Probleme beginnen mit der Rolle der Musik. Ist es denn wahr, daß Musik Offenbarung der Tiefe sei, den Menschen von Geist, Wille und Bewußtsein befreie und in die dunklen Gründe des Chaos hole? Thomas Mann hat sich bereits in Amerika gegen den Widerspruch deutscher Musiker verteidigen müssen; er ruft auf dem europäischen Kontinent laute Bedenken hervor. Ist denn Musik nicht eben das Gegenteil von dem, was er von ihr behauptet: Spiegelung einer geistigen Ordnung, Selbstdarstellung von Gesetzlichkeiten (wie sie Hermann Hesse viel tiefer begreift), klar, nüchtern, lauter und läuternd? Ein Spiel, in dem der Mensch sich erhebt?

Diese Fragen führen sich auf die tieferen, noch grundsätzlicheren zurück, von denen schon zu Anfang die Rede war. Wenn man wissen will, wie Thomas Mann die Welt versteht, in der er sich selbst, das deutsche Volk, ja, alles Seiende einbegriffen sieht, so muß man sich die Antwort aus diesem Roman holen. Das Werk ist nichts anderes als die deutsche Ausdrucksform der in der französischen Epik und Dramatik in besonderem Maße beheimateten Verzweiflung des Existentialismus. Thomas Mann hat durch sein Lob der Interpretation des Romans durch Erich Kahler die Zweifelnden selbst in diese Richtung gewiesen: der Kern der Welt ist dunkel und nicht hell. In der Mitte des Werkes steht der Teufel, kein Prinzip des Bösen und kein Gegenspieler Gottes, am wenigsten der mephistophelische Skeptiker und Verneiner, wie Goethe ihn verstand, er ist – paradoxerweise – sichtbar gewordenes Nichts. Das Gelächter der Hölle ist das Echo des Nichts. Dieses Nichts aber ist dialektisch mit dem Leben gegeben und verbunden, es beginnt sein Spiel nicht erst mit der Esmeralda, keineswegs erst mit der Teufelsvision – es ist von Anfang an da, wir erfahren es in allen Phasen der Entwicklung, im Leben des Vaters, unter den Theologen, im „Hauptweh", das Adrian von früh auf zu tragen hat. Und damit wird das, was ein Kampf der Mächte um den Menschen zu sein scheint, in Wirklichkeit ein Prozeß im Weltinnenraum; Gott und Teufel sind „säkularisiert" und sogar dicht aufeinander bezogen. „Was ist gut, was ist böse? Was ist gesund, was ist krank? Was ist Unschuld, wenn das Reine, der Geist schuldig wird? Wo sitzt die Norm? Das ist alles nicht mehr so leicht auszumachen. Die Begriffe, die Werte sind nicht mehr immun, sie sind allesamt miteinander infiziert. Was im Innersten sich auftut, ist die ‚Zweideutigkeit des Lebens', die Paradoxe des Lebendigen. Der Teufel sitzt in Gott, der Gott sitzt im Teufel[19]".

So wird das Buch ein Werk der Klage, Klage über den unvermeidlichen Gang aller Ereignisse, über die Determiniertheit, in der wir alle stehen, über den Untergang, auf den wir alle zustreben. Man spürt die innere Bewegtheit des sonst so kühlen Schriftstellers über das Schicksal seines Helden, seiner selbst, aller Menschen. Hier wird keine Aussicht und keine Kraft mehr sichtbar, die aus diesem in sich selbst geschlossenen Kreise herausführte. Wie auch immer man sich drehen möge: aus dieser Ummauerung gibt es keinen Durchbruch, hier sind alle Ausgänge fest verriegelt, alle Lichtquellen verstopft.

Oder birgt die kleine Stelle, wo von dem „Licht in der Nacht" die Rede ist, so viel an Hoffnung wider alle Hoffnung? Daß ein nicht geglaubter, nicht gekannter, nicht angebeteter Gott dieser in sich selbst verstrickten Welt in ihrem Elend doch noch erbarmend und erlösend zu Hilfe komme?

Wir begreifen die Klage – wir begreifen nicht die Anklage. Wir wissen es: Thomas Mann hat nicht damit gespart, und auch die letzten Worte seines großen Romans, mit denen er unvermittelt den Blick von der Tragödie Leverkühns auf das Schicksal des mit dem Tode ringenden deutschen Volkes wendet, enthalten Anklage mit Klage verbunden. Darf er es noch nach diesem Roman? Welche Mittel der Erneuerung stellt er seinem Volke zur Verfügung, nachdem er sich zum Boten solcher Verzweiflungen macht? In welchem Weltsinn will er ein Volk beheimaten, das sich selbst erneuern will? Voraussetzung zu jeder Umkehr ist doch, daß man an Ordnung und Sinn der Welt glaubt. Der Trotzige, der Ordnungen zerbricht, der Frevler, der die göttliche Majestät herausfordert und beleidigt, kann zurückgerufen werden; der Seinsungläubige nicht. Ist nicht unter solchen Umständen jedes Wort vergeblich – und mehr als das?

Aber Dr. Faustus ist nicht das absolute Ende, er ist nur das Ende einer Epoche, die in diesem Werk über sich selbst zu Gericht sitzt und gnadenlos alle Konsequenzen zieht. Das Werk greift in Tiefen, die Thomas Mann bisher niemals gelungen sind – aber es bringt weder ein Bußgericht noch eine Umkehr.

FRANZ KAFKA

Auf der Grenze zwischen Nichtsein und Sein

Wer es unternimmt, sich die Welt Kafkas anzueignen und sie darzustellen, muß mit dem Eingeständnis beginnen, daß er über einen Versuch nicht hinauskommt. Noch ist das Gesamtwerk nicht voll ediert und das Edierte in Deutschland nicht leicht zugänglich; aber nicht diese Schwierigkeiten sind der eigentliche Grund, sondern die Tatsache, daß wir uns den Weg durch ein Labyrinth bahnen müssen, – daß die „ungeheure Welt", die Kafka sich in kurzen Lebensjahren gebildet hatte, von uns erst in den Anfängen begriffen wird. Er selbst hat es dem Eindringenden am schwersten gemacht; sein Werk ist bei aller Schärfe der Konturen von einer flimmernden Vieldeutigkeit. Wer ihn über seine Meinung befragt, erhält jeweils eine andere Antwort, und so kommt es, daß seine hauptsächlichen Interpreten[1] in wichtigen Fragen voneinander abweichen. Wer über ihn eine sichere Aussage machen zu können glaubt, findet sich oft in einer unerwarteten Weise an nicht beachteter Stelle widersprochen; von jenen garnicht zu reden, welche sich auf ein allzueinfaches Entweder-Oder zurückziehen: als handle es sich bei Kafka nur um eine vordergründige Entlarvung zeitgeschichtlicher Erscheinungen oder nur um eine Symbolwelt, die nichts als ein Hintergründiges im Sinne habe. Aber es ist wahr, daß viele seiner „Parabeln"

nicht nur eine mehrfache, widerspruchsvolle Deutung zulassen, sondern überhaupt kaum deutbar sind, am wenigsten
nach einer Rechnung, in der alles aufgeht.

Die folgende Untersuchung ist begrenzt durch die Romane
„Das Schloß" und „Der Prozeß" sowie seine Parabeln, Fragmente und Aphorismen („Er"), also die Bände I, III, IV und
V der Schocken-Ausgabe. Erst die Hinzunahme des Romans
„Amerika", der Tagebücher, Briefe und der im letzten Band
gesammelten „Fragmente und Aphorismen" könnte das Bild
vollständig machen.

Es scheint zunächst so, als führe uns Kafka in eine uns vertraute Umgebung. Wir befinden uns einmal in einem Dorf
mit seinen Bewohnern, mit Schule und Schankstätte und einem
Schloß, das eine beherrschende Stellung hat; ein andermal in
einer Stadt mit den uns bekannten städtischen Einrichtungen
und ihren Bürgern, einem Bankprokuristen und seinen Mit-
arbeitern, Justizbeamten höheren und niederen Ranges; dazu
einer Reihe von Frauen: Vermieterinnen, Zimmermädchen,
Berufstätigen, Bediensteten verschiedener Art. Durch die
„Parabeln" erweitert sich die Welt um eine Reihe Gestalten
auch aus anderen Bereichen, so aus der Antike; Tiere treten
redend auf und beleuchten die Menschenwelt von unten her.
Davon abgesehen ist der Schauplatz menschlich und durchaus
begrenzt und übersehbar, wir befinden uns fast immer zwischen
vier Wänden, fast alles spielt sich im Innenraum von Woh-
nungen ab. Niemals gibt es eine Schilderung der Natur um
ihrer selbst willen, und so sind uns der Herd, der Schrank, der
Stuhl näher als die Pflanze, die Blume oder gar der Stern.
Diese Welt ist höchst wirklichkeitsgemäß gesehen – und doch
werden wir von Anfang an vom Schauder des Gespenstischen
und des Fremden berührt. Trotz der Realistik der Zeichnung
ist der Schauplatz weit von aller Empirie entfernt, wir sehen

zwar die Zeichen der gewohnten Welt und doch alles verwandelt, durch Hohlspiegel verzerrt, um ganze Bereiche
der Wirklichkeit verkürzt, durch vorgeschobene Gläser
verändert – es fehlen die Vergleiche, um anzudeuten, was
sich hier in Wahrheit ereignet. Vor uns baut sich eine
irgendwie verhexte Welt auf, in der viele Verhältnisse auf den
Kopf gestellt zu sein scheinen, eine lebendige, eigene Kräfte
ausstrahlende riesige Kulisse, in der sich die Menschen bewegen wie in einem Gefängnis. Es gibt auf Schritt und Tritt
rätselhafte Vorgänge, die die Menschen beängstigen; das
Groteske verliert das Aussehen des Spaßhaften und füllt sich
an mit der Atmosphäre des Absonderlichen und des Grauens.
Die Gestalten bewegen sich wie Puppen an den Fäden eines
ungesehenen Spielers, der ihrer scheinbaren Freiheit spottet
und sie nach seinem Willen agieren läßt. Aber dem Auge des
Betrachters öffnet sich trotz aller Schwärze eine Tiefe, wir
fühlen unsern Blick fortwährend aus dem Bannkreis der Nähe
weggeführt und an unsichtbaren Linien entlang bis ins Unendliche gleiten. Der Hintergrund des Ganzen ist nicht etwa
erschlossen oder – wie in einer Symbolwelt – „eigentlich"
gemeint, sondern real mitgegeben, wenn auch in einer merkwürdigen und ungewohnten Weise. Das Licht trägt nicht
weit, Schatten und Helligkeit gehen ineinander über, man
weiß im Einzelnen kaum zu sagen, wo man sich eigentlich befindet, ob man es mit Realitäten oder Illusionen zu tun hat.
Wir sehen uns ständig in einem Grenzlande, das abwechselnd erhellt und verdunkelt ist, Teilnehmende an zwei
Bereichen, in einer Weise, die sich schwer beschreiben läßt, sei
es nun, daß man sich vorstellt, man bekomme wie in einem
Marionettentheater den lebendigen, wenn auch in Dunkel
gehüllten Beweger mit in den Blick oder lasse, auf der Grenz-
linie zweier Realitäten, das Auge zwischen beiden hin und

her gehen. Der Ausdruck „transzendentaler Realismus", den Max von Brück[2] für die eigentümliche Seh- und die sich daraus ergebende Stilart des Dichters geschaffen hat, dürfte, da es sich weder um einen einfachen „Realismus" noch um einen „Symbolismus" handelt, eine besonders glücklich zutreffende Charakteristik sein.

Dies werden wir zu Beginn sagen dürfen: die Seinserfahrung des gegenwärtigen Menschen ist im Werke Kafkas auf das genaueste getroffen und in eine erregende Form gebracht. Der Dichter selbst hat sein Werk als Seinsdeutung begriffen und darin eine neue Art der Wirklichkeitsfindung dargestellt, die ihn selbst erschütterte, den künstlerischen Ausdruck einer neuen Wahrheit: „Die ungeheure Erfahrung, die ich im Kopfe habe", „Unsere Kunst ist ein von der Wahrheit Geblendetsein: das Licht auf dem zurückweichenden Fratzengesicht ist wahr, sonst nichts." Es geht ihm nur um das Eine: die existenzielle Deutung des Menschseins, die Erfassung seines Lebens in der jeweiligen Situation, seine Hinordnung zu den Mächten und zur Lebenstiefe, seine Bezogenheit auf den tragenden Hintergrund, welcher auch immer er sei, Sein oder Nichtsein. Diesem Verlangen ist sein ganzes Werk, ja jeder Buchstabe gewidmet; es gibt bei ihm keine Anliegen, die am Rande lägen und auch am Rande behandelt würden, keine romantischen Ruhepunkte; sein Werk gewinnt seine Kunstgestalt aus dem Anliegen der Lebensdeutung – es ist in dieser Art ein einmaliger Vorgang in der deutschen Sprache. Stilistisch steht er dabei durchaus im Bereiche unserer Zeit: er verbirgt die eigenen Erregungen in einer nüchternen, unsensationellen, ganz unpathetischen Darstellungsweise; er denkt weder in Abstraktionen noch eigentlich in Gleichnissen und auch nicht in Meditationen. Für ihn sind alle Dinge, Begebenheiten und selbst mythische Vorgänge, wovon er in seinen kleinen Erzählungen viel Gebrauch macht, nichts als Äußerungen des Seins, das ihm seine Geheimnisse in den konkreten Erscheinungen darbietet.

Um die Welt Kafkas und die Stellung des Menschen in ihr zu begreifen, gibt es kein besseres Mittel als deren Verdeutlichung in seinen beiden Romanen.

In dem Roman „Das Schloß" handelt es sich um einen Mann namens K., der angeblich in ein Schloßdorf berufen worden ist. Er meldet sich eines Abends zur Stelle. Er ist der Meinung, er sei von der zuständigen Behörde zu Vermessungsarbeiten herangeholt worden. Wie er ankommt, weiß nicht nur niemand Bescheid, sondern man tut ablehnend und befremdet. Zwar sieht er sich – unsicher geworden – durch eine Reihe von Vorkommnissen in der Überzeugung bestätigt, daß er im Rechte sei: durch einen Brief, durch ein Telephongespräch, das er mitanhört, und durch die Tatsache, daß ihm zwei Gehilfen beigegeben werden. Aber das Dorf nimmt ihn nicht auf. Niemand von denen, die mit ihm Umgang haben, weiß etwas von seiner Berufung; aus dem Schloß selbst kommen unklare und hinhaltende Auskünfte. Also bleibt er außerhalb der Gemeinschaft des Dorfes, wenn man ihn auch nicht eben fortschickt. Er bemüht sich vergeblich, bis zum Zentrum der Autorität vorzudringen und sich dort die endgültige Anerkennung seines Anspruchs zu holen. Einstweilen ist ihm nur darum zu tun, sich gegen die Weigerung des Dorfes durchzusetzen und sich dort anzusiedeln und zu beheimaten. Vergeblich. Selbst die Bestallung würde ihm nicht helfen. „Sie sind als Landvermesser aufgenommen, wie Sie sagen: aber leider, wir brauchen keinen Landvermesser. Es wäre nicht die geringste Arbeit für ihn da. Die Grenzen unserer kleinen Wirtschaften sind abgesteckt, alles ist ordentlich eingetragen . . . . . Was soll uns also ein Landvermesser?" So stirbt er als ein Fremdling, ohne eigentlich angekommen zu sein.

In dem Roman „Der Prozeß" wird der Bankprokurist K. eines Morgens aus dem Bett heraus verhaftet. Die Strafsache selbst ist ihm unbekannt und wird es bis zum Ende bleiben. Aber mit dem Augenblick der Verhaftung tritt er in einen neuen Zusammenhang, der ihm zwar unvertraut, aber doch keineswegs vollkommen fremd ist: er verläßt, ohne sich allzu sehr darüber zu wundern, den Zustand der Freiheit, um von jetzt an ein Gebundener zu sein. Auch die verhaftenden Beamten wissen nicht, warum sie ihn festnehmen; sie sind Organe eines Willens, der ihnen selbst nicht sichtbar ist. Auch sie empfinden die Paradoxie der Situation nicht als eigentlich fremdartig, sondern als gewohnte Gegebenheit: „Sieh, Willem, er gibt zu, er kennt das Gesetz nicht und behauptet gleichzeitig schuldlos zu sein." Das zugleich Sonderbare wie Bezeichnende aber ist, daß K. auch nach seiner Verhaftung frei umhergehen und sogar seinen Beruf erfüllen kann, so als sei nichts geschehen. Bleibt also seiner äußeren Lebenssituation nach im Grunde alles beim alten, so ergeben sich doch aus der Tatsache, in einen juristischen Prozeß verwickelt zu sein, die nachhaltigsten Konsequenzen: ihm ist es aufgegeben, bis zum Mittelpunkt der Anklagebehörde vorzudringen. Die Situation des ersten Romans wiederholt sich in einer auffälligen Weise: der Mensch fühlt sich auf eine unsichtbare Mitte, die ihren Willen ausstrahlt, hingeordnet. Die Entfernung dorthin wird – trotz vielleicht räumlicher Nähe – als unendlich und undurchmeßbar empfunden. Wohl vermag K. eine gewisse Rangordnung von Personen zu erkennen, die vermöge ihrer Nähe zum Zentrum mit einer geringeren oder größeren Machtfülle ausgestattet sind und in einer Art hierarchischer Abstufung erscheinen, aber die Entfernung sogar des Letzten zur eigentlichen Behörde ist unüberbrückbar. Von dem „Advokaten" erhält K. eine vorläufige Einweihung in einen dunklen Zusammenhang: die Rangordnung des Gerichts sei unendlich und selbst von den Wissenden nicht abzusehen. Eine offizielle Verteidigung sei nicht zugelassen, zwischen dem Gericht und den Individuen gebe es keine unmittelbare Verbindung. Das Beste sei es, sich mit den gegebenen Verhältnissen abzufinden und, vor allem, keine Aufmerksamkeit zu erregen. Es gelte, einzusehen, daß der große Organismus der Justiz gewissermaßen ewig in der Schwebe bleibe; man stürze selbst in den Abgrund, wenn man den Versuch unternehme, etwas zu ändern. – Die zweite Einweisung erfolgt durch Titorello, den Gerichtsmaler und Vertrauten der Behörde, der sich – wie er von sich behauptet – in einer unabsetzbaren, von den Vätern ererbten Stellung befindet. Das Gericht sei niemals von der Überzeugung abzubringen, daß ein Angeklagter nicht schuldig sei; es sei für Beweisgründe völlig unzugänglich. Seit Jahren sei kein Freispruch erfolgt. Über den Entscheidungen des Gerichts walte vollständige Geheimhaltung; diese seien nicht einmal den unteren Richtern bekannt. Infolgedessen hätten sich über alte Gerichtsfälle nur Legenden erhalten. Wie es aber „oben" aussähe, wüßten wir nicht und wollten es auch nicht wissen. K. faßt seinen Eindruck zusammen: „Ein einziger Henker könnte das Gericht ersetzen." Er selbst wird zum Schluß von einem anonymen Hinrichtungskommando – ohne ordnungsgemäßes Verfahren und ohne zu wissen warum – umgebracht und stirbt „wie ein Hund".

Es ist zu erkennen: bei wesentlichen Verschiedenheiten im thematischen Anliegen haben die beiden Romane verwandte Züge. Gemeinsam ist ihnen der ruckhafte Beginn; ein plötzliches Ereignis versetzt uns in die Situation des Romans ohne

Vorbereitung und Hinleitung. „Unmittelbar hebt das Dasein an, es ist da, in seiner Faktizität, und kann sodann nur umfänglicher, deutlicher in den Blick kommen³". In beiden Fällen gibt es kein Staunen, Verwundern oder gar Sich-Empören. Besonders im zweiten Roman wird sichtbar, daß der Zustand des „Verhaftetseins" über den juristischen Akt, der ja keine äußere Veränderung im Lebenslauf mit sich bringt, hinausreicht – nur daß er nicht bemerkt worden ist. Welches ist also die Ursituation in der Kafka-Welt? Sie wird vielleicht am besten umschrieben durch einige wenige Paradoxien.

Was den Menschen in den Romanen Kafkas kennzeichnet, ist seine vollkommene Unterlegenheit, ja, Hörigkeit gegenüber den Mächten des Daseins, die ihn in das Netz der Notwendigkeit hineinziehen und zum Objekt ihrer Spiele machen. Das Dasein begleitet den Menschen als eine unaufhörlich bedrängende Macht. Es macht uns zu Gefangenen einer ichfremden Welt, umgibt uns mit den Mauern eines Gefängnisses, aus dem es keine Befreiung gibt, zieht und saugt uns an, ohne uns wieder loszulassen. Dieses Bewußtsein der Unfreiheit ist umfassend und so gut wie absolut. In seinen Bemerkungen zu sich selbst heißt es einmal: „Er fühlt sich auf dieser Erde gefangen, ihm ist zu eng, die Trauer, die Schwäche, die Krankheiten, die Wahnvorstellungen der Gefangenen brechen bei ihm aus, kein Trost kann ihn trösten, weil es eben nur Trost ist, zarter, kopfschmerzender Trost gegenüber der groben Tatsache des Gefangenseins. Fragt man ihn aber, was er eigentlich haben will, kann er nicht antworten, denn er hat – das ist einer seiner stärksten Beweise – keine Vorstellung von Freiheit⁴". Die Wände des Daseins schieben sich immer enger auf ihn zu, bis er in einen Winkel gerät, in dem er sich festrennt. Er hat das Bewußtsein dessen, der sich in einer Falle weiß, in einer „Kleinen Fabel" in seiner Art meisterhaft dargestellt.

„Ach", sagte die Maus, „die Welt wird enger mit jedem Tag. Zuerst war sie so breit, daß ich Angst hatte, ich lief weiter und war glücklich, daß ich endlich rechts und links in der Ferne Mauern sah, aber diese langen Mauern eilen so schnell aufeinander zu, daß ich schon im letzten Zimmer bin, und dort im Winkel steht die Falle, in die ich laufe." – „Du mußt nur die Laufrichtung ändern," sagte die Katze und fraß sie[5]. Die Unaufhebbarkeit der Notwendigkeit und die Sicherheit des Verhängnisses, in das wir – die Mausefalle vor uns – sehenden Auges geraten, erfüllt ihn mit der schwermütigen Trauer, von der alle wissen, die sich unentrinnbaren Gewalten gegenübersehen – sie wird von allen verstanden, die in der Existenznot verharren. Nicht umsonst werden die Helden der Romane Kafkas nur in den Umrißlinien sichtbar. Sie fordern jeden einzelnen dazu auf, die leeren Züge mit dem eigenen Blute zu füllen[6].

Die Paradoxie dieses Lebensgefühls aber besteht darin, daß der mit dem Dasein Verbundene seiner „Verhaftung" keineswegs widerstrebt, sondern sie umgekehrt geradezu sucht. Beide Romane machen – in ihrer Weise – klar, daß der Mensch in der Welt, die ihn gerufen hat, als Fremdling lebt. Er ist immer unterwegs und findet sich nie zurecht. Wohin er auch kommt, er ist nirgendwo ein Zugehöriger, sondern immer ein Ausgestoßener. Es ist das unaufhörliche, wenn auch vergebliche Bemühen des Kafka-Helden, sich einzugliedern, sich niederzulassen und seine Heimat zu finden in einer Welt, die er zuletzt doch verabscheut. Diese unermüdliche Bemühung, die ihre Kraft aus der Mechanik eines unsichtbaren Triebwerks der Seele erhält, bringt die quälende Unruhe in Kafkas Werk. Seine Helden haben ihr Dasein in der Bewegung, diese eigentlich verbindet sie so sehr miteinander, daß sie wechselseitig wie austauschbar erscheinen. Nicht die Verschiedenheit

ihrer individuellen Ausprägung ist das Wesentliche, sondern
die Teilhabe an einem gemeinsamen Schicksal. So kann der
Ankläger von heute der Angeklagte von morgen, der Prügler
von heute der Geprügelte von morgen werden. In dieser
Welt des Suchens und Bemühens gibt es keine Ruhe, und
dabei handelt es sich nie um große Dinge, sondern um eine
Selbstorientierung von Augenblick zu Augenblick und zugleich
ein Treten auf der Stelle oder um eine Bewegung um sich
selbst. Um ein Bild von Anders aufzunehmen: der Sekunden-
zeiger ist in rasender Geschwindigkeit, der Minutenzeiger ist
abgebrochen, und der Stundenzeiger steht still[7]. So gesehen,
verliert das Bild des Gefängnisses viel von seiner Berechtigung. In einer sehr paradoxen Weise können wir von einer
doppelten Gefangenschaft sprechen: dem Bewußtsein, in den
Banden der Daseinsnotwendigkeit zu sein, entspricht eine
Art Bindung an das eigene Selbst, das sich durch eine Ver-
gitterung von der Daseinsfülle ausgeschlossen sieht. „Mit
einem Gefängnis hätte er sich abgefunden. Als Gefangener
enden – das wäre eines Lebens Ziel. Aber es war ein Gitter-
käfig. Gleichgültig, herrisch, wie bei sich zu Hause strömte
durch das Gitter aus und ein der Lärm der Welt, der Gefangene war eigentlich frei, er konnte an allem teilnehmen, nichts
entging ihm draußen, selbst verlassen hätte er den Käfig
können, die Gitterstangen standen ja meterweit auseinander,
nicht einmal gefangen war er. Er hat das Gefühl, daß er sich
dadurch, daß er lebt, den Weg verstellt. Aus dieser Behinde-
rung nimmt er dann wieder den Beweis, daß er lebt" („Er")[8].
„Sein eigener Stirnknochen verlegt ihm den Weg, an seiner
eigenen Stirn schlägt er sich die Stirn blutig" („Er")[9].

Dieses sein Verhältnis zur Welt: von ihr gebunden zu sein
und doch nicht zu ihr zu gehören, ja nicht einmal von ihr an-
genommen zu werden, erweckt in ihm eine neue Problematik,

die der Daseinsweise des eigenen Ichs. Das Ich wird sich seiner selbst inne in der eigenen Disproportion und Inkongruenz zur Welt. Dauernd befindet es sich nicht nur vor unbeurteilbaren Situationen, sondern im Angesichte der eigenen Rätselhaftigkeit. Des öfteren hat man gesagt, für Kafka gelte nicht die einfache Aussage des Cogito ergo sum, vielmehr sei sie in seinem Denken geradezu aufgehoben. Denn er sehe nicht sein Ich als eine für sich bestehende, absolute, von den Dingen sozusagen abgelöste Realität an, sondern erfahre es nur im Zusammenhang mit den Dingen, im Miteinander mit ihnen, als ein bedingtes. Kann es darum kein unbedingtes Ich geben? Es scheint nicht so zu sein. „Er beweist nur sich selbst, sein einziger Beweis ist er selbst, alle Gegner besiegen ihn sofort, aber nicht dadurch, daß sie ihn widerlegen (er ist unwiderlegbar), sondern dadurch, daß sie sich beweisen" („Er")[10].

Diese Suche nach den Dingen, die ihn abstoßen, indem sie ihn rufen, denen er nachgeht, indem er ihnen entrinnen möchte, stellt ihn noch vor eine Paradoxie anderer Art. Denn einerseits wird durch sie sein Wunsch nach Erlösung von seinem Ich, nach Ent-Individualisierung, nach totaler Zugehörigkeit bezeugt. Indem er sich bemüht, den Schlüssel zu einer ihm verschlossenen Welt zu finden, hofft er den Zugang zu einer größeren Lebensfülle zu erhalten. In dem Verlangen nach Einordnung spricht sich die Sehnsucht nach einer Unio mystica aus, in der das kleine Ich seine schmerzlichen Begrenzungen zugunsten einer höheren Einheit aufgehoben weiß. Ein Vorgang, der dem Lobpreis Rilkes auf das „Offene", den unbewußten Weltgrund, nicht unähnlich ist. Und doch ist dieser Bereich vor ihm das dunkel Unheimliche, das Namenlose, das alles Bewußtsein aufzusaugen, alles Personhafte zu zerstören scheint; und die Menschen höheren Ranges, die kraft ihrer größeren Nähe zum unsichtbaren Zentrum über eine

größere Teilhabe an verborgenen Lebensquellen zu verfügen
scheinen, geben der Vermutung Recht, daß sie dem Dunkel
näher als dem Hellen stehen.

Die Abgründigkeit der Problematik menschlichen Weltverhaltens wird umso unaufhellbarer, als sich der Mensch
nicht nur in die Antinomie von Zwang und Freiheit gestellt
sieht, sondern noch in eine zweite, ebenso quälende Spannung:
die von Schuld und Schuldlosigkeit. Der Roman „Der Prozeß" verdeutlicht Kafkas und des modernen Menschen Bewußtsein in einer riesigen Parabel. Durch sein Dasein und seine
Teilhabe am Leben ist der Mensch bereits in Schuld verstrickt.
Der Bankprokurist wird in Strafe genommen, ohne daß er
jemals erfährt, was er angerichtet hat. Sein Leben ist mit dem
Prozeß identisch, durch ihn wird er, der Schuldig-Unschul-
dige, in Wahrheit erst schuldig. Sein ganzes Leben ist nichts
als der Versuch, dahinter zu kommen, was gegen ihn vorliegt.
Aber es liegt nichts gegen ihn vor, weshalb Kafka – der mit
dem „K." seiner Romane natürlich identisch ist – an anderer
Stelle zu dem Schluß kommt: „Die Erbsünde, das alte Unrecht, das der Mensch begangen hat, besteht in dem Vorwurf,
den der Mensch macht und von dem er nicht abläßt, daß ihm
ein Unrecht geschehen ist, daß an ihm die Erbsünde begangen wurde[11]".

Die Suche nach dem Heimatrecht sowohl wie nach den
Gründen der Schuld schafft sich ihren Ausdruck in der eigen-
tümlichen Kunstgestalt von Kafkas Werk. Der Held sieht
sich von Situation zu Situation getrieben, nichts entfaltet sich
etwa organisch oder mit psychologischer Folgerichtigkeit,
vielmehr hat er ständig neuen Überraschungen und Einbrüchen
zu begegnen. Die Romane führen von Phase zu Phase, ohne
eigentlich von der Stelle zu kommen. Während sich im alten
Bildungsroman das Leben von Stufe zu Stufe entwickelte und

von einem Mittelpunkt aus sich zyklisch entfaltete, bewegen sich die Linien in Kafkas Werk weder gerade aufsteigend noch auch eigentlich in Kreisen, sondern willkürlich hierhin und dorthin. Es gehört zu den Voraussetzungen für die Erkenntnis von Kafkas Stilcharakter, die Bewegungen seiner Gestalten nicht aus den Triebkräften eines ordnungshaften Mittelpunktes zu erklären, sondern als Antwort auf Ordnungslosigkeiten, die sich dem Menschen, wo er auch steht, quer über die Bahn werfen. So kommt es auch, daß der eigentliche Akteur der Handlung nicht der „Held" ist, sondern die Gegenmacht, die ständig vor neue Ungereimtheiten stellt. Die Aufgabe des Helden ist keine andere als die, mit diesen fertig zu werden und darüber nachzudenken, „was der Schlag aus dem Dunklen zu bedeuten haben könnte". Die einzig wahre Aktion des Helden „besteht im Bedenken und Durchdenken der tausend Möglichkeiten, die wie ein Strahlenbündel von jedem Punkt der Geschehnisse ausstrahlen[12]". Daher nicht nur die Unruhe der Bewegung von Punkt zu Punkt, sondern auch die Unruhe des Geistes, der sich unaufhörlich der Aufgabe gegenübersieht, sich auf Sinnlosigkeiten einen Vers zu machen. So entsteht der Eindruck einer willkürlich geknüpften Kette, deren Glieder durch kleine Zwischenstücke miteinander verbunden sind. Nichts ist bei Kafka Fortschritt oder Entwicklung, und so geschieht denn auch das Ende, unvermutet und unvorbereitet durch einen unvorhergesehenen oder gewaltsam herbeigeführten Tod, ohne innere Notwendigkeit.

Was sich in dieser Welt Kafkas dartut, ist zunächst ein geistesgeschichtliches Phänomen: die Selbstdarstellung eines Endzeitalters, letzter Akt in der Entwicklungsperiode von Jahrhunderten, die es für richtig gehalten haben, sich aus den transzendenten Bezügen zu lösen und sich auf sich selbst zu stellen. Die beiden Romane zeigen den Menschen in der

doppelten Blickrichtung: als den Daseinsverhafteten und als
den Fremdling, als den doppelt Unfreien, dessen Verstrickung
hoffnungslos zu sein scheint. In der Verdeutlichung dieses
Zustandes liegt offenbar der Grund für die Fascination, mit
der die Gegenwart sowohl im In- wie im Ausland auf die
Romane Kafkas antwortet.

Endzeitlich aber ist diese Welt auch aus dem Grunde, weil
die sinnlose Notwendigkeit, an die der Mensch mit der
ganzen Welt verfallen ist, sich bei Kafka in ihrer religiösen
Grund- und Ausgangsform zeigt, in ihrer Identität mit dem
Bösen. Wo immer wir das Werk des Dichters aufschlagen:
wir sehen es von Spuk und Zauber erfüllt. Kafkas Welt ist
verhext und verflucht. Er selbst legt uns den Schlüssel zu
seiner Welt manchmal unbemerkt in die Hände, wenn er zum
Beispiel sagt: „Es kann ein Wissen vom Teuflischen geben,
aber keinen Glauben daran, denn mehr Teuflisches, als da ist,
gibt es nicht[13]“. Die tiefe Überzeugung, daß die Welt im Argen
liegt und von keinem Licht erleuchtet ist, legt die dunkelsten
Schatten über sein Werk. Die in der Unsichtbarkeit verborgene letzte Zentralstelle, die den Menschen mit eisernen Ha-
ken an sich zieht, hat etwas von der Maske der Sphinx, die
nach Wesen und Willen undurchschaubar ist. Etwas bezeichnend Ähnliches finden wir in Kasacks Roman „Die Stadt hinter dem Strom“: im Tempel der Gestorbenen ist der Mittelpunkt niemand anderes als eine maskenhafte Göttin. Kafka
sieht also den Menschen, der sich in einer Unio mystica seines
Selbst entäußern will, nicht auf dem Wege zur Seligkeit, sondern zum Verhängnis, das über ihn hereinbrechen wird mit
verdammnisähnlichen Schrecken. Er läßt uns über diese seine
Meinung nicht im Ungewissen. Sogar Namen verraten etwas
von den hintergründigen Mächten. „Klamm“, der oberste
Beamte des Schlosses, deutet nicht nur auf die Notwendig-

keit, sondern auf Beklemmung und Bedrängnis durch einen bösen Willen. Mit dem Schloß verbunden ist der Geruch der Obszönität, vor der der Lehrer des Dorfes die Kinder bewahren will. Man mag es betrachten als eine „stark befestigte Garnison einer Abteilung von gnostischen Dämonen, die eine vorgeschobene Stellung erfolgreich gegen die Manöver einer ungeduldigen Seele verteidigen[14]".

Dieser Aspekt auf die Welt gründet sich auf Vorstellungen, die weit in die Vergangenheit reichen und doch zu den Ursachen der modernen Trostlosigkeit gehören. Man hat von der Wiedererweckung manichäischer Glaubenshaltungen bei Kafka gesprochen, so stark sei der Eindruck der Verfluchung. Die Welt sei durchglüht vom Feuer des Bösen[15]. Es spricht vieles dafür, daß Kafkas Daseinsnot auf einem nachwirkenden Manichäismus beruht, der in die Geistesgeschichte der Neuzeit seinen Einzug in reformatorischen Verwandlungen gehalten hat. Manichäisch ist der Abscheu gegen die natürlich-fleischliche Kreatur und die furchtbare Demütigung des Geschlechtlichen. Dazu paßt, daß die Frauen durchweg als Verbindungsglied oder als Einbruchsstelle zur Welt des Bösen dienen, Mittlerinnen zur Welt des Unheils, aber nicht Erlöserinnen sind.

Diese Beschäftigung mit dem Bösen muß Kafka ganz ausgefüllt haben. Sie war *sein* religiöses Anliegen. Es muß auffallen, daß es in seinen Bekenntnissen keine Äußerung gibt, die das ruhelose Streben seines Geistes auf Gott gerichtet oder vom amor Dei inspiriert zeigt. Das Problem Gottes verschwindet hinter der Gewalt solcher Erfahrungen. Aber eben aus diesem Grunde verbirgt sich in ihnen selbst eine religiöse Frage[16].

Es ist der äußerste Punkt, bis zu dem Kafka vorgedrungen ist. Er hat ein „Gespenst" in den Vordergrund gestoßen und

die Wurzel alles Übels sichtbar gemacht. Eine neue Religion
zu begründen, davon war er weit entfernt, und es ist schwer
zu verstehen, wenn Kritiker den Schicksalsweg von Kafkas
Helden mit Bunyans „Pilgrim's Progress" in Beziehung setzen oder das Schloß als Sitz der verborgenen Göttlichkeit
betrachten[17]. Es wäre ein allzu einfaches Abgleiten aus den
Furchtbarkeiten dieser Welt. Wohl aber ist Kafka der Wieder-
entdecker einer echten religiösen Haltung geworden, die sich
nicht mehr durch einen „Geschmack für das Unendliche"
oder durch psychologisch-ästhetische Gefühle charakterisiert,
sondern durch die Beziehung auf die übernatürlichen Mächte
wenigstens das tremendum des Bösen erfährt. Und es mag
durchaus sein, daß durch die Entdeckung des Bösen „den
Konturen des Romans etwas von ihrer sonst unerträglichen
Schärfe[18]" genommen wird. Die Welt des Bösen ist – trotz
allem – weniger grausig als die Welt des Nichts, weil sie nur
auf dem Hintergrund einer ewigen Güte verstanden werden
kann.

Und so stellen wir uns die Frage: Kommt Kafka zur
Transzendenz? Wir müssen mit der Begrenztheit menschlicher Erlebnisweite rechnen; wessen Auge durch bestimmte
Wirklichkeiten gebannt ist, bekommt dafür andere nicht in
den Blick. Kafka wandelte auf schmalem Grat zwischen Verzweiflung und Hoffnung, kein Verneiner, aber ein Zweifler,
der für die tiefsten Gründe der Welt nur ein agnostisches
„Vielleicht – vielleicht auch nicht" übrig hatte. Diese Selbst-
bescheidung aber wirkt nicht wie eine schwächliche Resignation, sondern wie der Verzicht eines starken Denkens, das
über einen gewissen Endpunkt nicht mehr weiter zu dringen
vermag. Es gibt in seinem Werk einige wenige Stellen, die es
möglich machen, bei diesem ernsten Schriftsteller, gegen den
der Vorwurf der Flucht ganz unangebracht wäre, von einer

„messianischen Hoffnung" zu sprechen, dem Widerschein eines Glaubens, „der noch in der Umklammerung durch die Verdammnis lebendig bleibt[19]". Die wichtigste ist die „Kaiserliche Botschaft", eine Legende aus dem umfangreichen Fragment „Beim Bau der chinesischen Mauer"[20], und deren Verdeutlichung in eben dieser Parabel. Der Kaiser hat einem Boten in der Stunde seines Todes eine Botschaft an seine Untertanen übergeben, aber diese Botschaft kommt nicht an. Zwischen ihn und die Menschen schiebt sich der Zwischenraum der Welt, und diese in ihrer Unendlichkeit ist undurchmeßbar. „Niemand dringt hier durch und gar mit der Botschaft eines Toten. – Du aber," so schließt die kleine Erzählung, „sitzest an deinem Fenster und erträumst sie dir, wenn der Abend kommt." „Genau so", fährt Kafka in einer Art Exegese fort, „so hoffnungslos und hoffnungsvoll, sieht unser Volk den Kaiser. Es weiß nicht, welcher Kaiser regiert, und selbst über den Namen der Dynastie bestehen Zweifel ... Längst verstorbene Kaiser werden in unseren Dörfern auf den Thron gesetzt, und der nur noch im Liede lebt, hat vor kurzem eine Bekanntmachung erlassen, die der Priester vor dem Altare verliest. Schlachten unserer ältesten Geschichte werden jetzt erst geschlagen, und mit glühendem Gesicht fällt der Nachbar mit der Nachricht dir ins Haus ... Je mehr Zeit schon vergangen ist, desto schrecklicher leuchten alle Farben, und mit lautem Wehgeschrei erfährt einmal das Dorf, wie eine Kaiserin vor Jahrtausenden in langen Zügen ihres Mannes Blut trank. So verfährt also das Volk mit den vergangenen, die gegenwärtigen Herrscher aber mischt es unter die Toten ... Wenn man aus solchen Erscheinungen folgern wollte, daß wir im Grunde gar keinen Kaiser haben, wäre man von der Wahrheit nicht weit entfernt. Immer wieder muß ich sagen: Es gibt vielleicht kein kaisertreueres Volk als das unsrige im Süden, aber die Treue kommt dem Kaiser nicht zugute. Zwar steht auf der kleinen Säule am Dorfausgang der heilige Drache und bläst huldigend seit Menschengedenken den feurigen Atem genau in die Richtung von Peking – aber Peking selbst ist den Leuten im Dorf fremder als das jenseitige Leben. Sollte es wirklich ein Dorf geben, wo Haus an Haus steht, Felder bedeckend, weiter als der Blick von unserem Hügel reicht, und zwischen diesen Häusern stünden bei Tag und bei Nacht Menschen Kopf an Kopf? Leichter als eine solche Stadt sich vorzustellen, ist es uns zu glauben, Peking und der Kaiser wären eines, etwa eine Wolke, ruhig unter der Sonne sich wandelnd im Laufe der Zeiten . . . Diese Auffassung will ich nun durchaus nicht als eine Tugend gelten lassen, im Gegenteil. Zwar ist sie in der Hauptsache von der Regierung verschuldet, die im ältesten Reich der Erde bis heute nicht imstande war oder dies über anderem vernachlässigte, die Institution des Kaisertums zu solcher Klarheit herauszubilden, daß sie bis an die fernsten Grenzen des Reiches unmittelbar und unablässig wirke. Andrerseits aber liegt doch auch darin eine Schwäche der Vorstellungs- oder Glaubenskraft beim Volke, welches nicht dazu gelangt, das Kaisertum aus der Pekinger Versunkenheit in aller Lebendigkeit und Gegenwärtigkeit an seine Untertanenbrust zu ziehen, die doch nichts Besseres will, als einmal diese Berührung zu fühlen und an ihr zu vergehen."

Aus dieser Erzählung läßt sich eine antireligiöse Pointe entnehmen, nämlich die, daß Gott „tot" ist, in demselben Sinne, wie Nietzsche es ausgesprochen hat. Aber im schillernden Spiel der Fabel ist doch Gott weit mehr der Unbekannte, der jenseits aller Erfahrbarkeit wohnt und weder die Menschen erreicht noch von ihnen erreicht wird. Und es ist durchaus richtig, daß diese Unerreichbarkeit Gottes die Bei-Bedeu-

Thomas Mann

Franz Kafka

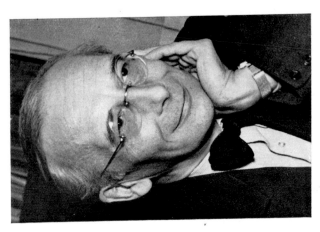

Hermann Kasack

tung der Transzendenz erhält und damit zu einem abermals religiösen Erlebnis führt[21]. Dieser Umschlag ins Gegensätzliche entspricht dem Verharren in der Grenzsituation, in der Kafka sich befindet, und es wäre der Untersuchung wert, in welchem Maße Einflüsse Kierkegaards, mit dem Kafka sich intensiv beschäftigt hat, dieses letzte Grundverhalten des Dichters bestimmt haben. Es ist bemerkenswert, daß er eine seiner Bemerkungen über sich selbst mit den Sätzen schließt: „... Es gibt aber einen ihm gänzlich unbekannten Jemand, der sich um ihn – nur um ihn – große fortwährende Sorgen macht. Diese ihn betreffenden Sorgen des Jemand, besonders das Fortwährende dieser Sorgen, verursachen ihm manchmal in stiller Stunde quälende Kopfschmerzen[22]".

Auch das Fortwirken sittlicher Gesetzgebung ohne einen Gesetzgeber, der „Befehle ohne Befehlenden", deutet hin auf Transzendenz. Das Problem einer religionslosen Moral haben wenige in solcher Schärfe gesehen wie Kafka (und Nietzsche). Noch immer glaubt die Welt, sittliches Handeln in sich selbst begründen zu können. Aber haben wir es nicht erlebt, daß die Sittlichkeit sich auf den Willen von wer weiß wie fragwürdigen und verwegenen Autoritäten berief, nachdem sie einmal auf sich selbst gestellt war? Muß nicht alle Moral preisgegeben werden, die sich nicht auf eine unbedingte Autorität stützt? Kafka veranschaulicht das Problem in einem großartigen Stück Prosa. Er beschreibt einen Kurier, „der durch die Welt jagt und, da es keine Könige gibt, sinnlos gewordene Meldungen ruft." Aber er wagt es nicht, dem sinnlos gewordenen Leben ein Ende zu setzen „wegen des Diensteides[23]".

Fassen wir zusammen. Aus vielen Gründen gehört Kafka in die Reihe derjenigen, die mit ihrem Werk die Situation des Endes verdeutlichen. Er ist ein von den Erfahrungen unserer Zeit Überwältigter. Mit so grausamer Exaktheit haben nur wenige alle Konsequenzen gezogen: das heillose Hin und Her zwischen Zwang und Freiheit, das Verfallensein an die Mächte, die Hinordnung zum Bösen. Aber dieser unerbittlich strenge und ernste Mann steht im Vorfeld der Metaphysik und der Religion. Und vielleicht, ohne es zu wissen, wird er von einer Mitte aus gehalten, die ihn vor den letzten Verzweiflungen schützt. Es ist erregend zu sehen, wieviele von seinen Grunderfahrungen christlichen Vorstellungen entspringen. Die Welt als Feld unseres Lebens ist dem Christen ebenso ein Problem des Daseins wie die Tatsache, daß er ihr nicht zugehört und in seinem Selbstsein nicht berührbar ist. Die Welt des Bösen ist ihm vertraut. Aber es ist Kafkas Schicksal gewesen, daß er nur die eine Seite sah. Er gehört zu den Großen unserer Zeit, die an sich ein stellvertretendes Opfer vollziehen lassen, indem sie die Konsequenzen von Jahrhunderten auf sich nehmen mit der leisen Hoffnung, daß es doch ein gelobtes Land gebe, wenn es auch ihren Augen entzogen bleibt. Von der Erlösung durch Inkarnation hat er nichts wissen können, so unerreichbar war ihm die verfluchte Welt alles Fleisches für die heilende Hand Gottes. Den Weg in die Transzendenz vermochte er nicht zu finden, und so blieb ihm nichts, als auf schmalem Weg zu wandern, von dem aus die Gefahr des Absturzes droht. Aber seine Augen waren doch auf ein anderes Land gerichtet. Er hatte Durst und war „von der Quelle nur durch ein Gebüsch getrennt[24]".

HERMANN KASACK

Die Zone des Todes

Mit der Dichtung und Schriftstellerei Hermann Kasacks stellen sich die Probleme, die sich bei Thomas Mann und Franz Kafka (sowie in verwandter Form später bei Wiechert) finden, in ähnlicher oder wenigstens vergleichbarer Form dar. Zwar sieht er die Welt nach *seiner* Art. Wenn bei Thomas Mann trotz aller intellektuellen Kühle der Unterton des Schmerzes nicht zu überhören ist und Kafka durch die Ratlosigkeit des Agnostikers gekennzeichnet wird, so zeigt Kasack die Entschlossenheit des um unsere Endlichkeit Wissenden, der sich mit der Tapferkeit des „Dennoch" dem Nichts entgegenstellt, es aushält und in das Sinnlose eine menschliche Ethik baut. Die Haltung der französischen Existentialisten findet in seinem Werk eine gewisse Entsprechung. Sein Immanenzglaube ist weniger melancholisch und fatalistisch als kämpferisch und wirkt sich – wie so oft in ähnlichen Fällen – politisch aus. Gleichwohl: er ist in erster Linie Dichter, Betrachter und Gestalter einer inneren Welt.

Diese seine Welt reicht bis in die Zone des Todes hinein, ja, es scheint als bevorzuge er jenen Bereich, in den alles Lebendige einmündet, und es ist seine Eigenart, daß er den Tod nicht als Gegensatz zum Leben, sondern als einen diesem zugehörigen Bestandteil versteht. Der Tod wird in eine umfassende Gesamtdeutung des Lebens einbezogen und – nach der Lehre der Existenzphilosophie – aufgefangen „von einem übergreifenden Gesamtleben, das auch über den Tod des einzelnen Lebewesens hinwegströmt[1]".

Moderne Gedanken verbinden sich bei Kasack mit indischen Lebenslehren und deren Verwandlung, die sie in der deutschen Philosophie des späten Idealismus erfahren haben. Grundzüge des Buddhismus und von Schopenhauers Philosophie durchziehen nicht nur sein Werk, sondern geben ihm das Fundament, das es trägt. Buddha und mit ihm sein Jünger Schopenhauer verkünden mit der völligen Entwertung der menschlichen Person die Notwendigkeit der Entselbstung, der Aufhebung des Ichs, die Erziehung zum Vergessen seiner selbst, die Preisgabe an das Allgemeine, den Widerruf der Individuation, also die Rückkehr ins Unpersönliche, Unbewußte, den Mutterschoß aller Vereinzelung. Es ist die uns vertraute, in vielerlei Variationen vorgetragene Melodie.

Mit der Übernahme solcher Bekenntnisse schafft sich Kasack die Ausgangsposition zu seinem Roman „Die Stadt hinter dem Strom". Er geht von der Fiktion aus, daß die aus dem Leben Geschiedenen so lange nicht tot sind, als sie den Prozeß der Entselbstung noch nicht zu Ende geführt haben, ja, solange sie noch in der Erinnerung der Lebenden eine Rolle spielen. Sie sind zwar gestorben, aber nicht tot. Sie führen – auf längere oder kürzere Zeit – ein Schattenleben weiter, das mit dem Zustand beginnt, wie sie von der „Schrecksekunde" des Todes angetroffen worden sind, und entwickeln sich nun, sogar auf Grund einer gewissen Selbsterziehung, mehr und mehr auf ein Vergessen des eigenen Selbst zu, bis sie reif sind, dem vollen Nichts, den „nordwestlichen Randgebieten", zugeführt werden.

Aus solchen Voraussetzungen vermag Kasack eine Stadt der Gestorbenen aufzurichten, in der es zwar geheimnisvoll, jedoch ähnlich wie bei uns zugeht. Er schafft sich einen doppelten Ausblick: auf das Nichts hin, auf das alle – merklich oder unmerklich – zuwandern, und auf das Leben rückwärts, das aus der Blickrichtung des Todes beleuchtet und gedeutet wird. Man mag sich dabei an Kafka erinnert fühlen: es wird ein Modell aufgebaut, an dem das Leben durchschaubar gemacht wird.

Die Verbindung des Themas mit den Erlebnissen der letzten Vergangenheit, ihrem großen Sterben, ihren Verwirrungen und Schrecklichkeiten kennzeichnet eine weitere Eigentümlichkeit des Werkes. Es liegt nahe, unter den Gestorbenen das Massenheer der Toten der letzten zehn Jahre wiederzufinden. Es ist verständlich, daß der Dichter an ihnen ebenso wenig vorbeigehen kann wie an den Taten des Dritten Reichs, die sich im Lande der Toten widerspiegeln. Aber es ist mit der Gefahr zu rechnen, daß die Hereinnahme gegenwärtiger Motive und sogar politischer Absichten das Dichterische beeinträchtigt und schädigt – es sei denn, daß dies alles in eine große Form eingeht.

Die Darstellung ist allem Sensationalismus abhold und in ihrem nüchternen unpathetischen Realismus ebenfalls Kafka verwandt. Das Phantastische erinnert am ehesten an E.Th.A. Hoffmann. Der Archivar Robert Lindhoff (!) wird auf Anruf einer geheimnisvollen Präfektur zum Chronisten und Archivar einer unbekannten, rätselreichen Stadt bestellt, einer Stadt hinter dem Strom, wie es beziehungsreich heißt. Als er am frühen Morgen – noch vor Sonnenaufgang – hineinfährt, findet er eine Ruinenstadt, Häuserreste und Schutthaufen, aber das Leben ist in Gang gehalten oder in Gang gebracht, es gibt die normalen Verkehrsmittel, die regelmäßig fahren, jedoch seltsame Fahrgäste befördern. Er hat die erste Begegnung mit den Menschen der Stadt, jungen Frauen und Mädchen, die am Brunnen Wasser holen, seltsam schemenhafte Wesen, die ihr Leben nicht von innen her zu empfangen scheinen, sondern unter dem Glanz der aufgehenden Sonne erröten. Es kommt ihm vor, als habe er sie schon einmal gesehen, aber er kann sich nicht genau erinnern. Er beobachtet die Lebensweise der Bevölkerung, die an die der letzten Kriegsjahre erinnert: auf Zuteilung wartende Frauen, Speisung der Massen an langen Tischen, organisierter Ringtauschhandel, in dem alles gegen alles veräußert wird. Er trifft seinen Vater, den er für tot gehalten hat, geschäftig, redselig, Prozesse führend und nach Advokatenart Argumente, auch die fadenscheinigsten, für seine Rechtshändel suchend. Der Alte ist, so stellen wir fest, noch nicht weit vom Leben abgerückt und noch ein gutes Stück von der Erlösung durch das Nichts entfernt. Der Ankömmling macht alsdann die Bekanntschaft mit der Präfektur und dem Hohen Kommissar, der ihn in seine Aufgaben einweist, ein rätselhaftes, unbestimmtes, hintergründiges Unternehmen, das darin bestehen soll, nicht nur Eigentümlichkeiten und Bräuche der Stadt aufzuzeichnen, sondern auch dem Schicksal der Bewohner nachzugehen. Erst im Laufe der Zeit wird er den Sinn dieser Tätigkeit zu begreifen lernen, und erst ganz am Ende erfährt er den hintergründigen Sinn seiner Arbeit. Es handelt sich um eine Art Bestandsaufnahme der Menschheit, deren Akten sich nur darum nicht ins Ungemessene vermehren, weil sie das Schicksal der Menschen teilen; der Prozeß der Ausscheidung des Zufälligen und Unwichtigen reguliert sich von selbst, das Individuelle geht mit den Individuen zugrunde, was übrig bleibt, ist zum Schluß nur das Allgemeine, Typische, das für die Grundformen der Menschen Bezeichnende – dies allein geht zum Schluß in die Bestände des Weltarchivs ein. Dem Dichter gelingt es ausgezeichnet, die Atmosphäre dieser Totenstadt zu beschwören: alles trägt das Zeichen des Vorläufigen, Abberufbaren, Stellvertretenden. Es gibt keine Uhrzeit, keine Kinder, keine Musik, keine Zeitung, kein Theater. Die Illusion wirkt beklemmend und dramatisch. Der Lebende hält die Toten für lebend, die Toten sehen in ihm einen der Ihrigen, und wo ein abgeschiedener Freund die Wahrheit ahnt, gibt es zwar ein Erschrecken, jedoch kein verräterisches Wort. Der neue Archivar merkt auch nichts, als er die Frauen mit dem Ordnen ihrer Wäschestücke beschäftigt sieht, leere Gebärden ausführend, ohne etwas in den Händen zu haben – es ist dieselbe Gebärde, die Thornton Wilder in seinem Drama „Unsere kleine Stadt" die Lebenden ausführen läßt – um aus der Perspektive des Todes die Schattenhaftigkeit unseres Daseins zu verdeutlichen. Er dringt in Lebensformen und Arbeitsweisen tiefer ein, ohne etwas zu merken, immer nur mit dem Nächstliegenden beschäftigt und mit gehaltenen Augen. Die Züge der beklemmenden Sinnlosigkeit mehren sich: wir erleben einen erregenden Kinderzug, der aus der Stadt herausgeleitet wird, Ungeborene – sie verschwinden in nordwestlicher Richtung. Ihnen, den Nichtgeprägten, wird kein Aufenthalt in dieser Stadt zugewiesen.

Wir spüren die Zunahme der gedanklichen Gewichte: das Werk will ein Weltanschauungsroman sein. Wir treten in eine Kathedrale, ein halbversunkenes Gebäude, das von immer neuen Schichten überdeckt wird. Ihr Wahrzeichen ist nicht das Kreuz, sondern das Auge eines gewaltigen Antlitzes, ein grausam steinernes Sinnbild des teilnahmslos auf eine kribbelnde Menschenmenge blickenden Nichts. Er besucht die Werkstätten, zwei Fabriken, ein Perpetuum mobile sinnloser Arbeit: die eine stellt Kunststein her, den die andere zermahlt, um der ersten wieder Material zu liefern. Die Wesenlosigkeit des

gelehrten Scheins wird grausam verdeutlicht: die aus der Diesseitigkeit eingeführten Bücher, die sich vor dem Auge der
Ewigkeit bewähren sollten, vergehen schon nach kurzer Zeit.
Und dann schreitet der Roman zur dichterischen Höhe, als
der Archivar inne wird, wo er sich befindet: er entdeckt die
verlorene Geliebte wieder, die Illusion zwischen den beiden
hält lange an, sie betrachten sich als lebend oder tot, je nachdem, und führen verliebte Gespräche, bis Lindhoff im Liebes-
spiel mit ihr den Verband entdeckt, der einst der Selbstmör-
derin angelegt worden war. Zugleich weiß die Gestorbene um
das Anderssein des Geliebten. „Dies war kein Taumel mehr,
keine Verstellung, dies war der volle Wahnsinn. Ein Gespenst
hatte er in Armen gehalten; einer Frau, die nicht mehr lebte,
galt seine Liebe . . . Ein Blitz hatte den Vorhang vor seinen
Augen zerrissen, er kannte die nackte Unheimlichkeit der
Wahrheit vor sich: er lebte in der Stadt der Toten."
Aber nicht erst von dieser Stelle an, sondern schon früher
gleitet dann der Roman ins bloß Politische hinüber, sei es, daß
er zu bewußt und dichterisch unverarbeitet die Schandtaten
des Dritten Reiches in die Schattenwelt hinüberspielt und dabei in einen empört-propagandistischen Ton verfällt, sei es,
daß er mit politischen Prognosen und Programmen operiert.
Muß man dem ersten Teil des Buches den Charakter der Dichtung zuerkennen, so wird es im zweiten zu einem politischen,
das sich zum Vorrang des Asiatischen und zur Rückkehr der
europäischen Kolonie in die Gesamtheit der asiatischen politischen Lebensform bekennt. Man liest Sätze wie den, „daß
ein allgemeiner Ausgleich von Schuld und Nichtschuld statt-
findet. Freilich kollektiv, also vom Ganzen her und nicht vom
einzelnen Individuum aus[2]". Alle Willensfreiheit stelle sich
schon im Leben der Menschen als eine beliebte Täuschung
dar[3]. „Daß die abendländische Kultur ihre Wurzeln im

asiatischen Bereich hatte, war ihm eine vertraute Vorstellung. Nun ergab sich, daß dieser Gedanke wie eine eingeborene Kraft in der bildhaften Vision vieler Dichter der späteren Zeit wiederkehrte, als seien sie Erben des Geistes und die Träger jener archaischen Welt. Dem Ursprung sich zu nähern, jenem Lebensdasein, wo der Mensch noch in der Natur und Allkraft eingezogen bleibt, dies entsprach auch der inneren Situation, in der sich Robert gegenwärtig befand'".

Die beiden Weltkriege werden mit Leichtigkeit eingeordnet „in den Vorgang dieser ungeheuren Geistesveränderung. Dieser millionenfache Tod geschah, mußte in dieser Maßlosigkeit geschehen, wie der Chronist mit langsamem Schauder einsah, damit für die andrängenden Wiedergeburten Platz geschaffen wurde . . . Die Vorstellung hatte etwas Bestürzendes, aber zugleich etwas Trostreiches, weil sie dem immer wieder als sinnlos Erscheinenden einen Plan, eine metaphysische Ordnung gab. Die Selbstvernichtung, das Harakiri, das Europa im 20. christlichen Jahrhundert beging, bedeutete, wenn er den Magister Magus recht verstand, nichts anderes als die Vorbereitung dafür, daß sich der Erdteil Asien den Zipfel wieder zurückholte, der sich für eine Weile zu einem selbständigen Kontinent gemacht hatte . . . Das falsche Selbstbewußtsein des Abendlandes mußte einmal tödlich zu Fall kommen. Wie ein morsches, von innen wurmstichig gewordenes Gebälk würde die Mitte des zweifelhaften Erdteils zusammenbrechen".

So tritt Kasack mit seinem Werk unter die politischen Täter – er tut es keineswegs mit dichterischen Mitteln allein. Der politische Satz, die philosophische Meinung springt oft herausfordernd mitten in das Feld der Poesie und richtet unter den zarteren Gebilden ihre Verwüstung an. Der Autor hat eine Richtung zu vertreten, er will das Abendland überwinden und „sich von dem Dogma der weißen Rasse immer klarer"

entfernen[5]. Die Erkenntnisse, die Kasack sich aus der
Stadt der Toten holen will, sind in Wahrheit diesseits des
Stromes geboren.

Dieses verhängnisvolle Abgleiten ins Politisch-Unpoetische
soll jedoch nicht darüber hinwegtäuschen, daß wir es mit
einem Dichter zu tun haben. Nicht nur die poeti-
schen Grundlinien des Romans beweisen es. Seine Gedicht-
sammlung „Das ewige Dasein" rückt abermals den Bereich
der Toten in die Nähe des Lebens und umgekehrt, Verse,
denen man „gläserne Klarheit" und tiefe Kühle nachgerühmt
hat, mit Recht, da in ihnen ein bedeutender Lyriker ohne Pathos, ohne Leidenschaft, aber mit rationaler, unsentimentaler
Strenge das volle Dasein, Leben und Tod, zu umschließen
sucht.

Die jüngste Novelle, „Der Webstuhl", zeigt den Dichter
auf den Wegen des ersten Romans und vermag dazu zu helfen, die Eigenart seines Schaffens noch deutlicher zu sehen.
Abermals wird der Versuch gemacht, an einem phantastischen
Vorgang den Grund unserer Welt zu verdeutlichen. Wir sehen
an die Stelle des Webers, der in Goethes Dichtung das Symbol
der schaffenden Kräfte der Natur ist, den Webstuhl gesetzt,
an dem die Menschen einen unendlichen Teppich wirken. Der
Vorgang des Webens ist also von Anfang an aus dem Bereich
des Naturmythischen entfernt und zum Sinnbild menschlichen
Tuns in der Geschichte gemacht. So ist das Webstück nicht
mehr „der Gottheit lebendiges Kleid", sondern das durch die
Zeiten reichende Zeugnis menschlicher Mühe und Entwicklungen.

Die Erzählung gibt sich das Ansehen einer Legende; sie
berichtet von einem aus unvordenklichen Zeiten bis in die
Nähe der Gegenwart hineinreichenden Geschehen. Der Erzähler steht auf den Trümmern einer riesigen Zerstörung,

halb Tempel, halb Fabrik, und aus den noch vorhandenen
Akten läßt sich ungefähr konstruieren, was einmal früher gewesen ist. Der Blick in die Vergangenheit von den Ruinen
einer Katastrophe aus ruft also die Vision einer sozusagen
rückwärts gewandten Utopie hervor. Danach war das Tep-
pichwirken ursprünglich wahrscheinlich ein sakrales Tun,
vielleicht unter priesterlicher Leitung, aber aus den Priestern
wurden mit der Zeit Beamte, aus den Tempelabgaben immer
mehr anwachsende Staatssteuern, aus der religiösen Prozession
ein Staatsfeiertag, an dem das ehemalige Symbol der Heiligkeit und der Würde der Öffentlichkeit zur Schau dargeboten
wurde. An die Stelle der heiligen Handlung des Verknüpfens
und Wirkens trat die mechanisierte Arbeit, die um so unaufhalt-
samer wurde, als in der späteren Zeit die Maschine aufkam.
Der Begriff der Ware und des Fabrikats brachte eine völlige
Entheiligung der Arbeit, deren Ursprünge man so wenig verstand, daß der Teppich fortan Gegenstand des Studiums
durch hervorragende Gelehrte wurde. Die Säle und Hallen
mehrten sich. Der Beamtenapparat wuchs ins Ungemessene.
„Wer dachte noch an kultische Spiele, an denen das Volk selber teilnahm? Man veranstaltete Kongresse und Tagungen,
bei denen die Fabrikleitung hinter geschlossenen Türen mit
den Vertretern der Behörden an langen Tischen saß und ihre
selbstherrlichen Beschlüsse faßte . . . Die Maschinen webten.
Sie fraßen ballenweise die Wolle, die Fäden, die Farbfasern,
sie ließen sich Kunststoffe beimengen, und ihre Mäuler spieen
wie Stoff-Fontänen die breiten Bahnen aus, die durch die Hallen rollten wie die Schleppe einer Riesin, die nahtlos zu-
sammengesteppt und nach genormten Größenordnungen
gestutzt wurden, einige Stücke mit künstlichen Fransen ausgestattet, und alle imprägniert, gegen die Brut von Ungezie-
fer getränkt[6]“. So bekommt alles seine Stelle: moderner

Kapitalismus, Behördenautokratie, die um ihrer selbst willen da ist, das Massendasein der Menschen von heute, die Allmacht der Technik. Die Erzählung treibt zum Schluß in immer größerer Eile auf ein Ende zu; von keiner Weltvernunft gelenkt, muß diese Entwicklung in einer Katastrophe sich selbst aufheben. Sie endet in einem zerstörenden Feuer, das kaum eine Erinnerung übrigläßt. Ein Zeitalter liquidiert sich selbst. Wie durchaus begreiflich. Aber was dann?

ERNST WIECHERT

Das Leid der Welt

Es mag befremden, den drei genannten Schriftstellern einen Mann wie Wiechert zuzuordnen, der sich nach seinem Wesen so tief von ihnen unterscheidet. Es mag angängig sein, Thomas Mann, Franz Kafka und Hermann Kasack trotz aller Verschiedenheiten zusammenzunennen: als vorwiegend rational schaffende und sich denkerisch mit der Welt auseinandersetzende Schriftsteller, die die Erscheinungen unseres Daseins messerscharf zergliedern. Wiechert aber ist anders: kein Mensch angespannter Geistigkeit oder auch nur intellektueller Anstrengungen, sondern ein Dichter emotionaler Erregungen, der die Leser mit der Glut seiner Empfindungen anspricht. Aber er hat mit ihnen doch das Innerste, die Weltskepsis gemeinsam. Bei ihm spricht sie sich in der Fähigkeit zum Leiden und zum Mitleiden aus, er besitzt eine Organisation der Seele, die ihn zum empfindlichsten Sprachrohr aller Weltnot und Weltverzweiflung macht. Einer der wesentlichen Unterschiede aber ist dieser: er hat die Transzendenz nicht etwa noch nicht gewonnen, vielmehr hat er sie verloren. Seine Klage hat die Unordnungen der Welt zum Gegenstand, er macht sich zum Ankläger des unbekannten Gottes, der diese seine Schöpfung so fehlerhaft ins Leben gerufen hat. Er schafft sich in Protesten und Empörungen Ausdruck. Von der

Erfahrung des Bösen ist vielleicht kein Dichter unserer deutschen Gegenwart so angefaßt wie er. Die Schrecknisse des
ersten Weltkrieges sind unüberwundene Erlebnisse. Die Begegnung mit dem Grauen, sei es, daß es als objektive Macht
auf ihn zukommt, sei es, daß es aus den Herzen, ja, aus dem
eigenen, emporwächst, erfüllt ihn immer von neuem mit Entsetzen und bringt in sein Werk den gleichbleibenden Ton des
Leides. Aus der Unbegreiflichkeit der Weltunvollkommenheit
kommt in sein Werk die große Unruhe und ergreift Willen,
Gemüt und Verstand. Die Schrecken der jüngsten Vergangenheit und der Gang zum Buchenwald haben ihn vollends zum
Zweifler an der göttlichen Gerechtigkeit gemacht und ihn die
Hiob-Frage nach dem metaphysischen Ursprung und Sinn
des Leidens stellen lassen. Er sieht die Harmonie in der Schöpfung nicht nur bedroht, sondern in Frage gestellt und aufgehoben durch ein Prinzip, das auf Vernichtung angelegt ist.
Das ursprüngliche Vertrauen auf Gott ist unter der Gewalt
der Ereignisse immer dunkleren Zweifeln gewichen. Er fühlt,
läßt er seinen Johannes bei seiner Ankunft in Buchenwald
sagen, „wie durch das Bild Gottes ein Sprung hindurchlief,
der nicht mehr heilen würde." So ruft er in seinen Worten die
Erinnerung an Prometheus hervor, der rebellierend an den
Rand der Schöpfung tritt, um die Götter herauszufordern.
Oder ist er doch nur der Gefangene seiner selbst, der sich in
engem Raume bewegt, sich im Kreise dreht und, ohne vom
Fleck zu kommen, immer wieder dasselbe sagt – mit einer
erstaunlichen Gleichförmigkeit des Sehens und des Sagens?

   Um diese seine Welt darzustellen, bedient er sich christlicher Gewänder und spricht er die Sprache der Bibel. Sein
Werk ist nicht ohne theologische Grundlagen. Alttestament-
liche Eindrücke von der Furchtbarkeit und Unerbittlichkeit
Gottes scheinen die Jugend des Dichters durchzogen zu

haben. Wenn der „Todeskandidat" von der ostpreußischen Heimat sagt, daß man dort noch biblisch denke, so erinnert er sich der dunklen Züge des strafenden und rächenden Gottes, nicht aber der gütigen des erlösenden und versöhnenden. Damit verbindet sich die Lehre vom Vorrang des Willens vor dem Wesen, die im äußersten Falle zur Vorstellung vom Willkür-Gott führen kann. Die Säkularisierung solcher Glaubenshaltungen führt in die Tiefe des Chaos. Wiecherts Werk – besonders das späte – ist zu verstehen aus der Auflehnung eines Menschen, der auf die Frage der Theodizee keine Antwort erhielt. So wird sein Bekenntnis zwiegesichtig: die Erfahrung des Sinnlosen, des Bösen, des Menschenleides führt ihn einesteils Aug' in Auge mit der Unvernunft, andererseits wendet er sich doch an einen Gott, dem er sich oft in blasphemischen Äußerungen entgegenwirft – aber selbst in den furchtbarsten Worten, deren es in Wiecherts Werk nicht wenige gibt, mag man Bedrängnisse einer ursprünglich religiösen Natur sehen, die nicht bereit ist, ihre ehemaligen Bestände ganz preiszugeben.

Gleichwohl: das sittliche Grundverhalten, das sich aus einer solchen Weltdeutung ergibt, gleicht dem ‚Absurden', von dem Camus spricht, es verlangt die Verwirklichung einer Humanität gegen das Chaos, die Hervorbringung einer Ordnung in der Mitte der Ordnungslosigkeit. Wiecherts Sehnsucht ist auf die Umgestaltung dieser Welt bedacht, auf Überwindung der Gewalt, Herstellung der Liebe, Sieg der Gerechtigkeit. Seine Botschaft an die Menschen, es komme darauf an, die Gerechtigkeit auf den Acker zu tragen, ist eine der Leitlinien seines Werkes: er predigt den höheren Rang des Kleinen vor dem Großen, des Dulders vor dem Täter, des einfachen Mannes vor dem angemaßt Bedeutenden. So macht er sich zum Gewissensforscher der Mächtigen wie der

Ohnmächtigen: nur wer mithilft, daß Recht auf der Welt ist und sich selbst in Ordnung bringt, ist ein wahrhafter Mensch. Darum liebt er es, seine Helden zu sich selbst zurückzuführen, in ihren innersten Pflichtenkreis hineinzustellen, in die Unscheinbarkeit ihrer Berufsaufgaben, in die äußere Unwichtigkeit der täglichen Beanspruchungen. Manchmal führt er sie auch – mit der sanftesten Hand, jedoch nachdrücklich und unerbittlich – vor das Antlitz der Gerechtigkeit, die in dem Zerfall aller Verhältnisse unverändert und gebieterisch vor uns steht, und beugt sie unter das Gesetz. Wie er nach dem ersten Weltkrieg in der Gestalt des „Tobias" einen Menschen erfand, dem er bis in die Winkel des Herzens nachspürte, so zwingt er jetzt in der schönen Novelle „Der Richter" einen Vater, mit seinem Beruf den äußersten Ernst zu machen und seinen verblendeten Sohn zu sich selbst zu führen. Im Chaos unserer Diesseitigkeit eine kleine Ordnungswelt aufzurichten, ist sein Anliegen, und es enthält beide Züge dicht miteinander verbunden: ein religiöses Ressentiment und aufrichtige Liebe zu aller Kreatur.

Diesem das ganze Werk durchziehenden Thema entspricht die Einheitlichkeit seines Stils. Die Eigenart Wiechertscher Schriftstellerei ist leicht erkennbar. Von Anfang an zeichnet sich seine Ausdrucksweise durch eine Gleichförmigkeit aus, die kaum eine Wandlung, höchstens eine Intensivierung erkennen läßt. Die Fähigkeit, Stimmungen der Natur einzufangen, ist ebenso erstaunlich wie die andere, den seelischen Regungen seiner Gestalten nachzugehen. Aber es bleibt eigentlich immer dasselbe. Das Landschaftsbild zeigt uns große schwarze Wälder, ragende Fichten, Seen und Haff, graue Hütten und Meiler, ödes Land, rauchende Schornsteine, Dielen, Kammern und Keller, den Schrei der Möwen, den Flug der Kraniche. Er liebt die Köhler, Bauern, Fischer, Knechte und Mägde.

Hermann Hesse

Friedrich Georg Jünger

Ernst Wiechert

Oft ragt ein Stück alten Adels, seelisch echten Offizierstums in seine Geschichten hinein, soweit sie teilhaben an der Einfachheit der Herzen. Sie sprechen fast alle dieselbe Sprache, haben – wenn auch in abgestufter Weise – teil an den Urerfahrungen, wie sie Wiechert mit sich trägt. Sie alle stehen unter dem lastenden Druck dessen, was Wiechert das „Gesetz" nennt, des Unaufhebbaren, Unvermeidbaren. Die Sprache selbst spiegelt diese Haltung auf Schritt und Tritt. Man muß einmal die Zuordnung von Adjektiv und Substantiv und die Wahl der Worte genauer untersuchen, wie oft etwa die Ausdrücke vorkommen, die den psychologischen Bereich von Trauer, Melancholie und Schwermut umschreiben. Der Hang zum Meditieren zeigt sich in der Umkehr oder andersartigen Wendung von schon Gesagtem in Zustimmung und Entgegensetzung. Das Weiterdenken von Satz zu Satz und deren Verknüpfung durch die Kopula „und" ist eines seiner bezeichnenden Stilmittel. Wer nur weniges von ihm kennt, weiß, daß Sätze der folgenden Art zu seinem Eigentum gehören: „Gott mochte viel sein, oder er mochte ein Traum sein, aber der Schweiß der Stirne war kein Traum." „Ein Volk ging unter, und das andere stieg auf. Auch dieses würde untergehen, aber seine Äcker blieben, und auch die goldene Krone blieb, die es erworben hatte für die zarten Stirnen der Enkel." „Die Frauen sagen, daß er Blut bei der Geburt getrunken hat, und das Blut ist bitter gewesen." Die Neigung zu Sentenzen und Anrufen kennzeichnet den Weltverbesserer; er liebt superlativische Ausdrücke mit stark rhetorischem Charakter: „Es ist mehr, eine Träne zu trocknen als tausend zum Fließen zu bringen." „Drei Herzen und sechs Hände können viel Schmerz bereiten." Die Bibel ist für ihn eine Quelle des Stils; er nimmt daraus, was in seine Richtung fällt, die Furchtbarkeit Gottes, den Anruf zur Liebe und Gerechtigkeit, keine Offenbarungen,

sondern Bestätigungen seiner Überzeugung nach Art des
Hiob-Verses: „Um Gott ist ein furchtbarer Glanz" und des
Wortes der Seligkeiten: „Selig sind, die da Leid tragen, denn
sie sollen getröstet werden." 1945 sagte er in seiner Rede an
die Jugend: „Laßt uns einen neuen Anfang setzen, und seid
gewiß, daß niemand aus der Welt herausfällt, der nicht zuvor
aus Gott herausgefallen wäre."

Aber es handelt sich doch um eine sehr übertragene Ausdrucksweise. Seit Jahren verbindet sich mit dem Namen Wiecherts die Vorstellung eines Dichters, der zwischen den Entscheidungen stehen bleibt. Seit dem Roman „Das einfache
Leben" hat sein Bild feste Umrisse erhalten. Mochte er in seinen früheren Werken – dem „Tobias", dem „Spiel vom deutschen Bettelmann" und auch noch in der „Hirtennovelle" –
die Augen gläubig aufschlagen: der Wiechert der späteren
Jahre hadert. Er hadert ins Leere hinein. Er läßt den Kapitän
von Orla mit schlimmen Zerwürfnissen aus dem Kriege zurückkehren. An Gott irre geworden, an den Menschen ver-
zweifelnd, hat er nur den einen Wunsch, sich in der Stille
wiederzufinden und Klarheit über Gott und Welt zu erlangen.
Er trennt sich – wenn auch nicht endgültig – von seiner Frau,
deren Leben er nicht ausfüllt, die das Seinige nicht erfüllt; er
tut es, um nicht – nach dem Bibelwort – sein Leben weiter
hinzubringen „wie ein Geschwätz". Er will ein einsames, einfaches Leben führen. Wohin er auch kommt – es treten ihm
Menschen seiner Art entgegen, einsame Naturen, die im
Widerstreit mit dem Ganzen der Schöpfung leben. Der erste,
den er kennenlernt, ist ein Förster, der seinen Sohn in der
Skagerrak-Schlacht verloren hat. Seine Frau ist seitdem gei-
stesgestört und spricht zu jedem Mittag in aller Andacht ein
Wahnsinnsgebet:

Lieber Gott, sei unser Gast,
und sieh, was du angerichtet hast.
Sollen die Toten dir gut bekommen,
alle Heiden und alle Frommen,
und was du ertränkt hast und verbrannt,
nimm es fröhlich in deine Hand! Amen.

Verbirgt sich der Dichter hinter einer Wahnsinnigen? Orla kommt zu einem General, dem Besitzer der Fischgründe, die er pachtet; der Alte trägt in der starren Haltung militärischer Gewöhnung den Verlust von „Kaiser und Reich, Frau und zwei Söhnen", ohne doch innerlich darüber hinwegzukommen. Das Sterben ist einsam in diesem Roman, und es sterben viele darin. Er findet einen Freund, einen Grafen, der einen Schritt weiter ist als er, weil er sich die Heiterkeit der Seele zurückgewonnen hat. Aber er hat keine Illusionen mehr; er lebt mit einem Stein in der Brust. Orla schreibt zwei Bücher, zuerst eine „Ethik des Seemannslebens". Es wird nicht gesagt, was darin stand. Ist es die Vorbereitung für das Unbedingte, die Erziehung zur Diesseitigkeit, die Hinordnung auf das kleine Stückchen Leben in und um uns, das wir in Ordnung halten sollen? Das zweite trägt den Titel „Der Schlachtengott oder Über die zweifelhafte Haltung Gottes bei Seegefechten". Auch hier wird nichts über den Inhalt gesagt. Von Thomas' Sohn erfährt man, der Vater sei in diesem Buche über die Bibel hinausgekommen. Im Zusammenhange dieses Lebens ist das gleichbedeutend mit Leugnung eines vernünftigen und gerechten Gottes und Hinwendung zum Chaos. Die blinde Naturnotwendigkeit wird für ihn der neue Gott.

Doch ist diese Lösung weniger endgültig, als sie zu sein scheint, trotz der „Jerominkinder". Hier freilich werden die härtesten Aussagen gemacht. Es ist die Geschichte einer Familie aus dem ostpreußischen Sowirog, dem „Eulenwinkel".

In der Mitte steht Jons Ehrenreich Jeromin, den Glück und
Begabung zu höheren Zielen führen, bis er nach Krieg und
schwerer Verwundung in den heimatlichen Ort zurückkehrt,
um dort – nach dem Gesetz des Dichters – im engsten Kreise
seine Pflicht als Armenarzt zu tun. Wir befinden uns im Bannkreis melancholischer Menschenschilderung und in der Anschauung groß gesehener, wenn auch schon lange vertrauter
Natur. Es ist eine Welt weiter Räume und großartiger Einsamkeit, Urformen der Natur, die den Eindruck schicksalbe-
stimmender Unheimlichkeit erweckt. Wir treten in die Welt
der einfachen Menschen; sie nehmen die wenigen Freuden
dieser Welt hin, aber sie haben auch Anteil an den Gewalten
der Tiefe. Sie empfangen Richtschnur und Auftrag aus dem
Alten und wohl auch aus dem Neuen Testament, aus den
Propheten und der Geheimen Offenbarung, aber sie kennen
im Grunde nur das Wetterleuchten göttlichen Zornes und
unbegreifliche Strafgerichte. Gleichwohl: die frommen Reden sind nicht echt, sie haben einen falschen Unterton, und
die Bauern wissen weniger, als sie sagen; aus ihren Masken
blickt uns das Auge des Dichters entgegen. Was immer durch
seine Hand geht, wird Instrument komplizierter aufkläreri-
scher Verkündigungen. Denn das Wesentliche des Romans ist
die an einem exemplarischen Leben zutage tretende Grundverwirrung des Daseins: auf jeder Station seines Lebens wiederholen sich die ursprünglichen Erfahrungen. Schritt für
Schritt stößt er auf furchtbare Unordnungen, die aus dem
Kern der Schöpfung zu kommen scheinen, das Vertrauen in
das Walten eines gerechten Gottes erschüttern und die Botschaft von der Erlösung von innen heraus zerstören. Er sieht,
wie die eigene Familie nach einem geheimen Weltgesetz sich
aufspaltet in Gute und Böse, Aufrechte und Verkrüppelte, mit
sich selbst Einige und Zerrissene. Er erfährt das Dämonische

in den Kräften der Natur, in der Krankheit unter den Menschen, in der Herzenskälte der sogenannten Großen. Er erkennt das Böse in den Schrecknissen des Krieges, der wahllos
die Edlen und die Gemeinen fordert. Es kommt auf ihn zu
in der Schule wie im Kolleg. Er muß erleben, als er sich zu
wohltätiger Arbeit unter einfachen Menschen niedergelassen
hat, daß die Schrecknisse einer verwirrten Zeit auch in diesen
Winkel des Reichs Verwirrung bringen und viele bisher un-
angefochtene Herzen von der geraden Straße ihres Lebens
abirren. In das Grauen der Verwüstung hineingerissen, glaubt
Jons den Ursprüngen aller Katastrophen ins Auge zu sehen.
Während ein Freund, abermals ein Tobias, der Pfarrer, ein
„Liebender", der tapfere Kamerad in schweren Kriegstagen,
selbst dem Entsetzlichen noch eine christliche Deutung gibt,
versagt sich Jons allem frommen Glauben und wird ein Ankläger der ganzen Schöpfung. Angesichts der Tatsache, daß
die bewahrenden Kräfte zerschunden und zerschlagen werden
von der Bosheit und Gewalt, zieht er die Schlußfolgerung:
„Für ihn war es mehr als eine Entartung der Zeit, für ihn war
es eine Entartung der Ewigkeit. Ein tödlicher Stoß mitten
ins Herz jener Mächte, die ihn von der Meilerhütte an geleitet hatten."
Das stimmt nun genau überein mit Leverkühns verzweifelten Erfahrungen. Nur: was dort verhaltener, wenn auch
schmerzerfüllter Rationalismus ist, gibt sich hier als wilde
Empörung. Der zauberische Klang der Worte, die zarten
Linien der Bilder dürfen nicht darüber hinwegtäuschen: das
Buch rebelliert in heftiger Auflehnung gegen eine – nach
Nietzsches Wort – tiefverfehlte Schöpfung. Die kleinen, vom
Menschen geschaffenen Ordnungszellen werden von der Rie-
senkraft des Chaos angesogen und aufgezehrt. So ist der
dunkle Grund der Welt an allem schuld. Wiechert ist in der

Anklage unermüdlich: er benennt die zahllosen Unseligkeiten dieser Welt, um sie zu seinen Zeugen zu machen: die städtischen Massenquartiere, die Leibeigenschaft der Armen, die Kindersärge, die mißhandelten Frauen, die Todesnot der Unschuldigen, die Qual der Tiere, die Leiden der stummen Kreatur. Er will nichts beschönigen, nichts mildern. Er will es nicht mehr zulassen, „daß man vor die dumpfe Urangst aller Kreatur die gefärbten Bilder einer Zauberlaterne schob, die magischen Tröstungen der Jahrtausende, deren letztes Ziel kein anderes war als ein seliges Jenseits, um so seliger, je verfluchter der Gang des Diesseits war." Die Welt ist aus dem Grunde heraus furchtbar und trostlos; denn alle Untaten der Menschen, ihre Sünden und ihre Frevel, sind Äußerungen eines aus der Tiefe heraus wirkenden Urbestandes und empfangen ihre Kraft aus einer jenseits menschlicher Verantwortung liegenden Abgründigkeit.

Demgegenüber bleibt die Forderung nach Liebesbetätigung unverwandelt. Wiecherts Bücher sind bis zum Ende Antriebe zu einem Leben heroischer Liebe gegen die Widerstände der Welt. Die unterirdische Verwandtschaft zur Ethik der französischen Existentialisten ist unverkennbar. Obgleich in ständiger Gefahr, außen und innen von den Mächten des Chaos verschlungen zu werden, ist der Mensch doch das einzige Wesen im Universum, in dem der Kampf des Guten und des Bösen zum Bewußtsein seiner selbst kommt. Da es angesichts des Weltgrundes sinnlos wäre, sittliches Tun in einem religiösen Bewußtsein zu verankern, predigt Wiechert als der Weisheit letzten Schluß den Aufbau einer Humanität weitab von der Religion. Er fordert auf zum „Kampf gegen die Dämonen des Hasses, der Lüge, der Opferung, der Angst, der Rache", aber es ist in seinem Sinne folgerichtig, wenn er nicht nur mit den Dämonen der Hölle, „sondern auch mit denen des

Himmels" fertig werden will. „Dieser Kampf bringt keine Belohnung, weder im Diesseits noch in einem erträumten Jenseits ... Aber es ist alles, was der Mensch aus seinem Leben machen kann. Er ist der Anfang zu einem neuen Tor in eine bessere Zeit." „Wer diesen Kampf auskämpft, ist kein Soldat Gottes, sondern ein Soldat der Menschheit." Er mißtraut der großen Tat; durch persönliches Wohltun im engsten Kreise möchte er dem Chaos der Welt wenigstens ein paar Oasen der Menschlichkeit abgewinnen. Nicht die Welt, sondern dreißig Morgen will er beackert wissen. Im engen Raum einer überschaubaren Welt wird das Gute getan, Gerechtigkeit geübt, Versöhnung gestiftet, der Friede bewahrt oder wiederhergestellt, das Leben der Liebe geführt.

Aber es scheint so, als könne sich Wiechert dabei doch nicht beruhigen. Es hat keinen Sinn, eine solche Sprache zu führen, wenn sie nicht an jemanden gerichtet ist. Man schreit weder eine Statue noch einen weltimmanenten Gott an. Wiechert aber ruft sehr laut. Er bäumt sich trotzig und herrisch auf – nicht gegen einen stummen Giganten, sondern doch wohl gegen einen persönlichen Gott, der nicht auf ihn zu hören scheint. Es gibt in seinen Büchern auch die Haltung des beschwörend Betenden. Kaum eine Seite, daß nicht der Name Gottes fällt. Die erschütterndste Gestalt, der Pfarrer Agricola, spricht es des öfteren aus: „Ich weiß, daß er nicht da ist, aber ich rede mit ihm."

Wiechert ist ein Beispiel für diejenigen, die zwischen den Entscheidungen verharren. Er gleicht dem Tobias seiner Revolutionsnovelle, der zwischen zwei Möglichkeiten steht und die Kraft von beiden Seiten spürt. Sein Weltverhalten ist nicht rational begründet, vielmehr ist er in der Tiefe gebunden. Um Peter Wusts berühmte Unterscheidung noch einmal aufzunehmen: er gehört zu den Urmißtrauenden, die dem

Glauben der Vertrauenden ihre Zweifel entgegensetzen. Aber auch die entgegengesetzte Kraft läßt ihn nicht los: die „Totenmesse" enthält flehentliche Beschwörungen eines halbgeglaubten Gottes, der 2. Teil der „Jerominkinder" ist gegenüber dem ersten weit milder, die Novelle „Der Richter" greift – theologisch völlig beruhigt – alte Motive auf, die Wahrhaftigkeit und Gerechtigkeit verlangen.

So viel aber ist sicher: das ziellose Wandern, das lebenslange Kreisen um die eigene Mitte verringert Wiecherts Rang. Auf die Dauer wirkt sein Ton larmoyant, schablonenhaft, kraftlos und ist nicht ohne egozentrische Süffisanz. Seine Fähigkeit des Gestaltens ist ohnehin nicht groß. Die Objekte seiner Traurigkeit treiben im Vagen und Verschwommenen. Seine Gestalten leben und bewegen sich weniger aus eigener Kraft, sondern geben äußeren Antrieben nach. Das fügt zum Eindruck der Passivität den des Unfreien und Gebundenen.

Unter den vielen schönen Gedichten, in denen der Dichter Not und Anliegen seines Lebens in Verse gebracht hat, gibt es eines, das die eigene Situation zum Ausdruck bringt:

> Wer band die Fessel mir um meine Hände,
> Daß nur die leere Gebärde mir blieb?
> Daß nun der Brunnen sich sinnlos verschwende,
> Von dem man die Dürstenden alle vertrieb?
>
> Laß binden und fließen, laß meinen und wähnen
> Und sammle nur still so Leben wie Tod.
> Einmal gelingt aus Schweigen und Tränen
> Für alle, die warten, das letzte Brot.
>
> Ob Gott sich verhüllt dir in schweigenden Jahren,
> Sammle nur schweigend das Korn für ihn ein ...
> Auch der Schweigende wird sich dir offenbaren,
> Und herrlich bedeckt dich sein herrlicher Schein.

Sein Lebensbuch „Jahre und Zeiten" läßt erkennen, auf welchem Persönlichkeitsgrund das dichterische Werk gewachsen ist. Die von ihm ins Dasein gerufenen und auf seine Bücher verteilten Gestalten treten gewissermaßen an den Ort ihres Ursprungs, aus dem sie sich zu ihrer Zeit gelöst haben. Sie gewinnen aus Dasein und Denken des Dichters Gestalt und Leben, aber sie ihrerseits helfen auch, das Bild des Dichters zu verdeutlichen. Vor uns entstehen die Umrisse eines warmherzigen, empfindlichen Menschen, der sich vor den rauhen Einwirkungen der Außenwelt am liebsten verschließt und es vorzieht, eine Mauer um sich zu bauen, statt auf den Kampfplatz des Lebens zu treten. Er zeigt in der bei ihm gewohnten, etwas singenden Sprache, wie der den ostpreußischen Wäldern Entstammende durch das Leben geführt wird, durch Schule und Universität abermals in die Schule, durch Deutschland und fremde Länder, um zuletzt als freier Schriftsteller den eigenen Lebensstil zu finden, menschliche Unzulänglichkeit und Unbill schwer ertragend und oft heftiger kritisierend, als es der milden Gesinnung eines Liebenden entspräche. Wer empfindlich ist, füllt sich leicht mit Ressentiments. Weil es nicht eigentlich geistige Kämpfe sind, die vor uns ausgebreitet werden, sondern Reaktionen des Gefühls, fehlt manchen seiner ernstesten Entscheidungen das Zeichen der Notwendigkeit. Nicht aber dies soll hier betont werden, sondern der rühmliche Zug, daß dieses Leben sich auszeichnet durch die Hinneigung zu Güte und Verstehenwollen; es setzt dem Unfrieden und dem Lärm der Gewalttätigen die Botschaft der Gewaltlosigkeit entgegen und war mit größter Tapferkeit dazu bereit, um ihretwillen im entscheidenden Augenblick das Schwerste zu ertragen. Das sollte niemals vergessen werden, wenn der Name Wiechert ausgesprochen wird.

HERMANN HESSE

Geist und Sinnlichkeit

Der Weg zu Hermann Hesse führt uns in eine abermals
neue, wenn auch den bisher dargestellten in mancher Hinsicht verwandte Welt. Doch sieht zunächst alles anders aus:
ist ja jeder Mensch von anderer Art. Gegenüber den unruhig
Bohrenden, den politisch um eine neue Weltgestalt Kämpfenden und auch den heimlichen Rebellen steht ein, so scheint es,
ausgeglichener, auf mystische Beschauung, auf gütige, verstehende und lächelnde Weltbetrachtung hin veranlagter
Mensch. Aber es gibt einen Zusammenklang in der Tiefe: die
Begegnung mit dem undeutbar Geheimnisvollen und Erschreckenden der irrationalen Weltgründe, den zerstörenden
Gewalten, die in unsere geordnete Welt immer wieder einbrechen und alles Menschenwerk in Frage stellen.

Allerdings: die besondere Erlebnisweise Hesses charakterisiert sich in anderer Weise als die der bisher Genannten
durch die Erfahrung der Entgegensetzung von Chaos *und*
Kosmos, Ordnungslosigkeit *und* Ordnungsmacht, und es
bleibt die sein Lebenswerk durchziehende Frage nicht nur,
wie diese Spannungen erlebt werden, sondern auch, wie ihre
Zuordnung metaphysisch zu begreifen ist.

Das Zusammen- und mehr noch das Gegeneinanderwirken
von Ordnungs- und ordnungslosen Mächten wird nun an

keiner Stelle so unmittelbar erfahren wie im Menschen selbst,
der jeden Augenblick der tiefen Widersprüche seiner Natur
inne werden kann. Denn er spürt in seinen Gliedern ein
strenges und verbindliches Gesetz, das ihm mit höchster Autorität seine Imperative ausspricht und sich auf ein tiefer lie-
gendes unbedingt geltendes Weltgesetz bezieht; und auf der
anderen Seite die unaufhörliche Bedrohung und Überwältigung durch das Chaotische, Zerstörerische, Dämonische, das
den Maßen des Seins und der Ewigkeit mit einem dauernden
Zerbrechen, Verwandeln, ja mit einem dunklen Treiben begegnet. Der Mensch aber weiß sich zwischen diese Pole des
Lebens auf das schmerzhafteste eingespannt, und er antwortet
auf den doppelseitigen Anruf auf seine Weise. Auf das tiefste
beansprucht und beunruhigt durch die ewig verwandelnden
Mächte, zahlt er ihnen seinen täglichen Tribut; aber er kann
die Dringlichkeit der entgegengesetzten Stimme nicht überhören, die ihm sagt, daß der Abglanz der Ewigkeit in den
unveränderlichen Größen und das „eigentliche", das tiefere
Ich jenseits der stürmisch bewegten Oberfläche liegt. Damit
erhält die Frage nach der Transzendenz eine für Hesse kenn-
zeichnende Modifizierung. Sein Problem heißt nicht so sehr:
Wie komme ich zum Durchbruch durch diese Weltimmanenz?
und: Wie werde ich erlöst? – sondern: Wie komme ich zu
meinem tieferen Selbst? Wie finde ich mich selbst?

Die Frage erwächst aus den Grundlagen der eigenen Le-
benserfahrung. Hermann Hesse hat ein Leben lang in der
Auseinandersetzung mit seinem Ich gestanden. Seine Romane
sind ein klarer Spiegel seiner Entwicklungen. Das eigene Ich
mit seinen Ur- und seinen Bildungserfahrungen ist der geheimnisvolle und rätselvolle Ort, an dem sich mit fortschreitenden Jahren nicht nur das eigene Wesen enthüllt, sondern
mit der Selbstenthüllung auch die Bestände der Welt sichtbar

gemacht werden. Sein Werk beruht auf Innenschau und Meditation. Den Händeln unserer Gegenwart hat sich der Dichter durch Glücksumstände schon früh entziehen können und das beneidenswerte Schicksal einiger weniger gehabt, die in der Abgeschlossenheit einer von keiner Kriegserregung durchtobten Einsamkeit Muße hatten, sich meditierend der Innenseite der Welt zuzukehren. So steht uns an Stelle tief erregter Dichter, mögen sie nun Thomas Mann oder Ernst Wiechert heißen, ein Träumer und Grübler gegenüber, der die Linie eines nachdenklichen Lebens zur Höhe führt und die eigenen Erfahrungen mit alten, aus der Überlieferung auf ihn zukommenden Gedanken der Menschheit verbindet, um dem Gottgeheimnis dieser Welt nahezukommen.

Es würde den Rahmen dieser Untersuchung sehr überschreiten, sollte sichtbar gemacht werden, wie die einzelnen Stücke seines Lebenswerkes in den Gang seiner geistigen Entwicklung hineingehören und diesen verdeutlichen. Wir müßten bei „Hermann Lauscher" und „Peter Camenzind" beginnen und die Betrachtungen über die hauptsächlichen Werke, den „Demian" und „Unterm Rad", fortsetzen. Es handelt sich dabei um das langsame Erwecken des eigenen Selbst, das sich unter Schmerzen von der Umwelt ablöst, in den Qualen einer zweiten Geburt zur Persönlichkeit erwacht und schließlich in der schicksalhaften Begegnung zwischen den wachsenden Kräften des eigenen Ichs und der Umwelt zur Selbstverwirklichung gelangt. Die pädagogische Wissenschaft hat aus diesen Werken einigen Nutzen und Anschauungsunterricht gezogen, wenn auch nicht ganz unwidersprochen. Mit den Romanen „Siddharta" und „Klingsors letzter Sommer" werden wir über das rein Entwicklungspsychologische hinaus in das Eigentümliche von Hesses Menschenbild geführt. Und damit sind wir bei unserm Ausgangspunkt angekommen.

Das Menschenbild entwickelt sich zunächst aus zwei Ur-erfahrungen, der Sinnlichkeit und der Geistigkeit. In seinen Werken treten uns in vielfacher Abwandlung zwei Menschen-typen entgegen, der aus disziplinierter Geistigkeit und sitt-licher Aszese heraus Lebende und der aus der reinen Fülle des Lebens heraus Schaffende, Wandernde, Bummelnde, Vagabun-dierende. Zwischen beiden Lebensformen geht der Dichter unaufhörlich hin und her. In diesem Gegensatzpaar Sinn-lichkeit-Geistigkeit spricht sich der eigentlich quälende Ur-antrieb alles Menschlichen aus. Es ist eines der ewig mensch-lichen Probleme, wie eine Vereinigung auf höherer Ebene er-folgt, die Ranghöhe des Geistigen gewahrt, der Anspruch der Sinnlichkeit gemildert und dabei doch anerkannt wird, wie das Sinnliche vergeistigt, das Geistige durch das Sinnliche immer wieder genährt wird. Im Sinne dieser Problematik muß Hesses Werk betrachtet werden. Er hat sich im Herzen des Volkes eine große Gemeinde erobert als Idylliker und soge-nannter Nachfahre der Romantik; man denkt an die Tippel-brüder, die Fahrtenbummler, die Unbekümmerten, die die Welt durchstreifen und im Vorbeigehen die Weisheit der Landstraße an sich ziehen und in Blume und Stern nachdenk-lich das Schöpfungswunder betrachten. Aber eine solche ver-harmlosende Betrachtung geht am Wesentlichen vorbei. Es gibt daneben nicht nur einen „robusten, veitstänzerischen, flagellantischen Hesse[1]“, einen Dichter der Gefahren und der Abgründe, sondern auch einen Darsteller der äußersten As-zese und Freund der in sich selbst begründeten, unerschütter-lichen Ruhe des Seins.

Noch im Vorraum unserer gegenwärtigen Problematik be-findet sich der Roman „Narziß und Goldmund“ (1930), doch behandelt er das Thema von der menschlichen Wanderung und Unruhe wie das der Sehnsucht nach der Beheimatung

im Ewigen in besonders charakteristischer Weise. Das Zueinander und Gegeneinander im Wechselspiel von Sinnen und
Geist, Vergänglichem und Bleibendem erscheint in einer Art
mittelalterlicher Legende von dem Wanderer, den es auf die
Straßen des Lebens treibt, und dem Mönch, der sich in Selbst-
bewahrung und aszetischer Zucht vor den Einbrüchen der
verwegenen Mächte behütet und sein Leben im Dienste des
Geistes führt. Der Mönch und spätere Abt lebt aus der Kraft
des Beharrenden und des Ewigen, der Künstler aus den Gewalten des Blutes und der täglich wechselnden Bilder und Erfahrungen. Aber sie wachsen, ohne es deutlich zu wissen, aneinander. Nur Narziß überschaut das Phänomen des Lebens
in einiger Klarheit: sie können nicht ohne einander sein, die
Ruhe nicht ohne Bewegung, die Bewegung nicht ohne Ruhe.
So hat dieser seinen Anteil am Reichtum des anderen, und der
zweite rettet sich vor der Überfülle des Lebens und der Überwältigung durch dessen Mächte, indem er sich klammert an
die unerschütterliche Stärke des Freundes. In der Zuordnung
zweier Schicksale aber wird der undurchdringliche Grund
eines Weltgesetzes offenbar und weist über das Menschenschicksal hinaus auf das Göttliche.

Was im Roman „Narziß und Goldmund" in legendenhafter
Erzählung und auf die Goldfläche mittelalterlicher Malerei
getragen ist, beruhigt, maßvoll, in einer Überhöhung der Gegensätze den Widerstreit mildernd, war im „Steppenwolf"
(vor „Narziß und Goldmund") wild auseinandergebrochen.
Der „Steppenwolf" ist die Verkörperung des umhergetriebenen, von seinem eigenen, ihm selbst unbekannten Ich und
seinen Kräften gejagten Menschen – es ist Hesses ungezügel-
tester Roman, voll von Beängstigungen, Hysterien und schillernden Sophismen, die den Helden, Harry Halder, zum Spiel-
ball unerlöster Geister der eigenen Tiefe machen, einer nicht su-

blimierten, nicht vergeistigten Sinnlichkeit. Aber wenn es nur gelingt, sich selbst zu erkennen – so ist Hermann Hesses Lehre –, das Tier im eigenen Ich zutage zu fördern, den Feind im eigenen Inneren zu packen, die treibende Kraft sichtbar zu machen, so könnte man sich vielleicht selbst erlösen. Im „Magischen Theater", dem vielleicht berühmtesten Stück Hessescher Schriftstellerei, wird der Held seines eigenen Ichs in einer furchtbaren Weise ansichtig, nicht ohne psychiatrische und psychoanalytische Zusammenhänge; auch die tiefverborgene, kaum noch gekannte geheimnisvolle Lust des Geschlechts wird auf diese Weise ans Licht gehoben. Eine Stufenfolge von Selbstverwirklichungen, die wieder verschüttet worden sind, tritt aus ihren Überlagerungen ans Licht, einmal der Steppenwolf, einmal der lachende Harry. „Aber kaum, daß ich ihn erkannt hatte, fiel er auseinander, löste sich eine zweite Figur von ihm ab, eine dritte, eine vierte, eine zwanzigste, und der ganze Riesenspiegel war voll von lauter Harry-Stücken, zahllosen Harrys, deren jeden ich nur einen blitzhaften Moment erblickte und erkannte. Einige von vielen Harrys waren so alt wie ich, einige älter, einige uralt, einige ganz jung ... und sprangen durcheinander, dreißigjährige und fünfjährige, ernste und lustige, würdige und komische, gutgekleidete und zerlumpte."

Handelt es sich also im „Steppenwolf" um die Verdeutlichung der furchtbaren Nachtseite der Natur, so war die „Morgenlandfahrt" die Darstellung des Entgegengesetzten, die Verschwisterung alles edlen Menschentums im Geist, die Seelenbrüderschaft aller Sehnsüchtigen, die sich auf den Weg ins Morgenland begeben, jenem Land der Erfüllung, wo sich alle Gegensätze schließen und Hesses Hoffnung liegt.

Aber die Gegensätze schließen sich nicht, sondern bleiben bestehen, wie „Narziß und Goldmund" zeigen sollte und

„Das Glasperlenspiel", des Dichters letztes und vielbesprochenes Werk, dartut.

Freunde seiner Dichtung haben des öfteren betont, daß es sich hier um eine ganz neue Form des Sehens und des dichterischen Gestaltens handelt. Aus vielfachem Grunde mit Unrecht. Denn Hesses Grundfrage an das Leben wird hier noch einmal gestellt, wenn auch von einem anderen Blickpunkt aus. Die Polarität, unter der bisher das individuelle Leben gesehen wurde, erscheint hier als die große Macht, die den Ablauf der Geschichte bestimmt, Sein und Werden stehen sich rätselhaft gegenüber, und es ist die Frage, wie das eine mit dem andern zusammenhängt. Und wie der Mensch sich in seinem seelischen Leben dem Widerstreit von Mächten ausgesetzt sieht, so in höherem Grade im Bereiche der geschichtlichen Vorgänge: den bedrohenden und sogar zermalmenden Kräften der Geschichte hilflos und erbarmungslos ausgesetzt, sucht er doch nach dem Unwandelbaren, dem „Übergeschichtlichen", in dem alle Stürme und Unruhen zuletzt ihren Frieden finden, und wie der Dichter den Künstler Goldmund in die Hallen des Klosters zurückführt, damit er dort zur Ruhe kommt, so führt er im „Glasperlenspiel" seinen Helden in eine für sich bestehende geschichtslose Welt, die von keinen Veränderungen ergriffen werden kann. Er tut es vergeblich. Wo Menschen leben, sind sie Veränderungen und Verhängnissen ausgesetzt, und jeder Versuch, sich diesen zu entziehen, ist eine nutzlose Flucht, die nicht zum Heile verhilft. In dieser Erkenntnis läßt der Dichter seinen Helden in die Welt zurückkehren.

Man kann das Werk einen gesteigerten Wilhelm Meister nennen, und wirklich ist der Name des Helden, Josef Knecht, sicher nicht ohne Beziehung auf Goethes große Romanfigur gebildet worden. Wenn Goethe seine Geschichtsfeindlichkeit so weit überwand, daß er seinem Helden die Einkehr ins tätige Leben auferlegte und von ihm „Tüchtigkeit" verlangte, so ist Hesse Zeuge für ein zu radikaleren Einsichten und Lösungen vorgeschrittenes Denken: dem begreiflichen Wunsch, den Verwirrungen der Zeit zu entfliehen und sich an nichts mehr von dem zu beteiligen, was uns so heillos das Leben beschwert, setzt er die Forderung entgegen, den unabänderlichen Bedingtheiten unseres Daseins nachzukommen, den Anstürmen der Geschichte standzuhalten und sie zu bestehen. Denn nur aus der Teilhabe an beidem, an Sein und Werden, vermag der Mensch sein Leben wirklichkeitsgemäß zu führen.

Mündet also das Thema in das allgemeine Anliegen des Dichters ein, so ist es auch in stilistischer Hinsicht nicht eigentlich eine Neuerung, denn es enthält die Merkmale der Gattung, wie sie die Zeit hervorgebracht hat: Umbildungen und Auflösungen, durch die in das klassische Gefüge des Typus romanfremde Teile eingelassen werden – ein Essay mit kulturgeschichtlichen und philosophischen Erörterungen, die der Wissenschaftlichkeit des Dichters Ehre machen, Novellen am Ende, die trotz ihrer relativen Selbständigkeit mit dem Ganzen verwoben sind, Gedichte, die aus der Handlung herausspringen, am Ende gesammelt erscheinen und doch ein lebendiges Element im Ganzen sind.

Der Roman spielt zwei Jahrhunderte in der Zukunft unserer Gegenwart, wobei selbst jene zukünftige Zeit vom Standpunkt des Erzählers aus, der sich auf unsichere und legendäre Berichte stützt, schon wieder lange zurückliegende Vergangenheit ist. Wir haben uns den Erzähler etwa um das Jahr 2400 zu denken. In einem kleinen Reich der Phantasie, weitab von unserer gegenwärtigen Erfahrung, soll uns eine Weltgestalt verdeutlicht werden, die ein geschichtsloses Dasein unter der

Herrschaft reiner Ideen führt. Aber die Verbindung mit unserer Zeit ist hergestellt durch die Erinnerung nicht nur an die mörderischen Kämpfe dieser Tage, sondern auch an die geistigen Krisen, die durch den Nihilismus hindurchführen; es geschieht in einer ausgedehnten Einleitung, in der der Dichter weniger eine romanhafte als geistesgeschichtliche Abhandlung über die Entwicklung des modernen Denkens und seines Verfalls darbietet, Untersuchungen, die den kenntnisreichen und einsichtsvollen Historiker des Geistes verraten. Kein Wunder, daß er die Menschen aus dem Chaos solcher Verhältnisse nach Rettungen Ausschau halten läßt, in denen sich das Beständige und Bleibende darzutun vermöchte. Inmitten des tiefen Niedergangs habe es nur zwei Kräfte gegeben, die dem Verfall des Denkens und des Lebens einen Wall entgegensetzen konnten, die Beschäftigung mit der Musik und der Musikwissenschaft und die Hinwendung zu östlicher Weisheit, wie sie von den Morgenlandfahrern mit ihrem auf Nutzen und Genuß verzichtenden Bemühen um Besinnlichkeit und betrachtende Lebensführung erstrebt worden sei.

Das Motiv der Musik verbindet die Erzählung Hesses in einer auffälligen Weise mit dem großen Werk von Thomas Mann, aber ganz im Gegensatz zu ihm ist Musik für ihn Ausdruck kosmischer Ordnungsverhältnisse, Spiegelung oberster Gesetzlichkeiten. Die Nähe der Musik zur Mathematik wird betont, tönende Zahlenverhältnisse, in denen das Weltall erklingt. So wird die Liebe zur Musik Bekenntnis zum Geist als dem Seinsgrund aller Dinge, auf dem sich die Veränderungen vollziehen. In der Beschäftigung mit der Musik und der Wissenschaft davon sieht Hesse denn auch vom Standpunkt der Zukunft aus geradezu die Überwindung dessen, was er das feuilletonistische Zeitalter nennt, die Verneinung des bloß Betriebsmäßigen, die Hinwendung zu den echten Werten und zum Bleibenden.

Die Berufung auf die „Morgenlandfahrer" erinnert an ähnliche Ideen Hesses auf der früheren Stufe. Wie er in den Verwirrungen nach dem ersten Weltkrieg in ein Land Utopia führte, in dem alle Widersprüche des Lebens aufgehoben waren, so entfaltet er jetzt vor den Augen des Lesers das eng umzirkte Land Kastalien, das den Schatz aller geistigen Werte hütet. In dieser pädagogischen Provinz wird von einer in ordensmäßiger Abgeschlossenheit lebenden und asketischen Bindungen unterworfenen Gemeinde von Männern der Versuch gemacht, in Meditation und Hingabe an die Grundformen des Lebens die Urbestände des Seins in der Wirklichkeit schaubar zu machen, ein Bund strenger Esoterik, der, abgelöst von allem Weltgeschehen und unberührt von dem Prozeß geschichtlicher Entwicklung und Veränderung, seine Sendung und seinen Beruf darin sieht, auf den Grund des Universums zu horchen, der sich der versenkenden Betrachtung der Musik und ihrer Formen am ehesten enthüllt.

Im Mittelpunkt dieses geistigen Daseins steht das Glasperlenspiel, das dem Werk den Namen gibt. In der Einleitung wird dieses Spiel als eine „Art hochentwickelter Geheimsprache" dargestellt, welche die Inhalte und Ergebnisse nahezu aller Wissenschaften auszudrücken und zueinander in Bewegung zu setzen imstande sei. Der Dichter berichtet ausführlich über die Entwicklung dieses Spiels aus einfachen Stadien zu immer größerer Vollkommenheit. Wenn der Leser auch bei allen Äußerungen und der Überfülle des Konkreten, die das Spiel immer wieder aufs neue umschreibt, bis zum Schluß über Form und Inhalt des Glasperlenspiels im unklaren bleibt, so gewinnt er doch die allgemeine Vorstellung von einer Einrichtung, die auf Grund einer aus den Dingen

entnommenen,jenseits allerVeränderungen schaubarenGesetz-
lichkeit mit den Inhalten und Werten unserer Kultur in einer
zeitlosen Weise beschäftigt ist. Das Glasperlenspiel ist der
Versuch einer Mythisierung der Welt. Es wird dieWeltsprache
des Geistes und der Geistigen genannt, Selbstdarstellung der
„Unio Mystica" aller „getrennten Glieder der Universitas lit-
terarum", die „Universalsprache und Methode, um alle geistigen und künstlerischen Werte und Begriffe auszudrücken
und auf ein gemeinsames Maß zu heben", die Annäherung „an
den über allen Bildern und Vielheiten in sich einigen Geist".
In vielfacher Umrede und in stets neuen Ansätzen versucht
er, diese Entdeckung immer wieder zu beschreiben: der
Geist ist das Ordnungsprinzip der Welt. Vermittels seiner
Erkenntniskraft, die der „intellektualen Anschauung" der
Romantiker entspricht, gewinnen wir Zugang zu der alle
Widersprüche einigenden Mitte. Der Glasperlenspielmeister
hält in Sinnbild und Gleichnis das riesige Gefüge der Welt in
seinen einfachen und klaren Grundlinien ausgebreitet, wir
sehen ihn vor einer mächtigen Klaviatur, gleichsam den
Schöpfungsgedanken eines sich in den Dingen offenbarenden
Weltfundamentes nachdenkend und es in spielerischer Be-
wegtheit und in musikalischen Rhythmen sich verdeutlichend.
So bekommt das Ganze den Charakter einer Mysterienwelt
mit dem Thema der Einweihung in einen Bereich von Symbolen, die ein Bild vom Ganzen dieser Schöpfung und der
Stufenordnung der Teile zueinander haben. Die jährlichen
Feste, die Feier des Glasperlenspiels, das Hohepriestertum
des Glasperlenspielmeisters, Aszese, Zucht, Ehelosigkeit der
Ordensmitglieder, legen den Vergleich mit katholischen Orden nahe, besonders mit den Benediktinern, aber die Weisheit
der ganzen Welt findet Eingang in diesen kleinen Zirkel.
Offensichtlich tritt die abendländische Überlieferung hin-

ter indischen und chinesischen Lebenslehren zurück. Die Hinführung in diese aller Zeitlichkeit entrückten Bereiche soll einen neuen Menschen hervorbringen, der nicht nur die tiefe Unruhe der Welt hinter sich läßt, sondern in den ewigen Gefilden des Geistes seine Heimat findet.

Der eigentliche Roman schildert dann ausführlich den Entwicklungsgang des Glasperlenspielmeisters Josef Knecht, eine Biographie, die das Ziel im Auge hat zu schildern, wie der „Glücksfall" eines Menschen in diese Mysterienwelt eingeführt wird, der hier Rang und Bedeutung erhält und die Gewalt einer in langen Übungen ausgebildeten Seinserfahrung an sich empfängt. Es ist im Grunde nichts als das „tiefere", das „eigentliche" Ich, das in der Begegnung in Kastalien seine Bildung erfährt. Josef Knecht soll sich im Kraftfeld kastalischer Grundsätze bewähren, wie auch umgekehrt die Welt Kastaliens in der Begegnung mit dem großen Schüler eine Erprobung zu bestehen hat. Wir sehen ihn die Schulen des Ordens absolvieren und Schritt für Schritt neue Erfahrungen sammeln, neue Horizonte gewinnen. Wie wir es auf Grund der strengen Komposition des Romans nichts anders gewöhnt sind, ist auch hier jeder Zug von Bedeutung. Das Gefüge ist ohne Naht und leere Stelle. Alle Einzelerscheinungen stehen zueinander in kunstvoller Beziehung. Wir hören viel von der Pflege der Musik, von der Notwendigkeit der Meditation, von den Problemen und Vorbereitungen, die bei der jährlichen Abhaltung und Einrichtung des Glasperlenspiels notwendig sind. Und dann geschieht das einzig dramatische, einzig spannende Ereignis in dem großen Werk, daß der neue Glasperlenspielmeister, nachdem ihm die Problematik der kastalischen Provinz Stück für Stück aufgedämmert war, nicht nur auf sein Amt verzichtet, sondern sogar den Orden verläßt, einem innern Gesetz folgend, das ihn verpflichtet, eine

Institution zu verlassen, die die Welt nur von einer Seite widerzuspiegeln vermag. Und damit wird die Daseinsform, um deretwillen der Dichter ein gestalten- und ideenreiches Land der Phantasie beschworen hat, am Ende nicht nur in Frage gestellt, sondern als Irrtum beiseite geschoben[2].

Die Krisis aber, die Josef Knecht zu solchen Folgerungen führt, ist veranlaßt worden durch eine Reihe von Begegnungen, die ihm sowohl einen Zuwachs an Problematik wie auch an Wissen gebracht haben. Von mehreren entgegengesetzten Meinungen her ist der Anspruch des Ordens, alleiniges Instrument der menschlichen Bildung zu sein, bestritten worden. Um den Kern sind in kunstvoller Weise die Gegenmächte gruppiert, die die Einseitigkeit der kastalischen Position beleuchten: die Welt und die Kirche sowie die aus dem Orden selbst herauswachsenden Kräfte des Zerfalls oder der Erstarrung. Sowohl die vorwärtstreibenden wie die in graue Leblosigkeit fallenden Elemente, wie sie sich einerseits in einem Weltkind, andererseits in einem nach chinesischem Ritus lebenden Mönch zeigen, verdeutlichen die innere Fragwürdigkeit der ganzen Einrichtung. So bedarf es für Knecht eines neuen Entschlusses, um der Ehrlichkeit seines dem Ganzen zugewandten Strebens willen. Er verläßt also die Mysterienwelt des Ordens, irre geworden an dem müßigen Spiel, um sich dem tätigen Leben zuzuwenden. Er tritt in die „Welt" zurück. Allerdings soll er nicht weit kommen: der Tod gebietet ihm Halt.

Für den Dichter aber ist mit diesem Ende die große Überschau über das ihn bedrängende Problem zum Abschluß geführt. In Bild und Gleichnis hat er seine alte Frage noch einmal gestellt und sie unter neue und sehr umfassende Gesichtspunkte gebracht. Geist und Leben sind aufeinander angewiesen und können nicht ohne wechselseitige Berührung sein.

Die Flucht aus der Welt begründet kein neues Leben, sondern hat ein anderes Scheitern zur Folge. Alles, was radikal einseitig ist, kann nur zum Verderben führen. Darum ist das Leben in Kastalien nicht weniger problematisch und fragmentarisch als das „feuilletonistische", das hart verurteilt wird und diese Verurteilung verdient. Ein wirklichkeitsgerechtes Dasein findet sich allein auf einer dritten Ebene, die die beiden Gegensätze in sich vereinigt. Darum wird durch Knechts Rückzug aus Kastalien nicht eigentlich ein Irrtum widerrufen, durch seine Rückkehr unter die Menschen kein Bekenntnis zu den alten Lebenslehren ausgesprochen, die durch den Eintritt in die kastalische Welt überwunden werden sollten. Vielmehr behält alles seinen Rang, was in Kastalien erfahren wurde, und wird sich im Werke des Erziehers auswirken. Was jedoch zu verwirklichen war, ist die Annäherung zweier Ordnungen. Dem Menschen ist es nicht erlaubt, in einer geschichtslosen Welt zu sein. Er muß sogar in ihre Stürme und Katastrophen eintreten und sie zu bestehen versuchen. Auch darf er nicht die sich Abplagenden mit ihren Beschwerden allein lassen und glauben, in der Verborgenheit existieren zu können, ganz davon abgesehen, daß es ihm nur im Vollzug des Lebens gelingen kann, zu sich selbst zu kommen, indem er von Lebensraum zu Lebensraum hinüberwächst und im Bilden-Umbilden allmählich zu sich selber kommt, ein Gedanke Goethes, zu dessen Herrschaftsreich Hesse sich bekennt.

Das Werk bewegt sich, wie leicht zu erkennen ist, in der Nachfolge der idealistischen Philosophie und weist daher in eine geistig tiefere Vergangenheit als Thomas Manns Spätwerk. Es enthält daher auch noch ein Abbild der von den späteren Jahrzehnten schnell verzehrten Reichtümer und hat auch nichts von dem quälenden Nihilismus der „Endbücher". Es hat durchaus Anteil an unserer Problematik, aber es

spiegelt sie in milderem Lichte. Es hebt uns sozusagen über die
dunkelsten Abgründe hinweg und setzt uns sanfter auf festes
Land. Die Fragen selbst bleiben offen, wie begreiflich. Alles
Philosophieren ist ein reductio ad mysteria. Am ehesten ist an
Hegel zu denken, wenn man nach einer geistigen Patenschaft
sucht. Unter solchen Gesichtspunkten erweist sich das „Glasperlenspiel" als ein bedeutendes und edles Buch. Hermann
Hesse gehört zu den Bewahrern der Überlieferung, eben weil
er keine tabula rasa schafft. Die Welt enthält keineswegs nur
dämonische, sondern auch göttliche Kräfte. Die Geschichte
ist nicht nur ein sinnlos treibendes Geschehen, sondern auch
von einem verborgenen Sinn gelenkt. Das Menschenbild hat
nicht nur leidvolle, sondern auch glückliche Züge. So ist es
begreiflich, daß Hesses Schrifttum seine Freunde behält, gerade unter denjenigen, die den quälenden Eindrücken der Gegenwart entrinnen wollen. Freilich darf er uns nicht darüber
hinwegtäuschen, daß wir noch durch andere Mächte gefährdet sind, als sein Werk erkennen läßt.

DURCHBRUCH ZUR WIRKLICHKEIT

Das Werk Hermann Hesses hat erkennen lassen, daß gegenüber der Bodenlosigkeit von Thomas Manns „Doktor Faustus" und dem zwischen Verzweiflung und Hoffnung verharrenden Agnostizismus Kafkas eine Welthaltung eingenommen ist, die es nicht mehr möglich macht, bei ihm von einer Existenzkrisis im engeren Sinne des Wortes zu sprechen. Vielmehr finden wir die Lebensabgründe, die durch Werke der früheren oder mittleren Periode verdeutlicht sind, durchschritten und gewisse Grunderscheinungen des Daseins aufgewiesen. Nur das resignierende Verbleiben im Vorläufigen, das Ausweichen vor den eigentlichen Aufgaben des Lebens durch einen romantisierten Tod und eine letzte Unverbindlichkeit seiner Entscheidungen gibt das Recht dazu, diesen Dichter in die Nachbarschaft der ersten Gruppe zu stellen.

Aber er ist doch eine Brücke zu denjenigen, die ein Stück vom Grundbestande der Welt erfahren, sei es, daß sie sich aus tödlichen Umklammerungen lösen und den Schritt ins Freie wagen, sei es auch, daß sie den Zusammenhang mit der Tradition bewahren und in alten Überzeugungen verharren. Für die ersteren sind die beiden Brüder Jünger, für die letzteren ein Mann wie Hans Carossa eindrucksvolle Beispiele. Was sie und andere auszeichnet, ist sachgerechtes, unromantisches, redliches Denken, das der gegenständlichen Welt zugeordnet ist, in der *Richtung* auf die Transzendenz arbeitet und sich bemüht, die Erscheinungen der Welt als Zeichen zu betrachten, durch die das Unsichtbare seine Anwesenheit bezeugt. Während man bei vielen Dichtern der früher genannten Art den Eindruck hat, als kreise das Ich qualvoll und verzweifelt um sich selbst, ohne sich von der Stelle zu bewegen, erweckt die Begegnung mit der Wirklichkeit die Vorstellung eines vorwärtsschreitenden Denkens, das sich die Welt erobert und sich nach der Stellung des Menschen im Kosmos fragt. Gleichwohl bleibt das Verhältnis des Menschen zur Transzendenz ein ungelöstes Problem; eine neue Grenze wird erreicht, eine andere Aufgabe gestellt. So kommt es, daß Dichten und Denken um die Transzendenz kreisen, ohne daß sich das Tor zur anderen Welt zu öffnen braucht. Jedoch läßt das an Goethe erinnernde und oft von ihm beeinflußte Vertrauen zum Sein weitere Entwicklungen grundsätzlich zu.

ERNST JÜNGER

Das Ich und die Welt

Unter den Menschen, denen durch Leben und Wirken der Rang einer Stellvertretung zukommt, gibt es wenige von der Bedeutung Ernst Jüngers. Er ist, seitdem sein Kriegsbuch „In Stahlgewittern" erschienen ist, trotz verborgenen Lebens für alle Öffentlichkeit ein Spiegelbild der allgemeinen geistigen Krisen geworden, ein empfindlicher Seismograph, der auch die kleinsten Erdbewegungen in seinem geistigen Umkreis aufzeichnete. Er war und ist dabei keineswegs bloß ein Kommentator, sondern ein Mitgestalter unserer Zeit, dessen Leben durch alle Krisen mitten hindurchführte, der an allen wesentlichen Bewegungen unserer tieferregten Welt Anteil hatte und immer noch hat, leidenschaftlich mittätig war, sich keine der Auseinandersetzungen ersparte und sich bewußt ist, daß sein Pensum noch groß ist. Als ein Mensch von hohem geistigen Rang war er der Sprecher einer ganzen Jugendgeneration, die mit ihm aufwuchs, und seine Stimme wird heute, nachdem sie in Deutschland notgedrungen eine Zeit lang verstummen mußte, überall wieder als die eines der repräsentativen Sprecher des deutschen Volkes verstanden. Aber diese Stimme sagt heute längst nicht mehr dasselbe wie vor fünfzehn oder zwanzig Jahren. Als Teilnehmer einer geistigen Krisis, deren Tiefe und Wirkung heute noch keiner absehen kann – sei es, daß sie wirklich zum Ende oder zum

Heile führt – war Jünger ein Verkünder auch unserer Irrtümer, ja, unserer Verhängnisse, und es gibt immer noch
manche, für die das Bild dieses Mannes sich nur verbindet
mit dem Verfasser der Kriegsschriften und des „Arbeiters".
Aber seitdem sind nicht nur die „Marmorklippen" erschienen, sondern auch die zahlreichen Tagebücher, die den Mann
in seinen unaufhörlichen Verwandlungen und Auseinandersetzungen zeigen, vielleicht ist es auch erlaubt zu sagen: in
seinem Aufstieg von Stufe zu Stufe. Wer Sinn hat für geistigen Rang und Ehrfurcht vor der Unantastbarkeit persön-
licher Geheimnisse und die Schicksalhaftigkeit geistiger Wandlungen, Einsichten und Durchbrüche, wird anerkennen müssen, daß hier einem Menschen die Kraft, der Wille und die
sittliche Untadeligkeit gegeben sind, durch alle Verwirrungen
hindurch sich und anderen einen Weg zu bahnen, der in ver-
nünftige Ordnungen führt. Denn was sich in Jüngers nun
55 Jahre überschreitendem Leben vollzieht, ist die Überwindung verhängnisvoller Irrtümer des letzten Jahrhunderts zugunsten eines Ordnungsbildes der Welt, in dem der Mensch
eine seiner Wesensform entsprechende Rolle spielt, eine Art
Konversion zu preisgegebenen Gütern, eine Rückkehr zu sehr
alten Erkenntnissen philosophischer Anthropologie – mitten durch das unwegsame Gebiet einer mit allen schweren
Problemen der letzten sechzig Jahre belasteten geistigen
Wildnis.

Man muß sich, um die Anfänge Jüngers zu begreifen, in die
Zeit unmittelbar vor dem Ausbruch des ersten Weltkrieges
zurückbegeben, als das Gefüge eines dem Anschein nach geordneten und intakten Abendlandes in Bewegung geriet und
zu jenem schnell fortschreitenden Verfall führte, dessen Ergebnisse wir heute übersehen können. Jüngers Schaffen beginnt mit einem Aufstand. Ihm – wie der frühen Jugend-

bewegung, dem Wandervogel – stand ein Gegner gegenüber, an dem sich seine erste Leidenschaft entzündete: der
Bürger. Eine verhaßte Lebensform anzugreifen, sie durch die
entgegengesetzte zu überwinden, war die Hoffnung und das
Ziel vieler. Der „Bürger" ist eine soziologische Erscheinung
von großer Komplexheit. Besitz und Bildung, Leben und Eigentum, Lebenssicherheit sind ihm in hohem Maße zugeordnet. Der Verlust der echten Rangordnung zeigt sich am stärksten in der Loslösung aus den metaphysischen Bindungen.
„Bürgerliches Leben" – in dem von Jünger befehdeten
Sinne – meint das Verharren in untergeordneten Werten, besonders den ökonomischen. Es ist die Sattheit des Mittel-
mäßigen, was gleichbedeutend ist mit der Beheimatung in den
Bezirken der unteren Stufe. Wir sehen den Bürger vor uns in
der Gestalt des Spießers, der für alle großen Dinge vom Kern
her unangreifbar ist.

Wir haben es erlebt, daß solche Erstarrungen nicht nur den
Gegensatz herausforderten, sondern diesen seinerseits zum
Extrem führten. In die Hohlräume der Bürgerlichkeit fuhren
die Stürme der Zeit, das Feste, Verkrustete, Vertrocknete
wurde von „Bewegungen" erfaßt, aufgelöst und wegge-
schwemmt. An die Stelle der Scheingestalt trat die Ungestalt.
Das Dynamische, Veränderliche ist alles, das Bleibende nichts.
Für die alten Wertetafeln sollten ganz andere, ganz neue eingesetzt werden. In solchen Erlebnissen und Forderungen erkennen wir den Jünger des Anfangs.

Wer sich damals nach einem neuen Vorbild und einem Verkünder neuer rettender Lebenslehren umsah, stieß auf einen
großen Namen: Nietzsche. Er wird der Treibende einer ganzen Generation. Jüngers Dynamismus findet hier den großen
Wahlverwandten. Er gab der jungen Generation die Stich-
worte für ihre Sehnsucht: er führte sie auf den Weg des

„Abenteuers", lehrte sie ein „gefährliches Leben" zu bestehen, bestärkte sie in dem Drang nach dem Aufregenden, Un-
erhörten. Er entwertete den Verstand und lenkte sie hin zum
Erlebnis und zum Irrationalen, sagte ihr neue Dinge über das
„Vornehme", über die alle Sekurität verlachende Bereitschaft
zum Wagnis. Das Leben trägt seinen Sinn in sich selbst. Aber
es wird fortan nicht als Besitz, sondern als Abenteuer verstanden. Es kann sein, daß es im Augenblick des Opfers, der
Selbstpreisgabe, seinen höchsten Aufschwung nimmt. In diesem Bereich ist der frühe Ernst Jünger beheimatet.

Der Krieg wurde für viele – nicht nur für die *deutsche* Jugend! – die große Gelegenheit zur Erprobung und Bewährung. Mit ihm wird uns Jünger, der eben 20jährige, zum ersten Male deutlich. Der vielleicht bemerkenswerteste Grundzug seines Wesens, seine ganz ungewöhnliche geistige Wach-
heit, stellt sich dar in der Art, wie er den Krieg erlebt. Sein
Preisbuch des Krieges, „In Stahlgewittern", zeigt den Verfasser nicht nur auf der Höhe des Erlebnisses, sondern auch
in dem Bemühen, das ungeheure Phänomen des Krieges geistig zu durchdringen. Er vermag es durch Intensität der Teilnahme. Anders als die vielen Berichterstatter, die sich vorsichtig im Vorfeld der Schlachten aufhielten, war er Mittäter,
und daß er dieses Leben glühend an sich erfuhr, wird an den
außerordentlichen Leistungen offenbar, für die er den Orden
Pour le Mérite erhielt. In den Augenblicken der Gefahr enthüllt sich für ihn der ganze Mensch, der im Ertragen und im
Handeln des Größten fähig wird und alles Unwesentliche und
Unechte von sich abzutun gezwungen ist. Er erlebt den Krieg
auch als eine umfassende Totalität: der Einzelne versteht sich
als dienendes Glied in einem riesigen Ganzen, ohne doch
seine eigene Rolle dabei preiszugeben. Die Zunahme der technischen Mittel und der Materialschlachten in der zweiten

Phase des Krieges verschiebt zwar das Verhältnis zu Ungun-
sten des Individuums, ohne es jedoch ganz aufzuheben.

Immerhin war damit die Hinwendung zu totalitären Gedanken vorbereitet. Sie treten in offenbare Spannung zur Idee
der Selbstverwirklichung, die an Nietzsches Begriff des Über-
menschen ihr Maß fand. Die neue Massenhaftigkeit, die Selbstoffenbarung überpersönlicher Einheiten, wie sie sich im
Kriege gezeigt hatte, gab wenig Aussicht für den Einzelnen.
So mußte der Versuch gemacht werden, den Menschen von
einer anderen Seite her neu zu begreifen. Er stellte das Problem auf eine andere Ebene: die politische. Wir stehen in den
Jahren der Nachkriegszeit.

Zunächst bleiben in der Ausgangsstellung die alten Kräfte
wirksam. Die bekannte Antithese: der eigentliche und der un-
eigentliche Mensch, der Mensch der niederen Gegenwart und
das Wunschbild des Menschen von höherer Art kehrt wieder;
es ist Nietzsches Vorstellung vom Spießer und vom Über-
menschen, die ihn das Leben hindurch begleitet. Die Verachtung des Bürgers hat nichts von ihrer Schärfe verloren: dieser
erscheint immer als der Halbe, der Mittelmäßige, der sich
gegen Gefahren und Zufälle Sichernde, während auf der anderen Seite das Lob des Wagenden und Unternehmenden, des
Gläubigen, des Kriegers, des Künstlers, des Jägers, ja, des
großen Verbrechers ausgesprochen ist. Diesem Bürger wird
aber in der neuen Phase von Jüngers Denken nicht mehr die
Hochgestalt des Soldaten, sondern des Arbeiters entgegen-
gestellt, nicht jedoch im Sinne einer soziologisch zu verstehen-
den Gruppe oder als Teilnehmenden eines Wirtschaftsganzen,
vielmehr begreift er den Arbeiter als eine menschliche Daseinsform schlechthin, dessen Wesen darin besteht, daß alle
Fähigkeiten in Aktion gesetzt werden, alle Kräfte sich akti-
vieren lassen. Arbeit ist ihm „das Tempo der Faust, der Ge-

danken, des Herzens, das Leben bei Tage und Nacht, die
Wissenschaft, die Liebe", der Glaube, der Kultus, der Krieg,
schlechthin alles, was in der vollen Anspannung der menschlichen Kräfte vor sich geht. In der Erinnerung an Nietzsches
Wort, daß man „aus der höchsten Kraft" zu leben habe, mag
man sich verdeutlichen, was mit dem „Arbeiter" gemeint ist:
die Realisierung der menschlichen Möglichkeiten, die Ver-
bannung alles bloß Halben, das Leben auf der sozusagen
obersten Stufe. Arbeit wird das alles durch den Willen, etwas
zu leisten oder zur Leistung beizutragen, das Schaffen an sich.
Arbeit ist nichts als Dienst und dazu berufen, Herrschaft zu
sichern, woran der Arbeiter teilhat.

Damit tritt ein entscheidend neuer Gedanke in den Strom
der Entwicklung: der der überpersönlichen Einheiten, in denen der Einzelne untertaucht. Der Soldat des ersten Krieges
war bereits eine gute Vorform für die ganz unpersönliche,
nur sachlich bezogene Arbeit, „als der Träger eines Höchst-
maßes von aktiven Tugenden, von Mut, Bereitschaft und
Opferwillen", und wurde es mehr und mehr. Im Industrie-
arbeiter, der für den Menschen der neuen Zeit seinen Namen
abgibt, erkennen wir einen „besonders gehärteten Schlag",
„durch dessen Existenz die Unmöglichkeit, das Leben in
alten Formen fortzuführen, vor allem deutlich geworden ist".
Aus Erfahrungen dieser und vielfacher anderer Art hat Jünger den Schluß gezogen: daß der Mensch als Individuum auf-
gehört habe zu existieren. Es gebe keine persönlichen Schicksale mehr, es gebe nicht einmal mehr persönliche Erlebnisse.
Unsere Arbeit vollziehe sich in einem Gesamtprozeß, der die
Individualität auslösche. An die Stelle des Individuums sieht
Jünger den Typus treten, der sein Dasein beweise schon durch
die merkwürdige Gleichförmigkeit der Gesichtsprägungen:
beim Bergarbeiter, beim Industriellen, beim Gelehrten und so

fort. Alle Arbeitsräume verändern ihr Gesicht und nehmen Dimensionen an, die das Individuum zum Typus umschaffen; es handelt sich, so kann man aus der damaligen Sicht Jüngers sagen, um den Prozeß einer neuen Menschwerdung. Sie endigt, so meint er, in der Vernichtung der Individualität. Der Mensch wird Funktion, er ist auswechselbar, auch auf dem Schlachtfeld, er fällt nicht mehr, sondern er fällt aus. Freiheit ist nichts mehr als der Einbau an der Stelle, der der Mensch zugeordnet ist, und gleichbedeutend mit Gehorsam und Dienst. Geschichtliche Parallelen zur Verdeutlichung der Idee des Typus stehen ihm zur Verfügung. Jünger verweist auf das preußische Heer und den Ritterorden.

Ideen dieser Art sind unabhängig vom Nationalsozialismus entstanden und stehen mit ihm trotz offenbarer Ähnlichkeiten in keinem Zusammenhang. Als er sich gleich nach dem Durchbruch der politischen Bewegung von ihr zurückzog, bewies er damit, daß die „Partei" jedenfalls von ihm nicht gemeint war. Daß sich andererseits die Partei seiner nicht nur nicht rühmte, sondern im Gegensatz zu ihm stand, lag daran, daß ein geistiger Mensch sich nicht bereit fand, sich zum Diener des Gewöhnlichen zu machen. Als ein im Grunde Einsamer ging er in den kommenden dreizehn Jahren seinen Weg und sollte noch vieles sagen, was sich weder mit den herrschenden Ideen noch erst recht mit den Taten des neuen Regimes in Einklang bringen ließ.

Die zweite, an der Umschaffung des Menschenbildes beteiligte Macht ist die Technik. Die Entwicklung dieser alles Menschendasein ergreifenden Erscheinung gehört zu Ernst Jüngers und seines Bruders Friedrich Georg wichtigsten Problemen. Es ist kein Zweifel, daß die Technik in das Leben des Menschen in einem furchtbaren Maße verändernd eingegriffen hat, und zwar in der Richtung auf die Entmündigung der

Person. Ihre Macht zeigt sich darin, daß sie alte Ordnungen von Grund auf zerstört und neue schafft oder wenigstens neue vorbereitet. Im Gefolge des ersten Krieges sind massenweise Dynastien gestürzt, und wir können heute hinzufügen, daß der technische Krieg seit 1939 nicht nur ein Volk, sondern viele an den Rand des Untergangs gebracht hat, daß ein dritter Krieg den Bestand der ganzen Welt bedrohen würde. Mit ihr sei ein dämonisches Prinzip in die neue Zeit eingezogen mit deutlich antichristlichen Zeichen. Oder was soll man dazu sagen, wenn unter dem Blickpunkt der Technik Kathedralen zu nichts anderem gut sind denn als Richtpunkte für die Artillerie. Die Umgestaltung der Welt ist so vollkommen, daß Jünger von einer Werkstättenlandschaft spricht. Immerhin scheint er damals trotz aller Einsicht in das Zerstörerische und Anarchische der Technik nicht ganz hoffnungslos gewesen zu sein. Er wiegt sich in dem Gedanken, daß der Krisis – vielleicht in der nachfolgenden Generation – die Zeit des Aufbaus folge. Vielleicht, daß dann auch das Individuum, das jetzt noch einen schmerzlichen Kampf um der Erhaltung des eigenen Selbst willen führe, in die höhere Einheit hinübergefunden habe. Der scharfsinnige Welt- und Menschenbetrachter zeigt sich als Romantiker. Die Illusionen hat ihm wohl das Buch des Bruders über die „Perfektion der Technik" erst ganz zerstört.

Die Konzeption des „Arbeiters" scheitert an der Realität des Staates und an der zerstörerischen Kraft der Technik. Beides hat dämonische Züge. Jünger darf sich heute rühmen, daß er nicht erst durch den Zusammenbruch sehend geworden ist. Er hat seine Stimme erhoben, längst ehe Deutschland am Abgrunde stand; er hat seine Wandlungen frühzeitig bekannt, den Phantasien des „Arbeiters" Lebewohl gesagt und sich neuen Wirklichkeiten zugewandt, mit deren Verkündigung er nun ein Lehrer auch unserer Zeit bleibt. Der „Arbeiter" war, auf das Ganze gesehen, ein Irrweg. Hier sind nicht mehr menschliche, sondern unmenschliche Dinge ausgesprochen. Der Verfasser hat selbst später die Hauptschwäche seines Werkes darin gesehen, daß er nur die eine Seite der Medaille, wenn auch scharf gestochen, zeige. So ist es, es fehlt die Rückseite, das Ich. Es fehlt – trotz so vieler Totalität – die echte Ganzheit. Ohne Zweifel hat Jünger jahrelang im Grenzbereiche des Nihilismus gestanden. Es fällt auf, daß das Wort bei ihm – auch später noch – eine große Rolle spielt. Aber das Tor zur Metaphysik und zur Religion hat er nie zugeschlagen – es blieb um eine Spannweite auf. Durch die vielbedachte Tatsache des Opfers und des Schmerzes sicherte er sich den Weg nach außen. Daß sich Menschen zum Opfer darbringen können, ist trotz alles zur Schau gestellten Heroismus nur zu erklären, wenn der Mensch sich als ein transzendierendes Wesen versteht. Daß sich das Leben im Sichverschenken erfülle, ist nichts als eine Fiktion und ein wirklichkeitsarmer Intellektualismus, wenn nicht dieses Leben von einem Höheren in Empfang genommen wird. Indem Jünger den Menschen und die Welt in ihren tieferen Erscheinungen begreift, vollziehen sich seine Wandlungen. Wir lernen ihn dabei selbst von einer neuen Seite kennen, die bisher nur ausnahmsweise sichtbar wurde: nicht als den Verteidiger einer starken und manchmal vielleicht auch etwas forcierten Männlichkeit, sondern als den Bekenner des menschlichen Herzens.

Schon in früheren Schriften sehen wir Jünger in Meditationen über die Geheimnisse des Menschseins, insbesondere den Traum und den Tod. Die Mitte des Menschen, so scheint es, rückt weg aus dem Bereiche des Intellekts in die Bezirke der Ahnungen. Eine neue Stilform wird gewonnen: die Impression, die – oft aphorismusartig – Beobachtung neben Beob-

achtung reiht. Sie ist kennzeichnend für die unsystematische, weil unbekannte Wirklichkeiten erobernde Art des Betrachtens und Schauens. Jünger geht auf neuen Wegen seinen Entdeckungen nach, ohne den Anspruch zu stellen, zu Ganzheiten zu gelangen. Was er aber auf diese Weise zu sich heranholt, sind in Wahrheit zum größten Teil erstaunliche Dinge.

Vielleicht tut man recht, seine Erzählung „Auf den Marmorklippen" als ein Werk des Übergangs zu bezeichnen. Auch stilistisch unterscheidet es sich von den übrigen Arbeiten, die sich als einfache Tagebucheintragungen darstellen, durch den längeren Atem einer zusammenhängenden Geschichte – eine symbolische Erzählung, durch die sich Jünger vom Geiste der Herrschaft und der Gewalt lossagt, ein Werk der Selbstbefreiung von vergangenen Irrtümern. Das frühere Lob der Gewalt verwandelt sich in das Mitleiden mit den Schwachen und Gedrückten. Damit wird das Alte begraben. Die Transzendenz jedoch bleibt noch verschlossen, wohl vernimmt man bereits einen Vorklang kommender Dinge, wenn von dem Theologen die Rede ist, der Rettung bringen könne.

In den Tagebüchern, die mit dem Band „Das abenteuerliche Herz" eingeleitet und durch „Die goldene Muschel", „Atlantische Fahrt", „Ein Inselfrühling" sowie „Gärten und Straßen" fortgesetzt werden, zeigt sich Jünger auf neuen Wegen. Hier entwickelt sich ein bisher unbekanntes Vermögen: die Fähigkeit, das Traumhafte und Geheimnisvolle zu erfassen, die kleinen Dinge des Lebens zu ergreifen, des Wunders als der eigentlichen Offenbarung des Seins inne zu werden. Der Mann, der sich bisher in den Konstruktionen des Gedankens, in den anthropologischen und soziologischen Fragebereichen aufgehalten hat, durchschreitet jetzt die Welt der Schöpfung. Es ist eine neue Seinserfahrung, die ihm unermeßliche Reichtümer zuträgt, im Großen wie im Kleinen.

Im Großen: denn wir sehen den Daseinshungrigen jetzt auf den Straßen der Welt: auf Rhodos, Sizilien, in Südamerika, in Norwegen, in Frankreich. Im Kleinen: denn er richtet sein Auge auf die Kleinformen der Natur, das Unscheinbare, Bizarre, aber Ungewöhnliche und in seiner Art Außerordentliche. Es ist zur Kennzeichnung seiner Person bemerkenswert, daß er nach dem Kriege Botanik und Zoologie studiert hat. Dabei zeigt sich der Jünger der früheren Jahre doch in einer gewissen Weise unverwandelt: er bleibt ein Mensch gespanntester und wachster Aufmerksamkeit, der das Vermögen besitzt, die tiefer gelegenen Seelenschichten an die Oberfläche des Bewußtseins zu heben, gleich als wäre es sein Anliegen, die Herrschaft des Geistes auf die weitesten Räume zu verbreiten. Aber der Unterschied gegenüber früher ist sehr auffällig: es sind die Geheimnisse des Lebens, denen er sich in den letzten fünfzehn Jahren zuwendet. Das Außerordentliche, Ungewöhnliche – es begegnet ihm fortan nicht mehr in der Gestalt des Starken, sondern im Bereiche des Rätselhaften, dessen Erscheinungsweise Anzeichen für hintergründige Dinge ist. Das Dämonische und Unheimliche ist ein Teil davon. Er liebt die grellen, z. B. die metallischen Farben, er beobachtet Grenzerscheinungen in der Schöpfung, wie die fliegenden Fische. Diese Betrachtungsweise bringt Jünger in die Nachbarschaft merkwürdiger Menschen, nicht nur Kubins, der sein norwegisches Tagebuch „Myrdun" illustriert hat, sondern auch zu E. Th. A. Hoffmann und Edgar Allen Poe. Man fühlt sich vor allem an Lichtenberg erinnert, mit dem Jünger nicht nur die Schärfe des Intellekts teilt, sondern auch den Sinn für das Hintergründige, die Entdeckerfreude an unbeachteten Wirklichkeiten, die Liebe zum Regelwidrigen und Abnormen, die Aphoristik seiner Aussage. Wie dieser, versenkt er sich in das eigene Ich, beobachtet er seine Träume,

die Stufen des Erwachens, das Heraufdringen des Tiefver-
schütteten. Er stellt fest: das Ich, das uns zunächst Stehende,
ist das uns Fremdeste von allem. Wiederum: ähnlich wie
Lichtenberg sucht er das Ursprüngliche bei den einfachen
Naturen, die die Originale sind zu den Versteinerungen der
gehobenen Gesellschaft, und beschreibt es, wo immer er es
trifft, unter einfachen Fischern, unter männlichen und weiblichen Dienern, unter den zahllosen Begegnungen während
seiner Wanderfahrten. Wo immer ihm eine merkwürdige An-
sicht entgegentritt, die von der Tagesmeinung abweicht, hält
er sie der Aufmerksamkeit für würdig. Kennzeichnend für die
Eigenart seines Denkens ist es dann, daß ihm jedes konkrete
Erlebnis Anlaß zu weiterführenden Meditationen werden
kann.

Mitten im Kriege entstand Jüngers Schrift „Der Friede",
mit der er sich an die Jugend Europas und der Welt wendet.
Hier erhebt ein Deutscher seine Stimme, um, weit in die Zukunft hineinsehend, den künftigen Siegern Mäßigung und
eine Politik der Vernunft zu empfehlen, nicht um den schweren Schlag gegen das eigene Volk aufzufangen, sondern den
gegnerischen Staatsmännern in den Augenblicken eines mög-
lichen Rausches die Augen offen zu halten für den morgigen
Tag. Von hohem Standpunkt aus, der durch die Kämpfe und
Anstrengungen des letzten Jahrzehnts gewonnen ist, faßt
Jünger Vergangenheit, Gegenwart und Zukunft in den
Blick und spricht aus höchster Verantwortung zur Jugend
von Freund und Feind. Er mahnt die Völker: nachdem dieser unselige Krieg zum erstenmal ein allgemeines Werk der
Menschheit gewesen sei, müsse er Frucht bringen für alle.
Er entfaltet noch einmal das Bild des totalen Krieges, jetzt
aber aus der schauerlichen Erfahrung des unwiderruflich Ge-
schehenen und in der Gesinnung einer neuen Humanität. Der

zweite Teil faßt die künftigen Aufgaben zusammen und umgreift den Plan einer allgemeinen Weltordnung, in dem der
einzelne leben kann. Die Überwindung des Nihilismus, besonders bei den Völkern, die ihn geboren haben, erhofft er
aus der Kraft des Schmerzes, der jetzt abgründiger, metaphysischer sei als nach dem ersten Weltkrieg. Bei der bedroh-
lichen Alternative, ob amerikanisch oder russisch, vertraut
er auf die Schwerkraft der Geschichte, die weder das eine
noch das andere eintreten lassen werde, sondern Europa seinen alten abendländischen Besitz erhalten läßt. Dann aber
baut er in unsere Welt der Technik eine neue Metaphysik ein.
„Und hier beginnt das weite, unangebaute Feld der neuen
Theologie, als erster Wissenschaft, als Erkenntnis der tiefsten
Gründe und der höchsten Ordnung, nach der die Welt geschaffen ist. Das Weltbild hat sich seit Kopernikus geöffnet
und mit ihm die Pforten zu Dämonenreichen, zu rein mechanischen Insektenwesen und mörderischer Anarchie, wie
sie Visionen von Bosch und seinen Schülern voraussahen.
Daß diese Pforten sich schließen werden, kündigt sich in den
Wissenschaften an, in denen die Horizonte sich runden und
festigen. Wer philosophisch, wer als Künstler, wer in den
Einzelwissenschaften heute zu den Eliten zählt, ist auch am
nächsten am Unerklärlichen – dort wo die Erkenntnis der
Offenbarung weichen muß". „Die wahre Besiegung des Nihilismus und damit der Friede wird nur mit Hilfe der Kirchen
möglich sein." Die „Bildung zum vollen Leben, zum ganzen
Menschen muß wurzeln auf höherer Gewißheit, als sie der
Staat mit seinen Schulen und mit seinen Universitäten begründen kann." Deutlicher als jemals trat in den Wirbeln des
Untergangs die „Wirklichkeit der großen Bilder der Heiligen
Schrift und ihrer Gebote, Verheißungen und Offenbarungen
hervor." In den Symbolen des göttlichen Ursprungs der Schöp-

fung, des Sündenfalls, in den Bildern von Kain und Abel, von
der Sintflut, von Sodom und vom Turm zu Babel, denen der
Psalmen, Propheten und in der den niederen Gesetzen der
Schreckenswelt höchst überlegenen Wahrheit des Neuen Testaments ist das Muster, das ewige Gesetz vorgezeichnet, das
menschlicher Historie und menschlicher Geographie zugrunde
liegt. Aus diesen Gründen könne der Friedensvertrag nicht
lediglich die Formen einer staats- und völkerrechtlichen Ver-
fassung tragen: die Einheit des Abendlandes müsse auch in
der Kirche wiederauferstehen. Die Leidenschaft des Appells
richtet sich zum Schluß an den einzelnen. Der einzelne
gleiche dem Lichte, „das sich entzündend zu seinem Teile die
Verdunkelung bezwingt. Ein kleines Licht ist größer, ist
zwingender als sehr viel Dunkelheit. Das gilt auch für den,
der fallen muß. Er schreitet in gutem Stande durch höhere
Pforten in die Ewigkeit. Der eigentliche Kampf, in dem wir
stehen, spielt sich ja immer deutlicher zwischen den Mächten
der Vernichtung und den Mächten des Lebens ab. In diesem
Kampfe stehen die gerechten Krieger Schulter an Schulter
wie je die alte Ritterschaft."

Als vorläufig letztes Tagebuch hat er sein großes Notizen-
werk „Strahlungen" dargeboten. Es zeigt seinen Anteil am
zweiten Weltkrieg. Wie anders ist es als die „Stahlgewitter"!
Es ist in vieler Hinsicht der Lobpreis des schönen Paris, der
Wunderstadt inmitten einer Ruinenwelt. Aber es ist in Wahrheit ein eschatologisches Buch, Spiegelung einer Zeit, in der
furchtbare Dinge offenbar werden. Tod und Untergang in
zweierlei Form: Zerstörung der europäischen Kulturwelt und
Verlust des geliebten Sohnes. Die erschütternden Vorgänge
bringen auch das selbstgewisseste und stolzeste Bewußtsein
aus dem Gleichgewicht. Die heimliche und – offene Freude
an der Kraft des Intellekts mischt sich mit dem Gefühl

seinsmäßiger Unzulänglichkeit. Der „Sog des Malstroms" wird spürbar, „Ungeheuer" melden sich aus der Tiefe.Ist es nur dieses? Sollte sich nicht auch die Hand des strafenden Gottes erhoben haben? Jünger nimmt die Bibel zur Hand und spricht vom Gebet. Er begegnet der Welt Léon Bloys und läßt sich anwehen von der geistigen Luft des Katholizismus. Es ist so, als habe er die Bahn des Christentums betreten.

Vorsichtige Formulierungen müssen das Außerordentliche, ja, Furchterregende der Situation verdecken. Wer sich aus der vielschichtigen Hülle der Aufzeichnungen in die eigentlichen Geheimnisse des Buches hineingefunden hat, ahnt, daß hier ein bedeutender Mann einen langen Weg auf seine Damaskusstunde zugeführt worden ist. Wer könnte sagen, ob diese Stunde bereits geschlagen hat? Aber es wird die Stunde sein, die eine endgültige Entscheidung verlangt im Sinne der Zustimmung oder der Ablehnung. Das Bild, das sich in den „Strahlungen" darstellt, ist das eines Mannes, der sich bei besten Einsichten in die natürlich-kulturelle Bedeutung des Christentums und der Kirche gegen die Annahme des theologischen Glaubens wehrt. Zwischen einem aufklärerisch-rationalistischen Bekenntnis, das sich in dem schönen Satz darstellt: „Der ganze Teppich menschlicher Bekanntschaften ist doch sehr fein geknüpft; und es gibt Stunden, in denen man die Hand des Webers in ihm errät", liegt der Abgrund, den man nur im Sprunge nehmen kann. Daß er sich in der Situation der Grenze befindet, scheint Jüngers eigenem tiefem Bewußtsein zu entsprechen. Er sagt: „Der Weg zu Gott in unserer Zeit ist ungeheuer weit, als hätte der Mensch sich in den grenzenlosen Räumen verirrt, die sein Ingenium erfunden hat. Daher liegt auch in der bescheidensten Annäherung ein großes Verdienst. Auch sie kann nicht gelingen ohne göttliche Zuwendung. Gott muß neu konzipiert werden. – In diesem Zustand vermag der Mensch im wesentlichen nur Negatives: er kann den Kelch, den er verkörpert, reinigen. Das wird sich lohnen für ihn durch neuen Glanz, durch Zuwachs an Heiterkeit. Doch selbst die höchste Regel, die er sich so zu geben vermag, vollzieht sich im atheistischen, im gottleeren Raum, der fürchterlicher ist als der gottlose. Dann eines Tages, nach Jahren kann es sein, daß Gott antwortet – sei es, daß er sich langsam, wie mit Fühlern des Geistes näherte, sei es, daß er sich im Blitze offenbart."

Sein jüngstes Werk ist „Heliopolis". Es bietet eine Art Zusammenfassung und Abschluß des bisher Gesagten auf einer anderen literarischen Ebene. Die Aussageweise der „Marmorklippen" ist wieder aufgenommen, das dort ausgesponnene Thema fortgesetzt und weitergeführt. Denken und Erlebnisse von Jahren haben dem Buch seine neuen Reichtümer gebracht. Der Abstand zwischen jenem und diesem verdeutlicht, wie groß der Spannungsbogen der Entwicklung ist. Daß auch jetzt kein Stillstand eintritt, läßt das Ende des Buches erkennen. Ein Zeugnis des Umbruchs ist es jedoch nicht. Wie alles, was Jünger geschrieben hat, ist auch dieses Buch Ende und Anfang zugleich, aber deutlicher als irgendwo ist zu spüren, daß sein und unser Leben sich nicht in einer einfachen Progression fortsetzt, sondern Entscheidungen entgegengeführt wird, die uns vor die eigentliche und vielleicht einzige Aufgabe unseres Daseins bringen und allen anderen Geschehnissen den Sinn der Vorbereitung und der Station auf dem Wege geben.

Das Werk bietet sich als eine Erzählung, die von einer Welt- und Residenzstadt der Zukunft berichtet und zwischen dem Scheitern des ersten und der Gründung des zweiten Weltimperiums spielt. Das Zukunftsbild der Stadt stellt sich zugleich im „Rückblick" dar: ähnlich wie in Hesses

„Glasperlenspiel" wird über die Zukunft unserer Gegenwart von einem Standpunkt aus berichtet, der bereits jenseits der erzählten Vorgänge liegt. Auf diese Weise ergibt sich eine doppelte Perspektive: der Leser sieht die Entwicklungen unserer Zeit über unsere Tage hinaus verlängert und überhöht; andererseits aber ist auch „Heliopolis" nur ein geschichtlicher Augenblick, und zwar ein bereits überholter, auf dem Wege in die weitere Zukunft.

Gleichwohl ist die Stadt nicht als eine Realität zu denken, sondern als eine Idealwelt, in der sich die Züge des empirischen Daseins in äußerster Verdichtung zeigen. Jüngers Denk- und Sprachstil zeigt die Kraft zur stärksten Abstraktion; auch wenn er vom konkret Gegebenen spricht, denkt er schon darüber hinaus und meint eine metaphysische Welt. Auch hier sind die Stadt, die Vorgänge, die Menschen dem Bereiche des Lebens entzogen und in den des Gedankens gehoben. So kommt es, daß trotz der Fülle des Berichteten, der Mitteilung der technischen Errungenschaften auf allen Gebieten des Lebens, des Verkehrs, des Komforts, aber auch des Kriegswesens, keine eigentliche Vorstellung davon zu entstehen vermag. Heliopolis ist eine große Symbolwelt: eine Stadt mit Schlössern und Palästen und Prunkstraßen, die etwa dem heutigen Großstadtschema entsprechen, Sammelpunkt der Kulturen der Welt und auf dem Boden uralter, aber verwitterter Kulturen errichtet.

Was aber in dieser Stadt geschieht, dargestellt und gesprochen wird, ist doch nichts anderes als die Entfaltung von Jüngers Problemwelt und die Aufteilung seines Themas unter mehrere Gestalten. Er schafft sich eine Reihe von Begegnungen und Situationen, die nicht so sehr durch die Logik der Erzählung, wie durch den Andrang der Probleme gefordert werden. Das Werk ist konstruiert, von der Idee aus gestaltet,

Darbietung eines Modells, an dem nicht nur die Möglichkeiten künftiger Entwicklung, sondern Jüngers gesamte vielschichtige Problematik sichtbar gemacht wird. Eine der
Grundformen der Erzählung ist das Gespräch; in der wechselseitigen Auseinandersetzung werden Fragen aus dem Gesamt-
bereich von Jüngers Gedankenwelt hin und her gewendet.
Bezeichnend dafür ist das Kapitel „Symposion", in dem eine
Gruppe geistig schaffender Männer von typischer Welthaltung zum Gespräch zusammengeführt werden. Eine andere
ist die des Selbstgespräches. Die Hauptgestalt des Werks, Lucius, in dem Jünger sich am ehesten spiegelt, schreibt ganz
in der Art seines Urbildes in seinen Tagebüchern, die die Beobachtungen schnell vergehender und dicht gefüllter Stunden
enthalten. Das Bild des Logbuches taucht wieder auf; es verbindet sich von selbst mit der Vorstellung des einsam Schrei-
benden während der Fahrt über unbekannte Tiefen. Es dient
dazu, daß man „sich so gewissermaßen an einem Faden hin-
durchlotse durch das Gewirr der Zeit". Das Tagebuch erweist abermals den Monolog-Charakter von Jüngers Denken.
„Bereits der Briefwechsel als die betrachtende Verflechtung
der Welt von zwei verschiedenen Punkten aus scheint fast
unmöglich geworden zu sein. Das Logbuch, die tägliche Be-
steckaufnahme, ist ein Zeichen für den einsamen Kurs, für die
Vereinzelung, die das Leben gewonnen hat[1]".

Was dem Buch seine Bedeutung gibt, ist zunächst die eindrucksvolle Wiederholung der Jüngerschen Grundsituation
in einer vom Ich mehr gelösten und darum sozusagen objek-
tivierten Form. Die Not des modernen Bewußtseins wird
noch einmal in einer schmerzlichen Weise deutlich: dem Nihilismus entfliehen zu wollen, ohne doch die neuen Ordnungs-
welten sicher zu erkennen, geschweige darin zu wohnen.
Abermals wird es klar, was es heißt, in das Chaos dieser Welt

entsandt zu sein und sich seinen Weg bahnen zu wollen ganz aus eigener Kraft. Die unermüdliche, verzweifelte Kärrnerarbeit der früheren Jahre wird fortgesetzt. Ein Mann, der Natur und Geist, Leben und Geschichte durchdringt wie vielleicht wenige, ist darum bemüht, den Strom der Erscheinungen zu durchschwimmen und das rettende Ufer gegenüber zu gewinnen. Die Stimmung des Buches kommt an vielen Stellen gleichsam nebenher und in Untertönen zum Ausdruck. Im „Symposion" treffen sich die Männer wie die Bergarbeiter im Gewirr der Schächte. Der Geist beschäftige sich mit Reserven, die ihm geblieben seien. Wenn heute ein Werk gelinge, so sei es den Abgründen der Verzweiflung abgerungen. Das moderne Existenzbewußtsein spricht sich in aller Schärfe aus; man habe uns abgefeuert wie ein Geschoß: „Was ist der Sinn, wo ist das Ziel der fürchterlichen Bahn?²" So liegt auf dem Werk der Schatten der Schwermut und der Melancholie.

Ob es eine Hoffnung gibt, sich durchzufinden? Wohin man auch sieht: Jünger befindet sich in einem Grenzbereiche zweier Welten. Der Immanenz verhaftet, scheint sich ihm das Transzendente von selbst aufzuschließen. Er vergleicht die Situation des Menschen einmal mit einer Kesselschlacht; es bedürfte nur einer riesigen Anstrengung, um die Sprengung zu erreichen – oder der Macht von außen, die Hilfe bringt. Er lebt immerzu im Bezirke der Mysterien, nachdenkend, beobachtend, schauend und träumend. Mensch und Welt sind ihm Transparente einer hintersinnigen, schöpferischen Welt; man müßte sie nur ergreifen oder ganz ja zu ihr sagen können.

Das Bild des Menschen trägt dabei nicht eigentlich neue Züge, aber man gewinnt noch einmal die stärksten Eindrücke. Als Erbe einer späten Zeit teilt Jünger die Erfahrung der Abgründigkeit des menschlichen Seins. Das letzte Jahrhundert

hat uns den Zuwachs unermeßlicher Kenntnisse im „Weltinnenraum" gebracht. Der Mensch ist der Gegenstand staunen-
und erschreckenmachender Geheimnisse. Wie einstmals Lichtenberg zu Beginn der modernen Entwicklungen, ist Jünger
auf der Suche nach den Schlüsseln zu verborgenen Kammern,
die jenseits des Bewußtseins liegen. Er läßt sich von Träumen,
Phantasien und Drogen hineingeleiten. Die Säfte der Pflanzen
haben aufschließende Kraft. Im Rausch und in der Umarmung
findet er den Weg offen zu neuen, unerfahrenen Bereichen der
Wirklichkeit. Die Welt des Nichtbewußten, an die die großen
„Anreger", De Quincey, Coleridge, E. Th. A. Hoffmann neu-
gierig klopften, öffnet sich auch ihm einen Spalt breit; er steht
erschauernd vor dem leisen Abglanz der Geheimnisse, die wir
selbst sind. In Hintergründigkeiten solcher Art sucht er Auskunft über das Wesen der Welt. Antonio Peris Tagebuch über
Inspiration und Traum vertraut Jünger sein Material an.

Rätselhaft ist auch die Welt. Abermals geht der Dichter auf
abseitigen, nicht oft begangenen Wegen. Was ihm beim Menschen das Unbewußte ist, sind ihm in der Natur die unscheinbaren Dinge. Das Unbeachtete, die Spielform deutet die Hintergründe der Welt nicht weniger, sondern vielleicht mehr an
als die vielgedeutete Großform. Der Amethyst bietet sich so
gut wie die Lilie zu Offenbarungen an. Steine zeigen
den „Hieroglyphenstil der ersten Urkunden". Diese Welt aufzuschließen, gehört zu Jüngers schönsten Aufgaben, die er
mit der Meisterschaft eines großen Schriftstellers bewältigt.
„Im Mathematischen, im Strahlenhaften der Konstruktion
lag etwas Unerbittliches, der Glanz von höchsten Werkstätten,
die Einsamkeit erhabener Spiele und Spiegelungen am ersten
Schöpfungstag, noch vor der Erfindung des Leviathans. Hier
herrschte noch der Charakter der alten Schriften, die ohne
Vokale und ohne Duktus sind, das gleißende Skelett des

Lebensplanes, sein in Kristall gegrabenes Gesetz. Vor solchen
Funden fiel der Menschenblick durch eine Spalte auf den Vor-
hof eines Architekten, auf dem das Licht zu mächtig war. Die
Wissenschaften führten alle auf diesen Ausblick zu. Und sie
erahnten die Welt als Unterhaltung Gottes mit sich selbst[3]".
Die Anschauung der Chiffrenschrift auf den kleinen Dingen
der Welt ist eine Art mystischer Versenkung in die Geheimnisse des Schöpfers. „Gott gab die Rätsel auf; in unerhörter
Fülle bargen sie die roten Riffe, die Meeresgärten, der kri-
stallene Grund. Man würde keines von ihnen lösen und doch
zufrieden sein. Wer kennt die Bedeutung nur eines der Hieroglyphen auf einer Muschel, auf einem Schneckenhaus? . . .
Man ahnte die Maße, auf die die Welt gegründet ist, man hörte
die Brandungstakte, wie Schauer der großen Wälder Klänge
der Melodie."

In Sätzen dieser Art spricht sich die Besonderheit von Jüngers Welthaltung noch einmal mit aller Klarheit und Deut-
lichkeit aus. Das Universum wie die einzelnen Dinge sind in
sich selbst ruhende Wirklichkeit und Symbole in einem. Sie
haben eine eigene Realität, aber sie verweisen auf etwas anderes. Der Arbeitstisch, der voll ist von Mikroskopen, Reagen-
zien und gläsernen Schalen, bietet ihm Ausblicke ins Unendliche. Dann und wann gelingt es, zu einem der „kosmischen
Horte" vorzudringen, zu einer „der Schatzgrotten des Universums[4]" Zutritt zu erhalten. „Vor diesen Spiegeln des Universums versinkt der Geist in hohe Träumerei[5]". Hinter unserer
Welt tut sich erst die tiefere Realität auf. Sie hat den Vorrang
vor allem, was wir in diesem Leben erkennen dürfen.

Diese metaphysischen Grübeleien stehen im Zusammenhang mit den allgemeinen Unordnungen und Gefährdungen,
die sich in der Erzählung von der Stadt „Heliopolis" nur als
Steigerungen unserer eigenen Erfahrungen darstellen. In allem

ist die Not der Gegenwart mächtig. Lucius sieht sich in Heliopolis zwei Mächten gegenübergestellt: Auf der einen Seite steht die Partei des Landvogts und seiner Trabanten, die auf einen Kollektivstaat hinarbeiten, Kultur und Wissenschaft in den Dienst staatsabsolutistischer Zwecke stellen, den Menschen nur zoologisch betrachten und ihn mit seiner Freiheit zugleich aller seiner Würde entkleiden. Die fortwuchernde und alles Dasein umdrohende Gefahr, die doch keineswegs einer außermenschlichen Tiefe entspringt, sondern Folge einer furchtbaren Versuchung ist, steht in der Ausgangsstellung ihrer letzten Auseinandersetzung. Ihr Gegner ist der Prokonsul und seine Welt, die das Bild des Menschen beschützen, den Geist bewahren und seine Rechte verteidigen. Herrscht drüben der selbstbewußte Wille, alle Mittel, auch die unerlaubten, in den Kampf zu werfen, mit Skrupellosigkeit und Gewalttätigkeit zur unbeschränkten Macht zu kommen, so ist es hier das Vertrauen in den Sieg des Guten, das die Gemüter mit Zuversicht erfüllt. Diesem Herrscher sind die Freunde des Lucius untertan, unter ihm allein läßt sich leben. Aber das innere Gefüge dieser Welt scheint problematisch und nicht in Ordnung zu sein. Gegenüber dem eindeutig auf Alleinherrschaft und Zerstörung aller entgegengesetzten Mächte ausgerichteten Willen des Gegners befindet sich die Partei des Prokonsuls nicht dadurch im Nachteil, daß der geistige Mensch nicht in der Lage ist, sich brutaler Mittel zu bedienen wie der gewissenlose Tyrann. Vielmehr fehlt ihr die Klarheit und Entschiedenheit des Geistes, der nicht nur über dunklen Problemen schweben darf oder Traditionen zu verteidigen hat, sondern seine Kraft aus sehr tiefen Überzeugungen herleiten muß. Es ist bemerkenswert, wie man sich in Heliopolis den letzten Fragen gegenüber verhält. Es gibt einen Dom in der Stadt, den man „Maria vom Meer" geweiht hat; auch ist von

Ernst Jünger

Hans Carossa

Christus viel die Rede. Aber die Wendung zum Christentum ist nicht vollzogen. Das Leben in dem Bezirk des Prokonsuls erscheint befremdend pseudoreligiös: es wird im wesentlichen bestritten von den „Parsen", die in einer natürlichen Religion gnostischen Gepräges ihr Genüge finden. Sie sind zwar Bewahrer des Edlen, aber ihnen wird man nicht die Kraft zutrauen, einem dämonischen Willen einen geheiligten entgegenzusetzen.

Lucius verläßt diese Welt – wie es scheint: unbereichert und ungetröstet, trotz allem. Ankunft und Abfahrt schließen das Werk in einen Rahmen. Darf man annehmen, daß es sich um ein Geschenk Jüngers an die Vergangenheit handelt? Der Abschied von Heliopolis ist wohl mehr als eine Abreise; es scheint, als wäre es der Abschied von einer Lebensform. Des öfteren wird der Name des verehrten Lehrers erwähnt, der nicht nur Lucius, sondern auch die Parsen von Heliopolis geprägt hat, Nigromontanus, der seine Schüler das Denken in Symbolen gelehrt hat, indem er Oberfläche und Tiefe zusammensah. Er war ein großer Mann, aber Lucius wird sich von ihm trennen müssen. Seine Erfahrungen reichen über den Lehrer hinaus. Von den Mauretaniern hat er sich bereits getrennt; sie sind die Vertreter einer wertfreien Wissenschaft, die sich in den Dienst auch des Schreckens zu stellen vermag. Wir wissen es schon lange: was Jünger bewegt, ist der Sturz des selbstherrlichen Menschen aus angemaßter Höhe und die Einsicht in die Notwendigkeit, daß er sich göttlichen Gesetzen beugen müsse. Das Erlebnis des Schmerzes und des Opfers führt ihn tiefer zu dem, was der Mensch eigentlich ist. Die natürliche Humanität ist gescheitert; der Mensch muß sich aus anderen Voraussetzungen begreifen.

An Stelle des Nigromontanus sehen wir einen Mönch an seiner Seite, den P. Foelix. Wenn ihm auch sein Priestertum schwer zu glauben ist, so ist es doch bemerkenswert, daß Jünger sich dieser Gestalt bedient, um einen Schritt weiterzukommen. Mit ihm betritt er den Bereich der irdischen Ordnungen und Wertungen, in denen der Christ lebt. Das Eigentliche und Wesentliche bleibt jedoch verschlossen. Im Gegenteil: die Welt erscheint in „Heliopolis" sogar etwas verhangener als in den früheren Werken.

Er läßt sich von dem „blauen Pilot" aus der großen Stadt entführen. Mit ihm möchte er eine neue Stufe des Daseins ersteigen. Was des öfteren in seiner Erzählung angedeutet wurde, scheint ein neues Grundphänomen zu werden: die Liebe. In der Auseinandersetzung mit Wissen und Macht ist ihm die Überhöhung alles Seins durch die Liebe aufgegangen. Scheitern, Opfern und Schmerz sind Zeichen höherer menschlicher Verwirklichungen. Der blaue Pilot gibt vielsagend den neuen Weg an: „Sie sannen auf dem Rückweg von den Türmen des Schweigens darüber nach, ob es wohl Punkte gäbe, an denen Macht und Liebe sich vereinen, und rührten damit das Geheimnis an. Die Lösung hängt von einer neuen Konzeption des Wortes *Vater* ab[6]".

In diese Richtung führen zum Schluß alle Bewegungen des dichtgefüllten Werkes. Lucius läßt die Welt des Landvogts mit ihrer grausigen Unmenschlichkeit hinter sich; in ihr ist ihm offenbar geworden, wie weit es der Mensch mit sich treiben kann, der sich den Dämonen überläßt. Aber er löst sich auch aus der Welt des Prokonsuls, der doch der Statthalter des Guten ist; auch hier weiß er sich in einem Bereich der Vorläufigkeiten und der halben Lösungen, wo man nicht umhin kann, zweckgebundenen Kompromissen vor der unbedingten Humanität den Vorzug zu geben. Die Entschließungen des Generals angesichts seines Verhaltens gegenüber Antonio Peri beweisen es ihm.

Schmerzliche Erfahrung menschlicher Unzulänglichkeiten! Jünger befreit sich von ihr, indem er sich in ein Reich überirdischer Realitäten tragen läßt. Es geschieht offenbar nicht aus Resignation oder Schwäche, sondern im Willen, die ewigen Maßgesetze menschlichen Handelns zu verkünden. Phares, der „blaue Pilot", wird Lucius vor das Antlitz des „Regenten" bringen. Wiederum ist es schwer, die Symbolik dieser Gestalt auszudeuten. In seinem Reiche, so wird uns erklärt, ist vereinigt, was unter Menschen so schmerzlich auseinanderbricht: Macht und Liebe. Er ist der „Träger einer unsichtbaren Macht", der einzigen Hoffnung aller Guten. Aber er lebt nicht unter uns. Ist sein Reich – im biblischen Sinne – nicht von dieser Welt? Ist Phares (dessen Name zur Umkehrung der Buchstabenfolge verlockt) ein Bote aus den Gründen der Ewigkeit?

Dieses Reich wird sich – aller Sehnsucht entgegen – nicht auf uns herabsenken, um von uns Besitz zu ergreifen. „Er könnte die Welt in eine Kolonie verwandeln, doch lockt ihn kein Regiment, das seiner Idee der Freiheit widerspricht. So muß er warten, daß sich die Dinge von sich aus klären und daß man ihm die Schlüssel überreicht." Dies scheint Jüngers letztes Wort zu sein: wir können uns der Welt, auch des Babylonischen in ihr, nur bemächtigen, indem wir das Ewige in die Zeitlichkeit hinüberholen. Die Liebe wird das letzte Wort haben. Indem Lucius an der Seite der Parsin Budur Peri sich in das Reich des Regenten führen läßt, erweitert sich die Symbolik: zu tragen ist die Welt nur vom Menschen*paar*, das die beiden Prinzipien der Welt, das männliche und das weibliche, in höherer Einheit zusammenschließt.

Zwischen Mythus und Maschine

Neben Ernst Jünger darf der um drei Jahre jüngere Bruder Friedrich Georg nicht vergessen werden. Er tritt in der öffentlichen Diskussion weniger hervor und ist im ganzen nicht so umstritten, aber sein Werk ist von keinem minderen Rang, sondern wächst von Jahr zu Jahr nicht nur an Umfang, sondern auch an Bedeutung. Wer den Denk- und Schreibstil der beiden Brüder miteinander vergleicht, wird viel Ähnliches finden: den gleichen Reichtum der Betrachtungspunkte, das gleiche Verlangen nach Welterfahrung und Weltdurchdringung, das Bemühen, in den Phänomenen die höhere Wirklichkeit zu entdecken. Die Erlebnisspanne umfaßt die ganze Breite vom klarsten Bewußtsein, das auf die exakteste Erkenntnis bedacht ist, bis zur Erfahrung des Traumes und der Ahnung, worin sich die Anwesenheit schwer faßbarer Organe der Seele anzeigt. Die Sprache ist ihm genau wie dem Bruder der verräterische Spiegel der Größe und des Elends des Geistes.

Aber nicht so sehr die Ähnlichkeit macht den Vergleich interessant, sondern eher das, worin sich beide unterscheiden. Nach der Aussage ihrer Werke verfügen die Brüder trotz vieler Übereinstimmungen über eine verschiedenartige Organisation des Geistes. Gegenüber der hervorragenden Kraft Ernst Jüngers, zu beobachten und die jeweiligen Erfahrungen des

Tages in das hellste Bewußtsein aufzunehmen, überwiegt bei Friedrich Georg Jünger die Fähigkeit und die Neigung zur Meditation. Neben die unruhige Intellektualität des Älteren, dessen Tagebuchwerk ein ungeheures Mosaik bietet, tritt der Wunsch nach Verweilen, ein größeres Heimatgefühl in wohnlich gemachten Räumen, neben das kurze kantige Capriccio ein in ruhigerem Atem entwickelter Essay. Während man bei Ernst Jünger nie das Gefühl verliert, Explosionen von Energien und unaufhörlich arbeitenden Denkstößen ausgesetzt zu sein, folgt man Friedrich Georg in ein Strömen und Gleiten und kontinuierlich sich entwickelnde Gedanken. Man weiß sich von ihm bei der Hand genommen, um Räume zu durchwandern und sich in Tiefen geleiten zu lassen. Man braucht, um ein Beispiel zu haben, nur zu lesen, wie sich dasselbe Erlebnis in der Niederschrift der Brüder spiegelt, die Wanderungen auf Rhodos und auf Sizilien: den kurzen, mit den schärfsten Konturen versehenen Charakteristiken des „Inselfrühlings" und der „Goldenen Muschel" stehen in Friedrich Georgs „Orient und Okzident" ausgedehnte Schilderungen gegenüber, die Land und Leute mit der Seele zu ergreifen suchen und keineswegs an die scharfen Linien einer Medaille erinnern, sondern an ein Gemälde, das alle Farben einzufangen trachtet und Tiefenschichten sichtbar macht. Die Welt wird weniger beobachtet als erfahren, durchlebt und geschaut. Friedrich Georg ist der größere Dichter; mehrere Bände schöner Gedichte lassen ihn als einen der bedeutenden Lyriker unserer Zeit erkennen.

Allerdings: eines der wesentlichen Anliegen Ernst Jüngers, die Stellung des Menschen im Ganzen der Welt, das Erlebnis des Zwiespalts von Zwang und Freiheit steht offensichtlich in der Mitte auch von Friedrich Georgs Denken und führt ihn in die uns schon bekannte Richtung. Stärker als Ernst betont er, daß die Bedrohung durch uns selbst verursacht sei. Der „Maelstrom", von dem auch er spricht, ist nicht nur das Ungeheuer der Tiefe, sondern das mit uns gegebene und im Verlauf der geschichtlichen Entwicklung gewachsene Verhängnis, das den Menschen nun in seine Botmäßigkeit ruft. Die Bedrohung des Individuums durch das Kollektiv, die Zerstörung der Person durch die immer steigende Zunahme der bloßen Funktionen, der ins Unermeßliche reichende Prozeß der Massenhaftigkeit – und die Gegenfrage: wo Rettung liegt, welche Aussichten der nach Unabhängigkeit strebende Mensch überhaupt noch habe, was er tun könne, um diese Entwicklungen einzudämmen, das ist eines seiner grundlegenden Probleme, und es ist nicht zu leugnen, daß es bei Friedrich Georg Gesichtspunkte und Erkenntnisse gibt, die über das früher Gesagte hinausführen.

Die Problematik der menschlichen Vermassung ist auf das engste verbunden mit der Rolle der Technik als einer der wesentlichsten Mächte der gegenwärtigen Weltgestalt. Es erhebt sich die Frage, ob überhaupt noch die Hoffnung besteht, daß sie und die durch sie hervorgerufene Industrialisierung in eine Ordnung des Lebens eingefügt werden könne. Ernst Jünger hatte in seinem „Arbeiter" damals in seiner Weise die äußersten Schlußfolgerungen gezogen und kein Bedenken getragen, den Menschen in einem radikalen Sinne zu ent-individualisieren. Friedrich Georgs Schrift „Die Perfektion der Technik" (entstanden 1939, veröffentlicht 45, erweitert 49) ist eine Art Gegenschrift, wenn man in Rücksicht zieht, daß sowohl über das Wesen der Technik wie über ihre Erscheinungsformen heute für beide wohl keine Meinungsverschiedenheit besteht. Das Bild, das hier von der Übermachtung des Menschen durch die von ihm entfesselten Kräfte gezeichnet wird, ist um so dunkler, als es fast endzeitliche Züge trägt.

Was sich vor unsern Augen dartut, ist zwar Äußerung eines ewigen Herrschaftsanspruchs des Menschen, der sogar göttlichen Segen trägt. Aber die Allherrschaft der Technik hat jetzt ein Stadium erreicht, in der sich Segen in Fluch verwandelt, denn sie zerstört das Leben und zeigt uns im Grunde, wie arm wir sind. Jüngers Philosophie der Technik ist der Gegenschlag gegen die Überschätzung; er wird ihr advocatus diaboli. Er weist auf, daß Technik eine Erscheinung des Mangels ist. Wo Technik entsteht, werden die Vorräte der Welt angegriffen, nicht ihr Ertrag oder sogar ihr Überschuß. Durch sie werden keine Reichtümer geschaffen, vielmehr treibe sie einen Raubbau, wie die Welt noch keinen gesehen habe. Sie sei ehrfurchtslos gegenüber der mütterlichen Erde. Nichts liege ihr an der Erhaltung der Substanz, im Gegenteil sei sie Werkzeug eines riesigen Verzehrs. Je mächtiger die Bestände sind, die der Technik zum Abbau überlassen werden, je energischer sie mit ihnen aufräumt, desto stürmischer sei ihr Fortschritt, wie die Ansammlung von Maschinen und Menschen an den Fundstätten zeige. In der Tat, was Jahrtausende angesammelt haben, baut der Mensch unserer Zeit in hundert Jahren ab. Wo aber der Raubbau einmal einsetze, beginne die Verwüstung. Die Technik dringe verheerend und umgestaltend in die Landschaft ein, sie stampfe Fabriken und Fabrikstädte von grotesker Häßlichkeit aus dem Boden, sie verräuchere die Luft, verpeste das Wasser, vernichte die Wälder und die Tiere. Sicherlich, wenn sich erwiese, daß der Boden unserer schönsten Landschaften Schätze, und wäre es Kohle, verberge, es würden in Kürze alle Schönheiten der Habgier der Technik zum Opfer fallen.

Die Verwüstung ergreift vor allem den Menschen. Der Mensch beutet die Erde aus, aber er selbst wird nicht weniger ausgebeutet. Der größte Teil der Fabrikarbeit ist automatisch.

Die Mechanik führt zur Zerstückelung und Zerlegung bis in die kleinsten Zeitabschnitte des Arbeitsvorganges. Die Arbeitskräfte werden immer spezieller, oft ist es ein einzelner Handgriff, der sich von Tag zu Tag, Jahr für Jahr wiederholt. In der Technik ruht ein furchtbares Eigengesetz, dessen der Mensch nicht Herr ist. Aber es macht sich selbst zum Herrn des Menschen. Sie treibt ihn von Fortschritt zu Fortschritt und weist ihn über den jeweils erreichten Zustand hinaus. Sie ruiniert den Fabrikanten durch Erfindungen, die nicht abzusehen waren. Das Wohl und Wehe des Kapitalisten ist ihr so gleichgültig wie das des Proletariers. Sie kümmert sich um keinen Menschen. Ihr Ziel ist die „Perfektion", das heißt die maximale Entwicklung aller Möglichkeiten. Sie ist gleichbedeutend nicht nur mit Weltbeherrschung, sondern auch mit der Gefahr der Weltzerstörung. Die Atomtechnik beweist heute die Richtigkeit einer solchen Befürchtung.

Dieser heillosen Mechanisierung aller Lebensgebiete gelten dann die weiteren Überlegungen. Sie setzen sich fort in dem zweiten Buch dieses Themas, in „Maschine und Eigentum". Der Mensch von heute bekommt einen Spiegel vorgehalten, so daß er tief erschrecken muß. Wohin soll das alles führen? Es gibt ja nichts mehr, was nicht unter das Gesetz der Technik fällt, und wo sich noch eine Lücke finden sollte, wird sie gewiß bald ausgefüllt sein.

Sie wird sichtbar in der Reklame, in der Werbung und Propaganda, im Sport, im Kino. Es herrscht der Apparat. Der Mensch weiß sich in seiner äußeren Berufsstellung „verbeamtet", in seinem Seelenleben ohne Eigentum: man entreißt ihm seine Geheimnisse durch Tests. Die Volksfeste verändern ihren Charakter; es wird ein organisierter Trubel daraus, und was früher echte Fröhlichkeit war, ist jetzt eine Angelegenheit von Veranstaltern, die auf ihre Kosten kommen wollen.

So geht es in allem, und zwar nicht nur im Sinne extensiver Ausdehnung, sondern der Intensivierung und Steigerung. Die Wissenschaft macht sich in höchstem Maße mitschuldig; sie liefert ein Arsenal von Begriffen, die „immer größere Ähnlichkeit mit einem Einbrecherwerkzeug[1]" haben. Ein Blick auf Maschine und Apparat lehrt uns, daß wir der Todesseite des Lebens zugekehrt sind. Nichts also von den – ehemals – verheißungsvollen Prognosen des Bruders. „Wer sein Auge so geübt hat, daß er diese Maschinen nicht mehr als Einzeldinge betrachtet, die sich isolieren lassen, wer sie als Bestandteile, als Verbindungen einer Universalmaschinerie auffaßt, der denkt in Zusammenhängen. Deshalb wird ihm deutlich, daß diese Maschinerie auf ein willenloses Funktionieren ausgedacht ist, daß innerhalb dieses Räderwerks von einer Wahl nicht mehr die Rede sein kann. Der Mensch wird gegenüber der von ihm ersonnenen Universalmaschinerie mehr und mehr beschränkt. Sie denkt und handelt für ihn. Was er an mechanischen Determinationen gewinnt, wird ihm nicht umsonst gewährt; er muß seine Freiheit dafür hergeben. Die Frage, welches Maß an mechanischer Notwendigkeit in dieser Welt herrscht, ist abstrakt und generell nicht zu beantworten. Vielleicht ist gar keine in ihr. Ob aber viel oder wenig sich davon zeigt, hängt von der Beschaffenheit des menschlichen Willens ab[2]";

Das dunkle Bild soll den Widerstand des Willens nicht lähmen, sondern das Gegenteil erreichen: ihn wecken. Schicksalhaft notwendig ist es trotz allem nicht, daß die Menschheit in das Roboterdasein eines großen Kollektivs eingeht. Die Grenzen werden gerade in den weiteren Entwicklungen sichtbar. Unter den von Menschen hervorgebrachten Gütern hat das der Arbeit der Hand zu dankende Werkstück einen unverändert höheren Wert als die Produktion der Maschine. Die

„wunde Stelle" des Kollektivs ist heute für jedermann offenbar; sie liegt da, wo der Mensch den tiefsten Punkt der Erniedrigung erreicht, wo „die mißliebigen oder die nötig Ge-
brauchten in Lagern zusammengetrieben werden", die Heere
der Zwangsarbeiter sich vergrößern, so daß „eine eigene Bü-
rokratie die rücksichtslose Ausbeutung des Menschen bear-
beitet. Sein Symbol ist das mit elektrischem Stacheldraht um-
gebene Konzentrationslager, um das herum Ketten von Türmen, Wachen und Hunde laufen[3]". Dies zwingt den Menschen
endgültig, auf seine Freiheit eifersüchtig zu sein und sich den
Rest nicht aus der Hand nehmen zu lassen.

Wie bewältigt Jünger selbst die scheinbare Hoffnungslosigkeit dieser Lage? Indem er die Grundlagen unseres Daseins
prüft. Sie stellen sich ihm nicht so sehr im philosophischen
Denken dar, sondern in den Mythen der Griechen. Der Liebhaber und ausgezeichnete Kenner des griechischen Altertums
und seiner Götterlehre verbindet sich mit dem Dichter; sein
Buch über „Griechische Mythen" erschaut Wesenheiten. Die
griechische Mythologie dient ihm zur Verdeutlichung der Ur-
phänomene der Schöpfung. „Heute, in einer Zeit, die dem
Technischen viel einräumt, in einer Zeit der rationalen Pla-
nung, die alles umfassen, alles in sich einbeziehen möchte,
drängen sich uns, wenn wir uns mit der Mythe beschäftigen,
neue Fragen auf. Der Kampf zwischen Göttern und Titanen
muß uns nun in neuem Lichte erscheinen. Das Titanische in
seiner geistigsten Gestalt, in der des Prometheus nämlich, verdient unsere Aufmerksamkeit, denn hier liegt die Antwort,
wie weit es eigentlich der prometheische Mensch treiben wird.
Da die Anwendbarkeit, die Nutzbarmachung des Wissens den
homo faber, der eine vernutzende Spezies Mensch ist, so sehr
beschäftigt hat, ist es gut, wenn wir über die Muße der griechischen Götter, des griechischen Menschen nachdenken. –

Die ausschließliche Beschäftigung mit der Naturwissenschaft hat uns belehrt, doch muß man einsehen, daß sie uns in dem Maße, in dem sie uns belehrte, auch ein wenig verdummt hat; sie hat den Geschmack an den geistigeren Geschäften, die der Mensch treibt, abgestumpft. Wir dürfen unsere hesperischen Bemühungen nicht einschlummern lassen. Es ist den Musen, die das Wissen lieben, nicht zu verdenken, wenn sie seinen großen Bogen um die Fabrik des Wissens machen."

So geht Jünger also zu den Griechen der frühesten Zeit und fragt sie nach ihren Urerfahrungen. In der Sinndeutung von Chaos und der von ihm stammenden Titanen, der Gaia, des Uranos, Tartaros, unter den Göttern und Heroen eröffnet sich uns der Zugang in die Urverhältnisse der Welt. Indem unser stolzes Wissen in die Bilderfülle der Alten und ihrer Offenbarungen zurückgeht, gewinnt es einen neuen Zugang zu den Geheimnissen. Wir schieben die Begrenzungen unserer Gegenwart weg und stellen uns in die Mitte eines zeitlosen Wissens, reicher und tiefer, als es uns aus allen Spezialisierungen entgegenkommt. Aber der unmittelbare Zusammenhang mit philosophischen Erwägungen und Träumereien unserer Zeit bleibt doch in jedem Wort erkennbar.

Dies ist besonders bei der Behandlung der Gestalt des Prometheus zu spüren. Er ist der Rastlose, Tätige, Kunstfertige, auf Veränderung Bedachte. Ihm gelingt viel, und er genießt ein hohes Glück. Das prometheische Glück ist ein Glück der Anfänge, des unbekümmerten Schaffens und Beginnens. Es ist ein Glück der Wagnisse und des Entdeckens. Die Welt wird neu dadurch, daß er sie betritt. Er fühlt sich als Schöpfer, der nur eine Hand zu heben braucht, um dem Geschehen das Siegel seiner Kraft aufzuprägen. Er ist ein Unruhgeist, der in die Zukunft hineinwirken will, der Gott der Arbeiten, Pläne und Werkstätten. Er ist ein Arbeiter, der sich auf das Produ-

zieren und Hervorbringen versteht. Die prometheische Welt
ist immer eine Arbeitswelt. Prometheus ist dadurch ausgezeichnet, daß er seine Kraft auf das Höchste richtet, auf die
Herrschaft, auf das Ganze der Macht. Ehrfurcht, die Beste-
hendes schützt, ist ihm fern. Er will der Götterwelt eine neue
Welt entgegensetzen. Der Feuerraub zeigt das ganze Ungestüm des Titanen. Er ist also – alles in allem – das Urbild des
Unreligiösen, die Götter verachtenden, auf sich selbst gestellten Menschen der Arbeit, des homo faber. Verbunden mit ihm
ist nur einer, Hephästos, der Herr der unterirdischen Essen
und Schächte. Die Götter lieben beide nicht. Es gehört zu den
wesentlichen Zügen dieses Buches, daß sich unsere Welt nicht
allein in Prometheus, sondern auch in den übrigen Gestalten
wiedererkennen soll: in Apollon, Pan, Dionysos und der
Schar der Heroen.

Die ausführliche Darstellung solcher Betrachtungen recht-
fertigt sich trotz der verhältnismäßigen Abseitigkeit des Themas für unsern Zusammenhang dadurch, daß hier ein bedeutender Interpret unserer Zeit an das Phänomen der Technik
als Dichter herantritt. Die Schau auf das Ganze, mag sie vielleicht im einzelnen auch schwer haltbar sein und von vielen
Theoretikern der Technik heftig bestritten werden, liefert
doch eine Gesamtanschauung, in der unbestreitbar Richtiges
nicht nur mit intuitiver Sicherheit, sondern auch mit Schrekken erregender Wahrhaftigkeit ausgesagt wird. Es wäre schon
viel, wenn es dem Dichter gelänge, den Menschen als Verur-
sacher und Handhaber der Technik zur Selbstbesinnung darauf zu führen, wie notwendig es ist, sich vor den Gebilden
des eigenen Schaffens zu retten.

Jünger schreibt dann eine Anzahl schöner Gedichte, zum
Teil antiken Lebensgefühls und antiker Form angenähert,
Verse, die die Freude an der unzerstörten Schönheit der Welt

aussprechen und den Wunsch, von dem schweren Druck des Zwanges frei zu sein, jedoch den dunklen Gegenklang aus dem Reich des Todes nicht verleugnen.

Seine „Gedanken und Merkzeichen" zeigen ihn bei sich selbst zu Hause, in der täglichen Selbstkontrolle und in der Mühe des Bewahrens und des Hütens und in dem Willen, in den innersten Kreis seines Daseins niemanden einbrechen zu lassen. Während sein Bruder den Stil des Tagebuches pflegt und ausbildet, entwickelt Friedrich Georg die Kunst des Aphorismus, die sich offensichtlich an älteren Vorbildern nicht nur schult, sondern diese auch erreicht. Mit jedem Wort ruft er das Ich zur Ordnung und setzt sich zu sich selbst und zur Welt in das richtige Verhältnis – ein Pfleger guter menschlicher Art in Zeiten schwerer Bedrängnis.

Die Geheimnisse des Lebens

Inmitten all der schwer erschütterten und an die Peripherie des Daseins geworfenen Gestalten begegnet uns in Hans Carossa ein Mann, der in unseren Vorstellungen seit langem ein Sinnbild der Ruhe und der Ordnung ist und zu den Weisen und Klaren gehört. Er steht in unserer Zeit so gut wie allein; wir müssen in die Vergangenheit zurück, zu Stifter, ja, noch weiter, zu Goethe, um Gleichnisse seiner Art zu finden. Was der eine für die Höhe der deutschen Kultur, der andere für die Mitte des Jahrhunderts war, ist Carossa für unsere Zeit: Gestalt der ruhigen Mitte, klassische Ausgeglichenheit, unaufgeregte Harmonie. Unter den Heutigen ist er in Leben und Dichten ein besonders eindrucksvoller Verdeutlicher gläubig-vertrauender Menschenhaltung, um noch einmal an Peter Wusts Unterscheidung zu erinnern. Vielleicht ist es erlaubt, ohne Übertreibung zu sagen, daß in den letzten fünfzig Jahren kaum einer aus Natur und Bildung so sehr in der Nähe Goethes geweilt habe und in seine geistige Art hineinreiche wie er, ohne doch ein Epigone zu sein – denn was er ist, ist er doch aus der eigenen Art geworden.

Was ist das Besondere dieses Dichters? Er hat ein Organ für das Geheimnis. Nicht so sehr tätig als hörend, lauscht er in sich hinein, sieht er auf die Wunder der Welt, vernimmt er ihre Offenbarungen. Er gehört zu den Empfangenden, nicht zu den Gestaltenden. Ganz den bildenden und schaffenden Kräften der Welt zugetan, wird er ihrer Wunder inne im Bereiche des äußeren und des inneren Geschehens. So kommt die große Ruhe in sein Werk. Er erschüttert eigentlich nie, aber er bewegt. Er geht den unscheinbaren Äußerungen der Herzen nach und nimmt sie wahr mit der Sympathie des eigenen großfühlenden Wesens. Er ergreift die einfachen Dinge, eine Landschaft, ein Stadtbild, die Tiere, die Kranken, denen er sich lange als Lungenarzt hingebend widmete. Er ist ein Freund vieler geworden, die er mitnimmt auf seinem Weg, im Weiterschreiten sich bereichernd, um im selben Augenblick aus dem Eigenen zurückzuerstatten.

Das Geheimnis des Lebens aber enthüllt sich dem Betrachtenden nirgendwo so sicher wie im eigenen. Seine Bücher sind Konfessionen wie die Goethes, Schilderungen des eigenen Lebens, das in Wechsel und Wandel seine Geheimnisse preisgibt. Von den vielleicht schönsten seiner Bücher, dem Kindheitsbuch und den „Verwandlungen einer Jugend" bis in die letzten hinein, die Romane eingeschlossen, handelt es sich um Verwandlungen des eigenen Daseins, das durch die Stufen und Rhythmen eines allgemeinen Gesetzes hindurchschwingt und sich der jeweils verschiedenen Stufen bewußt wird. Das Ohr am eigenen Herzen, wird der Dichter seines wundersamen Lebenslaufes inne: aber indem er sich selbst erfaßt, erfaßt er mehr: am Beispiel seiner selbst ergreift er ein allgemeines Geschehen.

Damit ist das eigentlich Wesentliche angedeutet; er sieht nach Goethes Art sein Leben zwischen Polen sich bewegen: das Bleibende steht in Beziehung zur Bewegung, das Beharrende zum Veränderlichen. So erzählen seine Bücher einesteils von einer Grundanlage, die durch alle wechselnden Formen hindurchschwingt, auf der anderen Seite von den Verwandlungen selbst, die sich im Wachstumsprozesse der Natur, im Eingriff der Mächte vollziehen. Denn die Veränderungen sind doppelter Art: sie gehen einerseits aus den organischen Bedingungen hervor, die sich von Tag zu Tag neue Formen schaffen, andererseits aus schicksalhaften Begegnungen, die gleichwohl nicht zufällig, sondern wie nach einem höheren, von der Natur jedoch unabhängigen Plan in unser Leben eintreten. Unter diesem zwar nie deutlich mitgeteilten, das ganze Werk jedoch bestimmenden Doppelaspekt sieht Carossa sein Leben; es ist der Vollzug eines Wunders in dieser zweifachen Hinsicht: Wunder aus Natur und Wunder aus Fügung. Gerade in diesem Punkte tritt er dicht an seinen Lehrmeister Goethe: beides, Inneres und Äußeres, wird von einer überhängenden Macht regiert. Den Glauben an die Mächte, den sich heute ja viele erst wieder zurückgewinnen müssen, hat Carossa niemals verloren. Sie umgreifen das individuelle Leben als überindividuelle Ordnungsgrößen, lenkend und behütend. Sie offenbaren sich in der besonderen, aufgabengefüllten Konstellation der Verhältnisse, als Gelegenheit, als Anruf, der einer Lebenssituation entspringt. Daß das Leben von einer höheren Weisheit gelenkt sei, wie immer man sich auch diese Weisheit zu denken habe, gehört zu des Dichters Urerfahrungen. Wenn er später beobachtet, daß sein Lebensweg durchkreuzt wird von den mannigfaltigsten, ja, den widerspruchsvollsten Gestalten und Ereignissen, so weiß er sehr wohl, daß jede einzelne Begegnung oder Begebenheit an den zahlreichen Weggabelungen eine eigene Funktion zu erfüllen hat, die nur von ihr allein geleistet werden kann. Dieser Glaube ist ihm in sich selbst evident; eine höhere Weisheit dient allen, auch denjenigen, die diese Erfahrung nicht haben. Darum will er mit der Beschreibung seines Lebens ein Vorbild alles Lebensverständnisses geben; er schreibt, so

Werner Bergengruen

Stefan Andres

drückt er es einmal an wichtiger Stelle aus, um „andern ein Licht auf die Bahn zu werfen, indem man die eigene aufzeigt".

Dabei ist das Leben für ihn keineswegs eine einfache Harmonie, vielmehr weiß er von dem Unheimlichen und dem Dunklen in uns und der Welt und weicht ihm nicht aus – weniger als Goethe. „Raube das Licht aus dem Rachen der Schlange!" steht im „Rumänischen Tagebuch", und er wiederholt diese Mahnung in seinem schönen Erinnerungsbuch „Führung und Geleit[1]". Er hat ein Gefühl für das „Mondische[2]" bei Kubin und weiß sich selbst tief gefährdet. Er versteht die Angstvollen und Verzweifelten, weil er in der Tiefe teilhat an dem Weltentsetzen, das jene aus der Bahn wirft[3]. Die Welt ist zu voll des Grausens, um als Idyll verstanden und gezeichnet zu werden, sie ist „gestreift vom Todeswind". In seinen Büchern gibt es viele Kranke, Elende und Sterbende. Aber Carossas Werk lebt nicht aus dem Elend, selbst der Tod ist eher eine „große feierliche Sache[4]" (wie ihn einer seiner Patienten versteht), vielmehr fühlt sich der Dichter beruhigt „unter starken Schutzgeistern". Für ihn haben die guten Mächte in der Welt die Oberhand, und es ist unsere Aufgabe, unsere Kraft mit der ihrigen zu verbinden. Heilige und Weise führen einen dauernden Kampf mit den Schattengeistern der eigenen Seele[5], aber wir werden niemals siegreich werden, wenn wir nicht dem höheren Rang des Guten vertrauen. Auch ist das Elementare keineswegs bloß das Tierische, wie viele es uns heute glauben machen wollen, sondern auch das Lichte und Helle, wie es uns Shakespeares Ariel verdeutlicht[6]. Dieser Bereich greift den Dichter weniger an, und wo immer es geschieht, bewährt sich die alles Dunkel überwindende Kraft des Geistes. Sein Tagwerk war es von jeher, „Grauen in Liebe zu wandeln" und dämonischen Phantasien grausam über-

wacher, „ewig sich selber Angst machenden" Seelen keinen
Eingang in seine innere Welt zu gestatten[7].

So weht in seinen Büchern eine reine Luft; die bösen Geister sind zwar nicht verschwunden, aber sie sind gebannt. Er
macht ihre Einflüsse unwirksam im Verein mit allen guten
Geistern der Tradition. Sie sprechen zu ihm aus vielen Jahrhunderten, „und alle bestärkten mich in dem eingeborenen
Glauben, ... daß das Unheimliche nie die letzte Lösung sein
kann, daß die wahren Quellen und Heilquellen immer noch
einige Schichten tiefer entspringen als in den Lagen, wo das
Grauen entsteht. Die Wege der Finsternis werden immer bald
zu Ende gegangen; als undurchmeßbar aber erweist sich das
Mysterium des Lichts[8]". Wenn einer, so steht er im Kraftfeld
der Überlieferung, die großen Geister sind unabhängig von
Raum und Zeit in einem Zusammenhang des Schaffens; Carossa beruft sich auf Goethes Wort, daß im Vergangenen das
Tüchtige lebe. Seine Helfer, ohne die er nicht zu leben vermag,
sind die Evangelien, die Kalewala, Shakespeare und Goethe,
und wo immer ihm einer der Lebenden die Hand reicht,
schlägt er freundlich ein, für alles Bedeutende empfänglich. So
sehen wir Rilke, George, Wolfskehl, Dehmel und viele andere
durch sein Werk schreiten. Er findet dabei seine Freunde
keineswegs nur unter großen Namen. Es kommt im Gegenteil oft vor, daß ihm das Außerordentliche von den Namenlosen gesagt wird.

Im Grunde sind es die kleinen Dinge, denen er seine Aufmerksamkeit schenkt. Aus ihnen und durch sie lebt er, sie
nehmen teil an den unmerklichen Verwandlungen seiner Natur
und der Bildung seiner Lebensringe. Seine Meditationen sind
immer unterbrochen von den Erlebnissen des Tages, den Erfahrungen des Arztes, zu Hause und im Felde, nicht oft über-
schreitet ein Mensch von Rang die Schwelle seines Hauses.

Was ihn ausfüllt und fördert, sind die täglichen Begebenheiten und die Menschen seiner Umgebung. Er sucht nicht das Außerordentliche im Außerordentlichen, sondern in den geringen Vorkommnissen. Das scheinbar Unwichtige und Unbedeutende hat für ihn hohen Rang als Träger größerer Dinge, die er aus ihnen – wie Goethe – zu begreifen sucht. Aus solcher Gesinnung erwächst auch seine Menschlichkeit. Er geht mit allen Gestalten behutsam um, sie heilend oder – nicht selten – auch Heilung von ihnen empfangend, doch stört er niemanden in seinem Lebensraum oder bricht gar in ihn ein. Die Ehrfurcht vor aller menschlichen Kreatur zeigt sich in der Art, wie er mit ihr umgeht; er überhöht die einzelne Gestalt über sich hinaus, indem er das Ewige in ihr sichtbar macht. So werden seine Gestalten nicht selten zu Stellvertretern ewiger Formen: des Vaters, der Mutter, des Kindes, des Kranken, des Gesunden, des Arztes und des Lehrers, und es bedarf keiner Abstraktion oder irgendeiner Künstlichkeit, sondern nur des Einflusses übernatürlicher Kräfte, um den Menschen höheren Rang zu geben. Ihnen mißt er große Bedeutung zu, sei es, daß er sie auffindet, sei es, daß er sie weckt, die Bereitschaft zur Selbstverleugnung, zum Selbstopfer, zur Hingabe, zur Aszese, zur Frömmigkeit. Den Tugenden der Frau zollt er seinen höchsten Tribut. Weniges kann der Tat der Mutter verglichen werden, die bereit ist, sich selbst zu opfern, um dem Kinde zum Leben zu verhelfen.

Sein Stil entspricht einer solchen Haltung zum Lebensganzen; man nennt ihn klassisch und vergleicht ihn am liebsten mit dem Goethes. Mit Recht. Er ist harmonisch und allem Eruptiven abgeneigt. Die Sätze schwingen rhythmisch aus. Kein Ausruf, keine rhetorische Frage. Die Spannweite seines Stils reicht von der anschauenden Konkretheit bis zur geistigen Durchdringung und Meditation. Sie ist frei von allen

Abstraktionen. Vielmehr ist Carossa ein Dichter des Auges, der Gestalten und der Farbe. Es gibt bei ihm keine verschwommenen Bilder, keine nebelhaften Zeichnungen, sondern feste Umrißlinien. Die klare Luft der Donaulandschaft, in der er zu Hause ist, mag daran ebensolchen Anteil haben wie seine italienische Abkunft.

Italien ist Carossas letztes Buch gewidmet. Die „Aufzeichnungen aus Italien" treten an die Stelle eines runden Italienbuches, das der Krieg unmöglich gemacht hat. Es handelt sich um Reiseeindrücke aus mehreren Jahren, die Hälfte aus der Zeit vor dem Kriege (doch nur eine liegt vor 1933), die andere berichtet von den Eindrücken während des Krieges. Es ist wie alles, was Carossa geschrieben hat, ein Buch der Andacht: Eindrücke, Betrachtungen, Dinge, Menschen und Geschichten gehen in die Verwandlungen eines großen Herzens ein. Wir sehen den Dichter in Verona, Padua, Ravenna, Rom, Florenz, auf dem Vesuv, auf Ischia und in Neapel. Überall begegnet ihm die Sonne Italiens, die mit magischer Kraft den Nordländer an sich zieht und die Erinnerungen des väterlichen Geschlechts in ihm wachruft. Wir treten in die Atmosphäre italienischer Gaststätten, Kirchen und Grüfte. Der Hauch der Geschichte umfängt uns überall – wo in Europa gibt es dergleichen mehr als hier? Die Natur zeigt sich allenthalben in ihrer Herrlichkeit: der Himmel, das Meer, die Berge. Wie immer entwickeln sich aus der lebendigen Anschauung die Meditationen. Die Unbegreiflichkeit des Bösen spielt in diesen Betrachtungen eine größere Rolle als in denen der früheren Werke. Auch der klarste Sinn wird dunkel, wenn er sich von den Schatten der Zeit umfangen läßt. „Von einem vulkanischen Beben weiß der Kern der Erdkugel nichts; es geschieht nur auf ihrer Haut, absichtslos, ist gleichsam ein Schauspiel im Schlaf: das Böse aber, das wir Menschen einander zufügen, das kommt aus unserem verfinsterten Herzen. Sollte wirklich unserem Jahrhundert die Bestimmung zufallen, daß wir die Rolle blind vernichtender Naturgewalten übernehmen und das Zerstörungswerk der Unterirdischen ergänzen und überbieten müssen[9]?" Es ist wahr: unabhängig von allem organischen Wachstum gibt es noch andere Mächte, die quer durch die Schöpfung ihr Wesen treiben.

Aber Carossa tut recht daran, auch angesichts der Vernichtungen den Glauben an den Sinn der Welt nicht zu verlieren. Die „Abendländische Elegie" (1943) am Ende des Bandes beschwört die Verhängnisse an den Stätten unserer Bildung. Dennoch erweckt der unzerstörbare Glaube an das Gute in ihm die Hoffnung auf eine neue Zeit und Trost in den Anfechtungen der Gegenwart. Am Gleichnis eines kleinen Schößlings, der wieder Wurzeln treibt, verdeutlicht er sich die alle Katastrophen überwindende Kraft des Lebens.

DIE CHRISTLICHE WELT

Von der bisher behandelten Dichtung unterscheidet sich die christliche durch die Einwurzelung in der christlichen Wirklichkeit. Der Grund, in dem sie ruht, ist anders, in einer unvergleichlichen Weise. Jede natürliche Wirklichkeitserkenntnis ist im Verhältnis zu den Offenbarungen nur ein schmaler Ausschnitt. Sie reicht so weit, wie Menschen zu dringen vermögen. Theologisch denken aber heißt, mit den Augen Gottes in die Welt sehen. Dem Gegenstand nach also hat die christliche Dichtung eine Weite und Tiefe vor sich, die unmeßbar ist, da sie nicht aus menschlichem Wissen kommt. Sie umfaßt den Glauben an einen Schöpfergott, der diese Welt aus dem Nichts ins Dasein gerufen und in sie die Spuren seines Geistes gegraben, an den Vatergott, der dem Menschen seine Züge eingeprägt hat, an den Erlösergott, der ihn trotz Sündenfall und Verderbnis an sich zieht und zum Heile beruft. Der Glaube an Christus steht in der Mitte der christlichen Dichtung. Sie sieht die Welt im Heilsplan Gottes, der sowohl das Dasein des einzelnen wie den Verlauf der Geschichte lenkt, und lebt daher in Kategorien, die dem rationalen Denken fremd, ja, nicht selten ärgerlich sind. Für sie ist das Erscheinen Gottes wie sein Fortleben unter den Menschen eine Realität wie seine Stiftungen, die Kirche und die Sakramente. Das Böse, das alle Schöpfung durchkreuzt, ist für sie ebenso furchtbar, wie für jeden nichtchristlichen Denker und Dichter. Sie weiß um Prüfung und Versagen der Menschen. Sie spricht keineswegs nur von der Ewigkeit, sondern von der Zeit und den Zeiten, worin allein die konkreten Aufgaben gestellt und erfüllt werden. Tod und Unsterblichkeit zeigen in christlicher Sicht ihr eigenes Gepräge. Die Kausalreihen des natürlichen Geschehens haben kein absolutes Recht; die Dichtung hebt sie auf durch den Einbruch der Gnade und des Wunders.

Die Objektivität der gottgeschaffenen Ordnung steht also in der christlichen Dichtung an erster Stelle; sie wird erkannt als ewiges Maß und Gesetz und unaufhörlich strömende Quelle aller Kraft. Christliche Dichtung ist von jeher vor allem ein Schauen und Preisen; im Lobgesang bietet sie ihr Größtes. Die Dichtung der Liturgie beweist es. Aber die christliche Wirklichkeit tritt an den Menschen nicht nur als Sein heran, sondern auch als Gebot und Forderung. Der Christ weiß sich immer auf dem Wege. Er ist ein labiles Wesen, zu Gott berufen und vom Teufel versucht, und muß sich entscheiden. Seine Verantwortung vor sich selbst ist um so größer, als keine Macht in der Welt ihn vor so endgültige und unwiderrufliche Entscheidungen stellt wie das Christentum. Der Mensch fühlt sich mehr in der Not als in der Herrlichkeit. Hinzu kommt, daß er sich seines Weges selten sicher ist; er schwankt in seinen Überzeugungen wie in seinen Entschlüssen. Der sich offenbarende Gott ist zugleich ein Deus absconditus.

In der christlichen Dichtung geht es also nicht nur um Lobpreis. In ihr begreift der Christ sich selbst und seine Stellung in der Ordnung der Welt. Sie spricht von dem Wechselverhältnis von Gott und Mensch, von dessen Größe und Last. Damit wird Objektives und Subjektives zueinander in Spannung gebracht. So richtig es ist, wenn heute gegen das Wuchern des psychologischen Elementes in der bisherigen Dichtung das Übergewicht der objektiven Mächte, ja, die Herrschaft Gottes über den Menschen als Gegenstand der Dichtung verlangt wird, so darf doch nicht übersehen werden, daß die Entscheidungen sich auf dem Felde des menschlichen Herzens vollziehen und die Gnade Gottes mit dem Willen des Menschen zusammentrifft.

Wo immer aber vom Menschen die Rede ist, wird von seinem Verhalten, seinen Kämpfen und seiner Freiheit zum Guten und zum Bösen gesprochen werden.

Die heutige Dichtung zeigt den Christen mehr als je in der Anspannung der Entscheidung. Vielleicht ist es erlaubt zu sagen, daß die apokalyptischen Stimmungen unserer Gegenwart erst in ihr in vollem Maße sichtbar werden. Was die Menschheit ahnt und die übrige Dichtung nur zögernd andeutet, wagt der christliche Dichter mutig auszusprechen: daß wir Teilnehmende an einem Kampf übernatürlicher Mächte sind, die sich unserer Kraft und unseres Willens bedienen. Wir fühlen die Verwandtschaft von Dürers Holzschnitten, der durch die Lüfte brausenden Reiter, des Geisterkampfes, des Christophorus, der den Knaben an das andere Ufer trägt. Dieser Kampf wird keineswegs nur für oder gegen, er wird vor allem mit uns geführt. Daher der große Ernst der Dichtung unserer Zeit, die den Menschen den Weg des Glaubens auch durch Labyrinthe finden läßt.

An der Hinordnung der Dichtung auf das Krisenbewußtsein der Zeit haben nicht alle Dichter gleichen Anteil. Verehrungswürdige Namen, vor allem der älteren Generation, werden nicht genannt. Es wurde schon gesagt, daß sie als Verdeutlicher der christlichen Kontinuität von unverlierbarer Bedeutung sind. Die hier Folgenden jedoch sind diejenigen, die klar und hart in die Krisis unserer Zeit hineinsprechen.

WERNER BERGENGRUEN

Offenbarmacher ewiger Ordnungen

Mit dem Namen Bergengruen verbinden sich seit langem bestimmte Vorstellungen, die diesem Manne unter den Bedeutenden unserer Zeit die eigene Note geben. Vor unseren Augen entfaltet sich ein ungewöhnlich fruchtbares Schaffen, das einer fast unbegrenzten Erfindungsgabe entspringt und in einer kaum noch übersehbaren Fülle von Romanen, Novellen und Gedichten seinen Ausdruck findet. Nach des Dichters eigenem Geständnis wird er einmal neben dem vielen Vollendeten eine große Menge halbfertigen und fragmentarischen Stoffes zurücklassen. Sein Blick umspannt eine ungewöhnliche Weite des Raumes: er versetzt uns mit seinen Erzählungen in alle Landschaften Europas, vom nördlichen Rußland bis in das südliche Italien, und ergreift selbst orientalische und jüdische Motive. Er ist ein Kenner der Zeiten: auf der Grundlage gewissenhafter Studien führt er seinen Leser nicht nur in ferne Jahrhunderte, sondern verdeutlicht ganze Geschichtsräume. Zugleich ist er ein Meister seiner schriftstellerischen Ausdrucksmittel, wie er im deutschen Schrifttum unserer Zeit nur wenige seinesgleichen hat.

Indessen ist die Weiträumigkeit seines Schaffens nichts weniger als Kennzeichen eines vorwiegend stofflichen Interesses, das sich die bunte Welt aneignete, sondern gibt in Wahrheit nur den Rahmen ab, in dem die große Zahl menschlicher Gestalten ihre Heimat hat. Denn das unausschöpfliche Thema Bergengruenscher Dichtung ist der Mensch, sowohl in der Vielheit seiner Ausdrucksformen, die ihn zum Gegenstand immerwährender Studien macht, wie auch in der Einmaligkeit seines Typus, wodurch er sich von aller Kreatur unterscheidet. Ihn aufzusuchen, darzustellen und zum Verständnis seiner selbst zu führen, durchstreift er die Länder der Welt und versenkt sich in seine Züge und in seine Taten, in Deutschland, am Eismeer und in Sizilien. Er entdeckt ihn in der Geschichte unter dem Einfluß der die Geister verwandelnden Zeiten. Um ihn zu erkennen, umgibt er sich mit einer Fülle von Gestalten aus vielen Berufen und Ständen, zeigt er ihn auf allen Stufen der Selbstverwirklichung. Wir finden in seinem Werk ungebrochene Naturmenschen und Komplizierte, Besessene und Begnadete, Sünder und Heilige. Er versucht, ihn in seinen vordergründigen Taten und in seinen hintergründigen Absichten zu begreifen. Trotz der Vielheit der Ansätze und Stoffe ist Bergengruens Werk wie aus *einem* Guß; eine aus der Tiefe heraus wirkende Kraft hält die vielgestaltige Dichtung zusammen und läßt sie als eine große, von *einem* zentralen Anliegen her gebildete Einheit erkennen.

Der Dichter sieht den Menschen mit den Augen des Christen. Durch die Ordnungslinien christlicher Anthropologie gewinnt sein Menschenbild den Charakter plastischer Tiefe und allseitiger Seinsoffenheit. In solcher Bestimmung liegt nicht so sehr die selbstgezogene Grenze für eine willkürliche, freischaffende Phantasie, sondern die Gewähr für die Erschließung und Berücksichtigung übernatürlicher Wirklichkeiten. So ist der Mensch der Bergengruenschen Erzählkunst keineswegs der Einsame, der uns aus der Dichtung der letzten Jahrzehnte mit zunehmender Trostlosigkeit entgegentritt, sondern in die Objektivität metaphysischer Bezüge gerückt. Die Wirklichkeitslehre des Christentums ist zurückgewonnen und wird vorausgesetzt. Damit tun sich von neuem die großen Spannungsfelder auf, in die der Mensch sich einbezogen weiß. Er ist ein Glied der gefallenen und selbst dämonisch besessenen Natur, aber zugleich, sofern er Christ ist, Gesegneter der sakramentalen Welt und – in jedem Fall – in der Hut Gottes und für ein ewiges Glück bestimmt. In dieser Spannung zwischen oben und unten liegt die tragische Situation des Menschen. Mit seiner Bevorzugung vor aller Schöpfung, sich sittlich frei entscheiden und über sich selbst bestimmen zu dürfen, ist seine unermeßliche Gefährdung verbunden: labil und unfest, wie er ist, hat der Mensch mit den Verlockungen des Bösen und dadurch mit dem Sturz in Schuld, ja, in den Abgrund zu rechnen.

Aus dem zeitgenössischen Leben und Denken treten uns ähnliche Themen in Fülle entgegen. Nichts aber klingt so verwandt wie Peter Wusts „Ungewißheit und Wagnis". Hier war von einem bedeutenden christlichen Philosophen das Ungesichertsein als eine zum Menschen wesentlich gehörige Erscheinung begriffen und durch die verschiedenen Stufen des Lebens hindurch verfolgt. Es sei dem Menschen eigentümlich, daß er sich in keinem Bereiche des Lebens jemals vollkommener Sicherheit erfreuen könne. Das Leben begegne uns wie eine Sphinx, undurchschaubar und unberechenbar; immer befinde sich der Mensch einem drohenden Fremden, einem unsichtbar Gefährlichen gegenüber. Bergengruens Werk aber ist die dichterische Bewältigung dieses Themas. Nicht der ungebrochen große Held, den wir so lange haben preisen hören, oder der strahlend Herrliche ist für ihn der Mensch der Wirklichkeit, sondern der in unaufhörlicher Bedrohung Lebende, der jeden Augenblick bereit sein muß, fremden Mächten Widerstand zu leisten, der stets Gefährdete, ja, scheinbar Preisgegebene und nicht selten Unterliegende. Und dennoch bietet ihm allein die Bedrohung die Gelegenheit zur Überwindung und zum Siege. In der Auseinandersetzung mit sich und mit der Welt gelangt er zu seiner höheren Bestimmung, nämlich in seiner Person das Heilige anschaubar zu machen.

Es liegt nahe, in dem Dichter eines solchen Menschenbildes dynamische Züge und den Hang zum Dramatischen zu vermuten. Wirklich hat der Dichter seinen ganz eigenen Stil. Bergengruen ist ein großer Erzähler, aber er ist es in einem anderen Sinne als die meisten Dichter unserer Zeit. Gemächlicher Fluß der Rede, epische Breite und Zustandsschilderung sind ebensowenig seine Sache wie gemütliches Plaudern und Phantasieren. Dörfler und Federer haben viel von einer solchen Gabe, Stifter war der große Meister dieser Erzählkunst. Bergengruens Werk eignet viel eher eine Nähe zum Drama (obgleich es kein Drama von ihm gibt). Bei aller Beharrlichkeit, Geduld und Vorsicht, wie er Schritt vor Schritt setzt, ist er doch den Gestalten seiner Werke immer dicht auf den Fersen und läßt sie nicht aus den Augen. Man wird kaum jemals eine Schilderung finden, die (wie so oft bei Stifter) um ihrer selbst willen dasteht, keine in sich selbst ruhende Schönheit, kein Verweilen in der Natur um ihretwillen. Bergengruens Interesse ist ganz wesentlich auf den Menschen gerichtet, auf sein Tun und Lassen, seine Heimlichkeiten und Hintergründigkeiten. Ihm ist er auf der Spur, er dringt in die Winkel seines Herzens ein, um die verborgenen Triebkräfte seines Handelns ausfindig zu machen, ihn ohne Maske zu sehen, ihm die Panzer abzunehmen, mit denen er sich zugleich schützt und unkenntlich macht. Er geht mit psychologischem Scharfsinn an seine Gestalten heran: er entwickelt nicht aus den Charakteren die

Handlung, sondern schließt umgekehrt aus den Handlungen auf die Charaktere und fügt dann, sich auf die Logik des Charakters stützend, Handlung auf Handlung. Aus kleinsten Geschehnissen können sich auf diese Weise reich entwickelte Gefüge entwickeln. Das vielschichtige Gebilde des Romans „Am Himmel wie auf Erden" geht in seinen letzten Ursprüngen auf eine wenige Zeilen umfassende Zeitungsnotiz zurück. Doch ist, wenn wir von wenigen Romanen absehen, nicht das szenisch Komplizierte, sondern das eng Umgrenzte Kennzeichen seiner Art. Der Dichter liebt es, in einen festen Bezirk einzuführen, innerhalb dessen Bereich die Kräfte geweckt und gegeneinander in Bewegung gesetzt werden. Dort stellt er die Menschen vor die Erprobung ihrer selbst. Er zwingt sie, ihr Innerstes zu verraten, indem er sie einer schweren, meist das Leben bedrohenden Gefährdung aussetzt. Er wirft sie durch einen unerwarteten Zwischenfall aus der Bahn, wodurch sie entweder überhaupt nicht mehr oder nur mit Mühe und nach Kämpfen wieder in die Mittellage zurückfinden. Nur bei einer ungewöhnlichen Beanspruchung seiner Kräfte vermag der Mensch zu erkennen, was er in Wahrheit ist und was er kann. Bergengruens Kunst haftet etwas von der Kunst des Baumeisters an. Er konstruiert sich seinen Schauplatz nach wohldurchdachtem, oft sehr strengem Plan, sei es das eng begrenzte Gebiet des italienischen Stadtstaates im „Großtyrannen", die kleine Stadt Trequerce (die das Milieu zweier Novellen abgibt) oder gar die enge Behausung des verstorbenen Falkenmeisters in der musterhaften Novelle „Die drei Falken" – und in leicht überschaubaren Räumen rollt das Geschehen wie auf einer Bühne das Drama ab. Bergengruen versteht sich selbst so, wenn er einmal schreibt: „.. Ich liebe solche auf einen Blick überschaubare Gemeinwesen, die von Mauern umschlossen sind, aber nach oben hin ins Unendliche sich öffnen und in kleinem Maßstabe die Welt abbilden, und es lockt mich immer wieder, auf äußerlich engem Raum aufwühlende, alles Leben erfassende Begebnisse geschehen zu lassen und Verwirrung und Reinigung nicht nur den einzelnen, sondern dem ganzen Organismus zuzusprechen."

So steht er kraft seiner Eigenart der Kunstform der Novelle am nächsten. Auch die meisten seiner wohlbekannten und vielerörterten „Romane" sind ihrer Kompositionsweise nach viel eher Großformen der Novelle. Dem Drama verwandt, stellt die Novelle den außergewöhnlichen Vorfall, das einmalige Ereignis dar. Die Begebenheit hat den Vorrang vor den Charakteren, sie ist vor dem Menschen da – dieser wird in sie hineingestellt und durch sie verdeutlicht, während im Roman umgekehrt die Linien der Entwicklung sich aus den Charakteren ergeben. Dem psychologisierenden Bildungs- und Erziehungsroman steht der Dichter nach Art und Wesen ebenso fern wie der epischen Schilderung. Er hat es mit merkwürdigen, seltsamen, ja, ungeheuerlichen Begebenheiten zu tun, deren Kräfte sich entladen. Der Bericht darüber ist die Erzählung der Novelle. Die Dynamik seiner Aussage, das Vorwärtstreibende im Flusse der Handlung erinnern oft an die Art Kleists, wenn man alles abrechnet, was diesen bis zur Erschöpfung seiner selbst trieb: die Maßlosigkeit seiner Spannungen, die Gewalt seiner Ausbrüche. Aber gemildert und durch christliches Maßhalten geläutert, finden wir bei Bergengruen ähnliche Züge: die Leidenschaft des Gedankens und des Gestaltens, die seine Erzählungen in einen stark gespannten Bogen bringt, die Unbedingtheit und Notwendigkeit des Berichteten, das strenge, lückenlose, in sich selbst logische Gefüge der Erzählung, die Problematik menschlichen Verhaltens in den auf sie zukommenden objektiven Gewalten.

In der Unterordnung des einzelnen Menschen unter das Objektive, wie sie im Bereiche der Novelle vollzogen wird, liegt denn auch eines der wesentlichen Kennzeichen für Bergengruens Schriftstellerei. Die Novelle wird zum Gefäß einer Erzählkunst, die am einzelnen Falle gültige Maße aufstellen will. Im Bereiche dieser Kunstform wird das Typische menschlicher Lebensformen offenbarer als im Roman. Es geht Bergengruen nicht um das Individuelle, sondern um das am Einzelfalle sichtbar werdende Verhalten des Menschen schlechthin. Es ist zu fragen, wie das zu denken ist. Bei Bergengruen zeigt das auf den Menschen zukommende Objektive seine Macht in einer ungewöhnlichen Beanspruchung seiner sittlichen Kräfte, es stellt den Menschen in einen Augenblick der Entscheidung. Die auf ihn einbrechenden Gewalten entreißen ihn dem gewohnten Gleichmaß des Lebens und verweisen ihn auf sich selbst. Damit er sich bewähre, muß er einmal und vielmals die Erprobung einer außerordentlichen Situation bestehen. Er wird gezwungen, auf die ihm bekannten Sicherungen zu verzichten und sich der im Dunkel auf ihn wartenden Gefahr stützenlos und schutzlos entgegenzustellen und ihr aus der eigenen Kraft Widerstand zu leisten. Wir werden in Grenzsituationen eingeführt, die entweder ein klares Ja und Nein oder sonst ein äußerstes Maß an Entscheidungskraft verlangen. Der Dichter liebt es, seine Gestalten in eine Lage zu versetzen, die ihnen nichts erspart. Das Leben bietet Stoff in Hülle und Fülle, Gefahren gibt es von innen und von außen, und oft zeigt es sich, daß sich das vermeintlich Starke vor sich selbst erniedrigt, während das Schwache große Gesinnung und die Tapferkeit zur Bewahrung und Verteidigung des Höchsten aufbringt.

Es gehört zu den bewunderungswürdigen Zügen des Dichters, daß er die Fähigkeit zu einer unendlichen Variierung dieses Themas besitzt, ohne Gefahr zu laufen, sich selbst zu erschöpfen. Das Leben gibt einen ewigen Anschauungsunterricht. Aus ihm kommen die unaufhörlichen Spannungen und Erregungen. „Schicksal" ist alles, was aus dem Dunklen und Undurchschaubaren auf uns zukommt und uns zur Abwehr und Verteidigung, Selbstbehauptung oder höherer Selbstverwirklichung aufruft. Plötzlich ist es da, aus irgendeinem Winkel des Daseins auftauchend oder hervorbrechend, und zwingt den Menschen zu Widerstand und zu Reaktionen. Es kann sich dartun als eine rein innere Macht: aus der Tiefe des eigenen, unbekannten Herzens brechen Leidenschaften jäh an die Oberfläche und bringen sorgsam gehütete Ordnungen in Gefahr. Es ist die Offenbarung eines Fremden und Gefährlichen in uns selbst, dem die Zügel des Maßhaltens auferlegt werden müssen. Es kann als eine aus der äußeren Welt auf uns zielende Bedrohung in Erscheinung treten und uns zu schnellen Entschlüssen und zur Gegenwehr zwingen. Der Dichter zeigt dabei, wie der Mensch in seiner jeweiligen Lebenssituation getroffen, hier die Verantwortung, dort der Lebenswillen geweckt wird, ein andermal unerwartet sich das Niedrige, Gemeine und Feige enthüllt. Was sich in tiefer Verborgenheit aufhält, wird manchmal zum Erschrecken offenbar. Festgefügte Verhältnisse werden brüchig; in der äußersten Zuspitzung der Gefahr, im Angesichte des Todes läßt der Mensch alle Masken fallen und zeigt sein Wesen unverhüllt. Natürlich teilt sich der Anstoß weiter mit; er ruft unter Umständen Ketten von Reaktionen hervor. Es gehört zur großen Kunst des Dichters, von einem Punkte aus eine kleine Welt in Spannungen zu versetzen.

Es ist eine uns in diesem Zusammenhange wesentlich berührende Frage, wie der Mensch in Bergengruens Erzählungen aussieht, wie er sich in den auf ihn zustoßenden Begebenheiten verhält, sei es, daß sie sich als Gefahren, Verlockungen, Gelegenheiten erweisen – eine weitgespannte Frage, die einen Überblick über Bergengruens Schaffen voraussetzt.

Schon in seinem Frühwerk, dem „Starost" (in der ersten Fassung, 1926, unter dem Titel „Das große Alkahest" veröffentlicht) treten wesentliche Züge seines späteren Schaffens in erstaunlicher Vollkommenheit zusammen. Es ist eine in vieler Hinsicht bewunderungswürdige Erzählung. Sie führt uns in ihrem zweiten Teil durch ganz Europa, aber das eigentliche Geschehen ist ganz innerlich und bewegt sich auf kleinem Raum. Schauplatz ist die Heimat des Dichters, das Baltenland, Grenzraum zweier Kulturen, von dem er trotz weiter Reisen, seinem lebenlangen Aufenthalt in Deutschland, seinem neuen Wohnort in der Schweiz und seiner offensichtlichen Vorliebe für Italien, nicht loskommt, wie auch manches aus seinem späteren Schrifttum zeigt. Die Menschen sind Träger osteuropäischer Gesinnungen und Haltungen: neben der dumpfen Naturgebundenheit des Herrenmenschen von Karp, der sich in unversöhnlichem Haß gegen das kurländische Herzogshaus Biron verhärtet, steht der komplizierte Przegorski, einesteils Intrigant und Betrüger, Zerstörer fester Ordnungen, andrerseits Halbmystiker und von gewisser religiöser Inbrunst erfüllt, die ihn aus dem Falschen und Unechten herausführen möchte, eine slavisch schillernde Natur, die mit dem Solve und Coagula des Alchimisten weniger bindet als auflöst und nicht nur im Mikrokosmos der Elemente, sondern auch in den Verhältnissen der Menschen die Kraft zur Sprengung fester Bindungen beweist. Die Zerstörung der festgefügten Welt des Starosten von Karp geschieht gleichwohl nicht von dieser Seite, sondern erfolgt durch den Abfall des Sohnes, der, weich und beeinflußbar wie die Mutter, bislang an das strenge Gesetz des Vaters gewöhnt war und sich von ihm auch mit der Nachbarstochter und Gutserbin Agathe von Torck hatte verloben lassen. Bei einem Aufenthalt in Mitau verfällt der Junge kurz vor der Hochzeit den Verführungskünsten der hübschen französischen Schauspielerin Suzon. Von diesem Augenblick an sind die alten Ordnungen preisgegeben. Er verfängt sich in immer größeren Verstrickungen, wird, ohne dessen selbst inne zu werden, Werkzeug der gegnerischen Politik und macht sich dadurch immer mehr die Rückkehr zu dem gefürchteten Vater unmöglich. Nach dem Taumel kommt die Ernüchterung. Er gerät in die äußerste Not, verläßt mit Suzon Petersburg, um in Frankreich irgendwie wieder festen Boden unter die Füße zu bekommen, wird jedoch von der Geliebten schon während der Überfahrt im Stich gelassen. Seine Spuren verlieren sich im Undeutlichen. Nach Jahren soll ein Matrose von sich behauptet haben, er sei der Sohn des alten Starosten.

Aber dieses Leben richtet nicht sich allein zugrunde, sondern zerstört eine ganze Gemeinschaftsordnung. Der alte Karp findet sich aus der tiefen Selbstsicherheit seines Daseins aufgescheucht und zur Entscheidung zwischen Preisgabe oder Rückholung des Ungetreuen aufgerufen. Der Gedanke an Vernichtung oder Rettung seines Geschlechtes steht dabei mit auf dem Spiele. Er tut das Letztere, indem er sich dazu der Botschaft des betrügerischen Przegorski bedient. Vergeblich, da der Sohn sich der Möglichkeit der Versöhnung entzieht: im Augenblick der Entscheidung verfällt er dem raffinierten Sinneszauber der Geliebten. Zwar verbietet der Starost danach weitere Bemühungen, bleibt aber in der Tiefe verwundet. Noch einmal, nach Jahren, sendet er den Gaukler nach ihm aus, der den Alten mit einer falschen Botschaft narrt, um schnell an viel Geld zu kommen. Auf die Nachricht, der Sohn habe sich endgültig von ihm abgewandt, kehrt der

Vater in die Ruhe seiner Einsamkeit ein, aber es ist doch nichts mehr als leere Form, was früher einmal echte Gestalt gewesen ist.

Nicht nur er, die Welt um ihn herum hat sich gewandelt. Die Mutter ist an dem Sohn zugrunde gegangen, der Schwiegervater hat sich durch neue Heirat die Erbfolge gesichert. Nur eine geht aus den Zusammenbrüchen groß hervor: die von dem Geliebten wie von ihrem Vater verlassene Agathe von Torck. Sie allein vermag es, sich fest in die Hand zu bekommen und ein neues Leben auf selbstgeschaffener Grundlage aufzubauen.

So heftig der Anstoß auch ist, dem sich der heimatliche Umkreis durch das erotische Abenteuer des jungen Karp ausgesetzt sieht, so soll dadurch doch ersichtlich werden, wie leicht verletzlich unsere Welt ist. Sie ist in latenter Unruhe. Es bedarf oft nicht mehr als eines kleinen Anlasses, um starke Fernwirkungen zu erzielen, ja, die im Verborgenen wirkenden Spannungen in heftige Schwingungen zu versetzen. Überall gibt es dunkle Kräfte, die durch die mühsam aufgebauten Dämme in die Bereiche der Ordnung einzubrechen suchen. Der Aufstand erotischer Leidenschaft begegnet uns dabei in Bergengruens Romanen nicht sehr oft; selbst im „Starost" haben wir es mehr mit einem verhängnisvollen Spiel als mit durchbrechenden Gewalten zu tun. Wohl aber umkreist sein Denken eine andere Zone menschlicher Verlockungen: den Glanz der Macht und des Herrschertums. Sie tritt uns besonders in den beiden Romanen „Herzog Karl der Kühne" und „Der Großtyrann und das Gericht" gegenüber.

Der erstere behandelt Auftrag und Verlockung der geschichtlichen Stunde. Im Mittelpunkt steht der machtgierige Herzog, besessen von der Idee eines großburgundischen Reiches, das von der Nordsee bis zum Mittelmeer reichen soll. Er sucht sein Ziel hartnäckig und zugleich ungestüm durch eine kluge Hauspolitik zu erreichen, indem er die Verlobung seiner Tochter mit dem Erzherzog Maximilian von Habsburg betreibt. Sein Hintergedanke ist es dabei, vom Österreicher zu erreichen, daß er ihm den Platz als römischer König einräumt. Er findet in Friedrich III. seinen Gegenspieler, der, ganz im Gegensatz zu ihm, unkriegerisch und zögernd den allem Geschehen einwohnenden Gesetzen vertraut und nichts beschleunigt, was Zeit zur Reife haben muß. Währenddessen ist in seinem Rücken Ludwig XI. von Frankreich unablässig damit beschäftigt, ihm zu schaden. Karl, unersättlich in seinem Machtstreben, begibt sich im Vertrauen auf das Glück der Schlachten auf die Straßen des Krieges, gerät aber in Bedrängnis angesichts der empörten Gegnerschaft auf allen Seiten. Er wird bei Granson und Murten von den Schweizern, die er zu gering eingeschätzt hatte, geschlagen und verliert ein Jahr darauf bei Nancy das Leben. Die Hybris richtet sich selbst zugrunde. Die Verlobung der beiden Kinder kommt gleichwohl noch vor seinem Tode zustande, aber sie sollte nicht ihm den erhofften Zuwachs an Macht bringen, sondern der habsburgischen Krone.

Ohne geschichtlichen Bezug, aber Stück für Stück von unmittelbar existentieller Bedeutung ist dann die bekannte Erzählung vom „Großtyrannen". Das Thema der allseitigen und allumfassenden Bedrohung, der die Menschen ausgesetzt sind, von innen und von außen, die Wirkung der Gefährdung, der Verlockung und der Verführung: dies alles ist Gegenstand einer durch alle Stufen des menschlichen Herzens führenden bedeutenden Erzählung. Der Gewaltherrscher eines kleinen italienischen Stadtstaates bringt die Bevölkerung dadurch in schwere Unruhe, daß er die Entdeckung des Mörders eines – wie sich später herausstellt – von ihm selbst getöteten ungetreuen Botschafters verlangt. Ein solches Verlangen erwächst aus der gefähr-

lichen Verbindung von unerlaubtem Herrschaftswahn, der sich
der Macht über die Gewissen versichert, mit dem Bewußtsein tiefer Unsicherheit und Umdrohtheit, das alle Mittel gewinnen will, um die quälende Unruhe zu bannen. Die aus der
Tyrannei eines solchen Alleinherrschers entspringende Schutz-
und Rechtlosigkeit für jedermann ist furchtbar: er verpflichtet den Vorsteher seiner Sicherheitsbehörde Nespoli, ihm den
Mörder bis zu einem bestimmten Termin namhaft zu machen,
unter Androhung des Todes. Der Druck setzt sich über Nespoli hinaus zunächst geradlinig, dann nach allen Seiten fort.
Um sich vor Bedrohungen und Verdächtigungen zu schützen,
nehmen die Befragten ihre Zuflucht zu Lügen und zu Erfindungen, belasten sich und andere, Lebende und Tote, sei
es gutherzig oder auch bösen Sinnes, bis sie sich alle in einem
unentwirrbaren Knäuel von Widersprüchen befinden. Der
Großtyrann, der die wachsende Unruhe mit kaltem Wissen
beobachtet, kennt Mittel genug, um die Sache in Gang zu
halten. In einer Schlußszene zieht der Gewaltherrscher die
letzte Folgerung aus allem Geschehen: wie leicht ist es, Menschen zu Fall zu bringen! Aber der größte Vorwurf trifft
doch ihn selbst – der Geistliche des Ortes, Don Lucca, der,
keineswegs unversucht, dem Großtyrannen als einziger Widerstand geleistet hatte, als dieser ihn zur Preisgabe des Beicht-
geheimnisses veranlassen wollte, spricht es aus: weit schlimmer als alles, was geschehen ist, war das Bemühen des Herr-
schers, sich in die Rolle der göttlichen Allmacht und All-
wissenheit zu begeben und die unantastbare Würde des Menschen aus Eigennutz und Hochmut zerstören zu wollen. Der
Großtyrann erkennt seine Schuld. So spricht er seine Absicht
aus, ein neues Leben zu beginnen und in Verbindung mit
seinen Bürgern einen neuen Staat zu begründen, in dem die
Tugenden des öffentlichen Lebens herrschen sollen.

In dem großen Roman „Am Himmel wie auf Erden" ist
die Ursache einer die ganze Bevölkerung ergreifenden Angst
die plötzliche Bedrohung durch eine Wasserflut, die nach gewissen Zeichen am Heinrichstage erwartet wird. Der Kurfürst Joachim von Brandenburg sieht sich vor die Aufgabe
gestellt, die drohende Gefahr zu verheimlichen und Ruhe und
Ordnung aufrechtzuerhalten, wenn nicht anders möglich,
durch harte Maßnahmen und einengende Gesetze. Er zieht
seinen jungen, ihm treu ergebenen Kammerjunker Ellnhofen
in sein Vertrauen, um mit seiner Hilfe etwa eintretende Verwirrungen zu überwinden. Dieser aber ist der erste, der in einer menschlich so verständlichen Weise versagt: in Erwartung des kurfürstlichen Verbotes, den Umkreis der Stadt zu
verlassen, bringt er seine Braut in Sicherheit, ohne ihr den
Grund des plötzlichen Aufbruchs zu verraten. Der Kurfürst,
im Innersten verletzt, entschließt sich nach langem Kampfe,
den Jungen um der Gerechtigkeit willen zum Tode zu verurteilen. Am Tage der Hinrichtung findet die Trauung statt,
die jungfräuliche Braut zieht sich ins Kloster zurück.

Aber das Geheimnis läßt sich nicht dauernd bewahren.
Man munkelt überall von dem kommenden Schrecken. Die
Furcht ergreift bald die ganze Stadt und kann durch kein Gesetz eingedämmt werden; sie macht die Verantwortlichen und
die Gutwilligen ratlos und entfesselt die Leidenschaften der
Gemeinen und der Kranken. Selbst der Kurfürst vermag sich
der allgemeinen Anfechtung nicht zu entziehen: angesichts
des unmittelbar bevorstehenden Unglücks läßt er sich von
seinem Hofmeister bestimmen, den nahe gelegenen Kreuz-
berg aufzusuchen, findet aber zurück und besteht den Tag in
Ehren. Nur Carion, der Astronom, wird Herr über alle aus
diesen Schrecken entspringende Furcht, aber in dem Augenblick, als er sich über diese *eine*, doch nur eine kurze Zeit-

spanne bedrückende Sorge erhebt, wirft ihm ein Aussätziger seinen Handschuh ins Gesicht: er wird nun ein Leben lang unter einer viel furchtbareren Sorge stehen müssen, ob nämlich auch er eines Tages dem Schreckensheer der Aussätzigen, die im Weichbild der Stadt ihr grausiges Asyl haben, zugeteilt werden muß. Die Gewalten des Himmels toben sich aus. Zwar gehen die Städte Berlin und Kölln nicht unter. Aber die Zeichen am Himmel waren zur Prüfung für die Bewohner auf Erden eingesetzt, haben diese dem Gleichmaß des Lebens entrissen und plötzlich vor letzte Entscheidungen gestellt. Was sich in der Tiefe an echtem Golde verbarg, ist in langem, schmerzlichem Prozeß herausgeläutert worden; was sich als Unrat abgesetzt hatte, wurde aufgewühlt und trübte das ganze Bild.

Ziehen wir aus all dem die Schlußfolgerungen! Das Wesentliche ist zunächst die Einsicht in die Ungesichertheit menschlichen Seins und Tuns. Der Mensch ist leicht anzugreifen, zu verletzen und zu stürzen. Von innen und außen kommen gefährliche Mächte an ihn heran. Er ist vom eigenen Grunde her schwer bedroht; er kann von außen her leicht überwältigt werden. Er muß sich beidem, dem Innen und Außen, stellen und zeigen, was er vermag. Die Welt ist in einem tiefen Sinne zwiespältig; es ist die Aufgabe des Menschen, zu sehen, wie er sich durchkämpfe zur „ungehälfteten" Einheit.

Wie antwortet der Mensch auf die Bedrohung? Durch Erschrecken und Furcht. Es ist das beklemmende Gefühl, das jedermann beschleicht, der etwas Dunkles, Unfaßbares auf sich zukommen sieht oder fühlt. Die Grade dieser Furcht sind verschieden je nach dem Bereiche, der bedroht ist. Es ist nicht dasselbe, ob es sich um die Aufdeckung menschlicher Unzulänglichkeit, um Einbuße an Ehrungen, um Verlust des Besitzes oder um die Ankündigung des Todes handelt.

Die augenblickliche Gegenwehr gegen die Bedrohung aber ist der Versuch, sich zu sichern. Der Mensch ist auf das entschlossenste darauf bedacht, die Verhängnisse abzuwehren. Wie seine Antwort sein wird, das hängt nicht nur von der Art der Bedrohung ab, sondern auch von der Lebenslage, in der er sich befindet, sowie von der Gesamtheit seines Charakters. Neben allen erlaubten Mitteln bieten sich auch die unerlaubten an. Die Versuchung stellt sich ein, sich der drohenden Gefahr unter allen Umständen zu entziehen. Sie fragt nicht danach, ob die Wege, die sie beschreiten heißt, verboten sind. An Nespoli, Diomede und Vittoria (im „Großtyrannen") läßt sich ebenso wie am Kurfürsten, an Carion und Ellnhofen („Am Himmel wie auf Erden") studieren, aus welchen besonderen Umständen die Versuchungen entspringen, in welcher Richtung und mit welcher Intensität sie sich bewegen. Sie sind die unmittelbaren Folgen von Furcht und Angst.

Aus der Nachgiebigkeit gegenüber der Versuchung erwächst die Schuld. Wir stoßen auf sie in Bergengruens Erzählungen in allen Schattierungen. Es gibt leichtfertige Frevler, aber es finden sich auch viele Menschen, denen selbst ein großes Vergehen nachgesehen werden muß. Manche handeln in einer äußersten Anspannung der Kräfte, wobei selbst starke Naturen unterliegen. Der Mensch steht seinem Wesen nach im Kraftfeld der Sünde.

Bedrohungen und Versuchungen bedeuten jedoch nicht nur für den Menschen, daß er sich seiner Anfälligkeit in Richtung auf das Böse bewußt wird, sondern sind zugleich Anruf und Aufforderung zur Entfaltung und Bewährung seiner sittlichen Kräfte. Es gehört zur Funktion des Übels und des Bösen in der Welt, daß das Gute sich dadurch herausgefordert fühlt und in der kämpfenden Auseinandersetzung mit ihm verwirklicht. Das Erlebnis der Versuchung und selbst der Schuld

ist Stätte der sittlichen Läuterung. In der Überwindung aller
Ängste wie aller anderen Schwächen, aus denen die Verfehlungen entspringen, zeigt sich die Größe des Menschen.
Erst in der Versuchung vermag sich der Mensch zu bewähren. Darum sehen wir die Menschen in Bergengruens Erzählungen immer wieder aufgestört, aus ihrer Ruhe aufgejagt,
dem Zugriff aus dem Dunkel ausgesetzt. Er zerbricht die
naturhafteste Festigkeit durch Ereignisse, die auch die härtesten Fugen zersprengen. Die großen Menschen in seinen
Romanen aber sind die Überwinder, Carion, Don Lucca und
Agathe, und auch auf alle, die in Schuld und Sühne die Gerechtigkeit anerkennen, fällt ein Strahl der Versöhnung.

Der Freund von Bergengruens Dichtung mag zweifelhaft
sein, wem er den Vorzug geben soll, den großen oder den
kleinen Formen seiner Erzählkunst, zumal zwischen den beiden keine Gattungsschranken aufgerichtet sind und in allem
die unverkennbare Hand des Dichters wirkt. Die Neigung
des Dichters jedoch scheint, je mehr er sich von seinen Anfängen entfernt, sich dem zuzuwenden, was man im strenge-
ren Sinne des Wortes „Novelle" nennt; auch kritische Bemerkungen zum eigenen Schaffen deuten darauf hin. Zwar
begleiten ihn seine kürzeren Erzählungen das Leben hindurch
und reihen sich aneinander wie die Glieder einer schönen
Kette. Aber sie mehren sich, so scheint es, in den letzten Jahren und erhalten einen größeren Glanz. Auch lassen sich gewisse Entwicklungslinien seines dichterischen Schaffens erkennen; je älter er wird, um so mehr vermeidet er alles Ge-
pränge, jede nur schmückende Zutat, arbeitet er mit den spar-
samsten, die Sache erhellenden Mitteln. Die kurze Form der
Novelle kommt diesem Bemühen am meisten entgegen: ihre
Handlung schlingt sich um einen einzigen Kern, sie gibt der
phantastischen Ausschmückung nur wenig Spielraum, son-

dern hat ihr Leben aus der Notwendigkeit des Geschehens selbst. Umfaßt man das große und weitverstreute Werk so gut wie möglich mit einem Blick, so ergibt sich eine Fülle von Welt: Gegenstände von überall her und aus allen Bereichen. Wo immer dem Dichter „Begebnisse" entgegentreten, die an den Menschen ihre Anforderungen stellen, können sie ihm zum Material dichterischen Schaffens werden. Sie bauen sich auf der geschichtlichen Anekdote oder einem kurzen Bericht auf; wir finden zahlreiche Züge aus der Legende, dem Märchen und dem Naturmythos. Die niemals ruhende Erfindungsgabe des Dichters schafft sich selbst eine Fülle kleiner Bezirke und richtet sie für seine Gestalten ein. Die Motive seiner großen Werke wiederholen sich, wenn er außerordentliche Situationen schafft und ungewöhnliche Bewährungen verlangt. Die Dynamik und Dramatik seines Stils wird um so sichtbarer, je weniger der Blick vom Handlungskern abgelenkt wird. In der frühen Erzählung „Schimmelreuter hat mich gossen" und erst recht in der klassisch gefügten Novelle von den „Drei Falken" sind äußerste Spannungen eingefangen. In der Komposition zeigt sich immer größere Meisterschaft: mit dem geringsten Aufwand, oft mit wenigen Sätzen der Einleitung, ist er bereits mitten im Geschehen (besonders auffällig im „Goldenen Tischfuß", in der „Verheißung", im „Sternenstand", aber auch in der Erzählung „Das Feuerzeichen"). Wieder fühlt man sich an Kleist erinnert. Die Problematik des Geschehens wird hergestellt durch eine einfache, kunstvolle, aber ganz ungekünstelte Verschlingung – oft ein besonders eindrucksvoller Beweis für die Souveränität, mit der er seine kleine Welt bewegt. Die Motive sind mannigfaltig, die Menschen zeigen sich von allen Seiten. Der Dichter läßt die verborgenen Züge seiner Gestalten sichtbar werden: das unter der Narrheit verschüttete Edle, die große Leidenschaft, die Grausamkeit, alle menschliche Unbegreiflichkeit. Der ewige Kreislauf von Sündenfall, Buße und Vergebung ist eines seiner immerwährenden Motive. Seine Novellenkunst schließt das christliche Geheimnis ein; in vielen seiner Erzählungen ist unmittelbar spürbar, daß die auf allen Seiten festumgrenzte Welt nach oben offen ist: was andere das Sittengesetz nennen, ist in Wahrheit Gottes Gebot. Gnade und Erlösung sind festgeglaubte Bereiche der Wirklichkeit; wir sind vom Wunder umgeben, und wo wir selbst zu gehen glauben, hat uns Gott fest an der Hand.

Die zuletzt erschienenen Werke zeigen den Dichter in seiner ganzen Vielseitigkeit. Die Erzählung „Pelageja" berichtet in kunstvoller Komposition von der Fahrt einer russischen Expedition, in deren Mitte eine Frau steht – eine abenteuerliche Welt, wie sie in Bergengruens Schrifttum selten zu finden ist, und doch wie menschlich; Pelageja bleibt bei den Primitiven und Naturhaften, die sie mit der ihr gebührenden Ehre beschenken und ihre Frauenwürde achten. Die Sammlung „Sternenstand" zeigt den klugen und heiteren Weltbetrachter, der seine Gestalten unter dem hellsten Himmel, dem Italien im Zeitalter der Renaissance, sammelt und mit einem verstohlenen Blick auf die Kunst Boccacios zeigt, daß man unser armes Leben nicht immer mit den schwersten Gewichten belasten, sondern auch einmal mit leichten Zügeln regieren soll, wie denn überhaupt der Ernst Bergengruenscher Lebensbetrachtung keineswegs erdrückend ist - über seinem ganzen Werk ist ein feiner, alle unnötigen Schwierigkeiten auflösender Humor ausgebreitet. Die Sammlung „Die Sultansrose" enthält vorwiegend religiöse Erzählungen, der Dichter bedient sich hier mit besonderem Glück der Legende oder legendenartiger Gebilde und macht durch sie die Welt der Geheimnisse sichtbar.

So ergeben sich letzte Aussageweisen, in denen man sich Bergengruens Gesamtwerk überhöht denken mag. Der Roman „Am Himmel wie auf Erden" hat das Motto: „Fürchtet euch nicht!" Alle menschliche Angst muß ihre Grenze finden in der Gewißheit göttlicher Vorsehung. Im „Großtyrann" findet sich der Satz: „Discite, mortales, nil pluriformius amore", nichts ist vielfältiger als die Liebe, die doch nur Abglanz der ewigen Liebe ist. In dem jüngsten Roman, „Das Feuerzeichen", muß der in einer widerspruchsvollen Welt verzweifelt nach Recht suchende Gastwirt Hahn von einer klugen und doch so einfach denkenden Frau erfahren, daß das Höchste, was es auf Erden gibt, die Gnade ist, Widerschein der göttlichen Gnade, die das Sündige auslöscht, und der Roman „Der goldene Griffel", der ein wild umhergeworfenes, an den Verworrenheiten der allgemeinen Verhältnisse schuldig gewordenes Leben behandelt, endigt mit den Worten, die alles Menschenschicksal trostvoll bezeichnen: „Er wurde geboren, fiel in Schuld, überantwortete sich der Gnade."

Bergengruens Verse gehören zur schönsten Lyrik unserer Zeit. Vieles davon dürfte dauernder Besitz unseres Volkes werden. In ihnen spricht sich vor allem die religiöse Erschütterung des Dichters aus, die innerste Erfahrung der unausschöpflichen Wahrheiten der christlichen Heilslehre. Er umkreist das Gottgeheimnis der Welt, das Bewußtsein des gefährdeten oder gefallenen Menschen, seine unaufhebbare Daseinsunruhe in seinem Zwischenreiche, das mit so vielen Gewichten nach unten gezogen wird und doch niemals aus den Händen Gottes fällt. Das Glück des Christseins gibt seinen Gedichten einen alles Dunkel überwindenden hellen Klang. Obgleich der Schmerz nicht weggeleugnet werden kann, den die Erfahrung menschlicher Begrenzung, Ungesichertheit und Sündhaftigkeit zur Folge hat: das Christentum ist eine Religion der Tröstungen. Die Furcht vor den dunklen, unbekannten Mächten, denen der Mensch sich verfallen glaubt, wird aufgehoben angesichts der Gewißheit, daß es kein Schicksal gibt, das außerhalb des Willens Gottes stände. In seiner Lyrik tritt uns Bergengruen als ein großer, nach dieser Richtung vielleicht noch nicht genügend bekannter Dichter christlichen Seins gegenüber. Die Höhe seiner Erzählkunst wird von niemandem bestritten. Die Macht seiner lyrischen Aussage aber führt ihn in die erste Linie zusammen mit den großen Begabungen unserer Zeit. Was auch immer er sagt, sei es im kleinen Gedicht, sei es in der hymnischen Form, es ist bedeutend und machtvoll, Ausdruck eines zu innerst ergriffenen Menschen, dem sich alle Bitterkeiten, alle Enttäuschungen und Klagen zuletzt verwandeln zu „nichts als Lobgesang".

Es versteht sich von selbst, daß ein Dichter mit solchem Eigengepräge sich und seine Sendung begreifen will. Die Hinordnung auf das Objektive schützt ihn davor, den Beruf des Dichters romantisch zu sehen. Auch die Rolle des Poeten will seinsgerecht beurteilt sein. Bergengruens Auffassung ist demütig und zugleich groß. Demütig: denn eine Kluft trennt ihn von der Anmaßung jener, die die Aussageweisen des Dichters mit denen des Propheten, des Priesters oder sogar des Religionsbegründers verwechseln und alles miteinander zu einer Einheit verbinden wollen. Aber er schaut und verkündet die Herrlichkeit der Schöpfung, er lobpreist ihre Ordnung. Bergengruen findet für den Beruf des Dichters die zugleich bescheidenste und selbstbewußteste Formulierung: „Der Dichter soll weder lehren noch predigen. Ja, vielleicht ist sein Amt nicht einmal das eines Verkündigers. Sondern es ist das Amt eines Sichtbarmachers ewiger Ordnungen." Es ist etwas Ähnliches, wie wenn Carossa vom Dichter sagt, er solle

„sehen, was ist". Fernab von aller Selbstgerechtigkeit und allem Hochmut beugt sich der Dichter vor der Objektivität der Dinge. In ihnen erkennt er die Schöpfungstat Gottes, der ihnen ihr Eigensein gegeben hat. Auch sie sind Mittler zwischen Gott und uns. „Dichtend reden wir über die Dinge. Aber der große Dichter wäre der, der ihnen selber Stimme gäbe."

Aber der Dichter kann doch mehr als alle anderen Menschen. Er ist die „Stimme des nach Äußerung verlangenden menschlichen Herzens". Dieses aber steht nicht nur im Bereiche der Ordnungen, sondern auch der Unordnungen. Es hat Anteil am Bösen, und auch die Dichtung lebt von den Verwirrungen der Welt. Als Spiegelung menschlicher Art, die ihrer Bestimmung nach sich in unaufhörlichen Auseinandersetzungen befindet und zwischen Gut und Böse, Erlösung und neuem Sündenfall hin und her geworfen wird, gehören die dunklen Mächte zu ihren bewegenden Kräften. Aber wir sind den heilbringenden Mächten, der Dichter betont es ausdrücklich, mehr geöffnet. Und so kann es die oberste Bestimmung des Dichters werden, die „Kluft zwischen Himmel und Erde" zu schließen.

Beobachtungen an der Sprache des Dichters, an sich die erste Voraussetzung zur Erschließung des dichterischen Kunstwerks, müssen hier unterbleiben. Sie würden das früher Gesagte erst eigentlich erhellen können. Der Wandel der Sprachform von den ersten zu den späteren Veröffentlichungen würde offenbar machen, wieviel an sachlichem Gewinn durch Ausmerzung jeglicher Willkür im Ausdruck erreicht wird. Mit der Zeit wurde Bergengruen immer empfindlicher gegen jedes bloß tönende Wort, das ihm eine Sünde wider die Wahrheit und Lauterkeit ist. Die Sprache der Dichtung soll nichts als die Dinge erfassen. Dichtung ist immer Aussage auf der

Grenze. Es ist die Aussage der Notwendigkeit: jedes Wort zuviel oder zuwenig, darüber oder darunter verdirbt ihren Charakter. Hier aber beginnen erst die Schwierigkeiten der Unterscheidung. „Das biblische Diktum, daß wir am Jüngsten Tage von jedem unnützen Wort werden Rechenschaft geben müssen, läßt sich in einem abgewandelten Sinne als auf den Dichter gemünzt empfinden. Hier liegt unsere große Gefahr, hier die ständige Versuchung unserer Bequemlichkeit. Aber wie schwer ist es, das überflüssige Wort vom notwendigen zu unterscheiden, und wie viele Jahre habe ich gebraucht, um auch nur zu erkennen, daß hier Gefahren, Versuchungen, Verantwortungen sind! Der Pfuscher, und ein solcher bin ich lange Zeit gewesen, läßt sich vom Stimmungsgehalt eines Wortes statt von seiner Präzision veranlassen, nach ihm zu greifen. So liebte ich es, Synonyma aufeinanderzutürmen. Ich wußte nicht, daß eine Sache – und sollte selbst eine sogenannte Nuance darüber verlorengehen – mit einem einzigen richtig sitzenden Attribut besser gekennzeichnet wird als mit fünf ungefähren; denn diese summieren sich ja nicht, sondern verwischen einander."

Der Dichter, dem die Sprache das geliebte Mittel zur Seinserfassung ist, macht gleichwohl im täglichen Umgang mit ihr seltsame und erregende Erfahrungen. In demselben Augenblick, wo er sich mit ihr einläßt, ist er ihrem Gesetz verfallen. Das Verhältnis kehrt sich um: in demselben Maße, wie er die Sprache handhabt, handhabt sie ihn. Jede individuelle Aussage bedient sich eines überindividuellen Aussagemittels. So kommt es, daß die Sprache weiter führt, als er selbst beabsichtigte, klüger ist als der Sprecher; daß im dichterischen Prozeß Dinge ausgesagt werden, „die weit über das seelische Vermögen des Aussagers hinausgehen können".

Zu den beiden Grunderfahrungen des Dichters über das

Verhältnis von Wort und Sache sowie den überindividuellen
Charakter der Sprache tritt die dritte: die von ihren Grenzen.
Die Dinge selbst liegen jenseits der Sprache. Die Bemühung
der Sprache zur Erfassung der Welt hat doch nur eine ungefähre Annäherung zur Folge. „Alles Dichten gleicht einem
Gespräch, das man in einer fremden und nur höchst notdürf-
tig beherrschten Sprache führt. Man sagt nicht das, was man
sagen möchte und müßte, sondern nur das Wenige, das auszudrücken man gerade noch die Fähigkeit hat. Das Eigentliche bleibt ungesagt und geht bis ans Ende mit dem Leben
des Dichters als ein unablässiges Insuffizienzbewußtsein mit."
Es gibt ein intuitives Innewerden der Dinge jenseits der
Sprache. Es ist dieselbe Erfahrung, die viele Dichter gemacht
haben. „Aufgabe des Dichters ist das Laut- und Offenbar-
machen. Aber ich liebe das Schweigen, die Verborgenheit und
den heiligen Nepomuk." Und dies ist die Stelle, wo der Dichter seine eigenen Grenzen erreicht und im Schweigen die
wortlose Schau des Mystikers erfährt.

ELISABETH LANGGÄSSER

Die Elemente und der Logos

Steht im Werke Werner Bergengruens im Vordergrund der Mensch, der im Wagnis die Antwort gibt auf die ihm entgegentretende Bedrohung und sich – in jedem Falle – aufgerufen weiß, das ihn Bedrängende zu bestehen, so gewinnen wir durch die Dichtung der Elisabeth Langgässer einen neuen Aspekt: ihre Welt sind die großen Gegenmächte des Menschen, denen er sich in Heil und Unheil ausgeliefert sieht, ein kleines Wesen im Spiel übernatürlicher Kräfte, des Guten und des Bösen, des Heiligenden und des Zerstörerischen, des Beseligenden und des Verdammenden, und weil sie nicht die bloß ungefähre Sprache der Immanentisten liebt, müssen wir es mit ihr genauer sagen: es geht ihr um den Kampf zwischen Gott und Teufel. Ihrem Werk haftet etwas von der auf das äußerste zugespitzten Sehweise von Goethes Faust an: der Mensch wird in schlechthin letzte Ordnungen eingefügt, sein Schicksal aus der letzten Perspektive betrachtet, sein Leben zum Schlachtfeld göttlicher und dämonischer Mächte gemacht, und wo immer sich Zwischenthemen einzuschalten scheinen, sind auch diese doch wieder in die letzten Bezüge eingeordnet. Auf diese Weise gewinnt ihr Werk größte Dynamik, die Spannungen können gar nicht größer gedacht werden, die Dichterin bewegt sich fortwährend an der Grenze,

es gibt im gegenwärtigen deutschen Schrifttum kaum eine
Gestalterin, die sich so weit von der ruhigen und in sich selbst
gesicherten Mitte wegbewegte und dauernd in dieser gar nicht
beschreiblichen Lage verharrte, ein in ihrer Art staunens-
wertes Phänomen, dem man oft mit Bangen zusieht. Dies um so
mehr, als sich die Dichterin – nach ihrem schriftstellerischen
Werk zu urteilen – kein Verweilen oder Ausruhen im Bereich
des Heiligen oder Beseligenden gestattet, kein Versinken und
Sichfallenlassen kennt, sondern in einem ebenso erstaunlichen
wie erschreckenden Maße den tellurischen Kräften zugewandt
ist, in der Anschauung, Darstellung und Gestaltung des Dämonischen ihre eigentliche Kraft besitzt und in der uner-
schrockenen Sichtbarmachung der dunkelsten Realitäten der
Schöpfung den Ansatz zu ihrer Bannung und Überwindung
sieht. Wer sich ihr Werk vorurteilslos zu eigen macht: den
„Gang durch das Ried“, das, „Triptychon des Teufels“, das
„Unauslöschliche Siegel“, die Torso-Geschichten und ihre Gedichte –gewinnt den sicheren Eindruck, daß eine große schrift-
stellerische Begabung in keiner Weise um etwa eines artistischen
Effektes willen eine dumpf genährte Phantasie spielen läßt,
sondern vielmehr in der Tat durch Höllenreiche geführt worden ist, deren Furchtbarkeiten längst nicht jedem offenbar
werden. Dieses Furchtbare, das sie in äußerster Verdichtung
für die deutsche Literatur geradezu wiedergewinnt, erhält bei
ihr Gestalt in der Person des Satans, der nun aus seiner Ver-
harmlosung als der „arme“ oder der „dumme“ Teufel endgültig heraustritt und als das Urbild alles Bösen erscheint, das
Dunkel des Dunkels, Prinzip aller Feindschaft, alles Hasses,
aller Unordnung, äußerste Perversion alles Geordneten,
Großen und Heiligen, Freund alles Gierigen und Geilen, unsichtbar anwesend in aller Kreatur, sichtbar werdend dann
und wann in alltäglichen Gestalten. Geschlechtliche Ver-

kehrtheit ist einer seiner wichtigsten Ansatzpunkte. Er steht nicht als Mephisto da oder als Jäger mit Spitzbart oder als Ludewig und auch nicht als Intellektueller mit Hornbrille, sondern schließlich als alles dies und noch weit mehr. Er bedient sich menschlicher Masken, die sich ständig ändern und sich der jeweiligen Notwendigkeit anpassen. Im „Unauslöschlichen Siegel" tritt er gleich dreimal auf: als Lehrer in Orleans mit dem Namen Grandpierre, nicht ohne Bezug zu Saint Pierre, als Weinhändler mit dem Namen Tricheur, der Betrüger – er macht es den Menschen eigentlich leicht, aber sie merken es nicht – und einmal als mörderischer Matrose, der in die Menschenwelt raubend und plündernd eindringt. Aber es ist nicht eigentlich dies allein und vielleicht nicht einmal die Hauptsache. Vielmehr ist es der unsichtbare Anteil der Menschen selbst an der Welt des Teufels, ihr unbewußter oder auch halbbewußter Tribut an seine Arbeit und seine Herrschaft, sein Innewohnen in den Menschenherzen, sein bloßes Beteiligtsein am Aufbau der gegengöttlichen Welt. Dies ist nicht allein im individuellen Sinne zu verstehen, sondern auch im sozialen: in den gesellschaftlichen Ordnungen, im Herzen der Gesellschaft und der gesellschaftlichen Gruppierungen ist er gleichermaßen zu Hause. So ist er in einem gewissen Sinne allgegenwärtig, überall da vorhanden, wo er ein menschliches Herz sich ihm aus Schwäche oder aus Trieb zugeneigt sieht, und er vergreift sich auch an den Heiligen, die ihm Widerstand entgegensetzen oder mit dem Auftrag in der Welt stehen, ihn mit der Kraft des Herzens zu überwinden. Sie bekommen es körperlich und auch geistig zu spüren, was es heißt, den Teufel zum Feinde zu haben. Er läßt auch die außerhumane Welt nicht in Ruhe: die belebte Natur der Pflanzen und der Tiere, die unbelebte der Wasser, der Wolken spiegelt ihn in Farben, Tönen und Gerüchen. In der Erfassung dieses dunk-

len Bereiches liegt die heute wohl unvergleichliche Größe der
Schriftstellerin; sie geht in der Sichtbarmachung und dichterischen Erfassung bis an die äußerste Grenze, als wenn sie vor
keinem Abgrund und keinem Absturz Furcht zu haben
brauchte.

Gleichwohl – was sie hält, ist das unerschütterliche Behar-
ren in einem christlichen Ordnungsbild, das sich – von Werk
zu Werk – sogar immer deutlicher zu erkennen gibt. Dies
aber hindert sie daran, im Bereiche des Bösen um seiner selbst
willen zu verweilen, vielmehr betrachtet sie es als ein bloßes,
wenn auch furchtbares Element im Ganzen der Schöpfung,
dem es letztlich in Ohnmacht unterworfen ist. Wenn es der
Dichterin auch nicht gegeben ist, die dem Bösen entgegen-
stehende Macht des Guten und des Heiligen mit ebensolcher
Intensität deutlich zu machen und überzeugend darzustellen,
so gewinnt doch ihr ganzes Werk, auch das greulich Dumpfe
des Triptychons, aus der Zuordnung von Macht und Gegenmacht, ja aus der bedingungslosen Unterordnung des Sa-
tanischen unter das Göttliche allein seinen Sinn, womit abermals die Grundvorstellung des Faust berührt wird. Aus dieser
Voraussetzung: daß alles Geschehen auf der Welt der Ort der
Begegnung der beiden äußersten Mächte ist, gewinnt jede
Teilhandlung ihren Sinn.

Es scheint, daß unter der Gewalt solcher Einbrüche der
kleine Mensch nur zu einem Scheindasein verurteilt ist und
zu eigener Entwicklung keinen Raum mehr hat. Der Mensch,
so muß man annehmen, ist in Wahrheit nur Objekt von
Kräften, die seine menschliche Begrenztheit unendlich über-
steigen, Gegenstand von Einwirkungen, die ihn von vorn-
herein determinieren. Wirklich dürfen wir auch bei der vor-
dergründigsten Begebenheit niemals vergessen, auf welch riesi-
gem Hintergrund die Handlung zu verstehen ist. Gleichwohl

ist der Vorwurf unberechtigt, denn der Kampf geht immerhin um ein Wesen, um das zu kämpfen sich lohnt, das an diesem Kampfe teilnimmt durch das Maß der Selbstentscheidung, womit es sich auf die Seite des Guten oder des Bösen stellt. Und somit handelt es sich trotz gewisser Bedenken um ein groß angelegtes Gesamtwerk aus unverkennbar christlichen Beständen, für das wir im deutschen Schrifttum in dieser Art schwerlich ein Gegenbeispiel finden. Grundsätzlich knüpft die Dichterin damit an alte Traditionen wieder an. Ihr Romanwerk steht im Rahmen der christlichen Wirklichkeitslehre, sie vertritt mit ihrer Dichtung ein religiöses Anliegen. Sie selbst betrachtet sich als Vorkämpferin einer neuen christlichen Dichtung, die den Zusammenhang mit den Mysterien- und Mirakelspielen des Mittelalters, mit der Welt von Dantes Commedia und Augustins Hymnen, ja mit der objektiven Welt des griechischen Dramas herstellt. Der Mensch im Bezugssystem von Mächten! Nicht sein Empfinden, sondern das Sein steht hier zur Rede[1].

Ihr Ruhm beruht einstweilen auf dem großen Roman „Das Unauslöschliche Siegel", ohne Zweifel eines der bedeutendsten Bücher seit dem Zusammenbruch und auf *einer* Höhe mit den großen Werken der Franzosen, Engländer und Amerikaner. Hier zeigt sich nicht nur eine außerordentliche Intelligenz, eine unvergleichliche Kraft der Zusammenballung, eine ganz neue, völlig unverbrauchte Sprache, die mit einer erstaunlichen Kühnheit Bild um Bild schafft, bisher nie Gehörtes zu sagen weiß und zu sagen wagt, ungestört nicht nur von Zimperlichkeit, sondern auch von ästhetischen Bedenken – man kann nicht leugnen, daß alles, was da steht, einfach zum Ganzen gehört, wie immer man darüber urteilen mag. Sie ist ganz ungewöhnlich stark in der Art der Komposition, der Zusammenfügung und Trennung, Verdichtung und Lockerung, des

Einbauens und Anbauens, völlig souverän in der Verwendung neuartiger Stilmittel, zum Beispiel des große Räume
und Zeiten zusammenfassenden Berichtes, womit sie den Er-
zählfluß der Dichtung unterbricht, die ans Barocke erinnernde
erregte, dynamische Al-Fresco-Manier, womit sie Stück an
Stück fügt, ohne sich um die Durchzeichnung des einzelnen
oder den Zusammenhang des Ganzen viel zu kümmern. Wohl
ist es zu begreifen, daß viele Leser angesichts der Art, wie sie
selbst beansprucht werden, mutlos das Buch sinken lassen,
das Ganze schwer in einen Blick bekommen, zumal sie sich
durch das Thema keineswegs beruhigt, sondern immer nur
von neuem aufgestört fühlen und zum Schluß nicht getröstet,
sondern mit offenen Fragen entlassen werden. Die Schwierigkeiten des Aufbaus tun ein übriges: die Szenen wechseln
schnell, an entscheidenden Stellen bricht die Dichterin einfach
ab und geht einen anderen Weg, die Kompositionsfugen sind
nicht immer leicht zu erkennen. Der Held des Werkes, wenn
man ihn so nennen will, spielt in einem schmalen Bereich des
Geschehens eine Rolle, Hunderte von Seiten verlieren wir
ihn überhaupt aus dem Blick, anderes schiebt sich dann breit
in den Vordergrund – und doch ist das Ganze eine einheit-
liche Komposition von einer nicht gewöhnlichen Verdichtung, die uns die Aufgabe auferlegt, auch dem Baugefüge
nachzugehen. Worum handelt es sich?

Die Hauptgestalt ist Lazarus Belfontaine, ein wohlhabender
und angesehener Kaufmann in einer rheinhessischen Stadt,
jüdischer Herkunft. Der größte Teil der Erzählung spielt im
Jahre 1914, wir werden einmal in das Jahr 1926 und einmal
sogar nach 1944 versetzt, doch wird der Faden der Ereignisse
des Jahres 1914 auch in der Erinnerung weitergesponnen.
Trotz der Weiträumigkeit der Jahre braucht die Haupthand-
lung eigentlich nur wenige Tage, es handelt sich um die

jeweils entscheidende Stunde, den Kairos, den schicksalgeladenen Augenblick. Die Geschichte beginnt mit einer peinlichen Selbstbesinnung – erste Ankündigung einer Verwandlung, die den Mann auf der Mitte seiner Bahn ergreift und ihn vor das Außerordentliche stellt. Er erinnert sich daran, daß er vor genau sieben Jahren die Taufe empfangen hat. Es war aus äußeren Gründen geschehen: um seiner christlichen Braut willen, die ihm zudem das Geschäft des Vaters mit in die Ehe gebracht hatte. Gleichwohl war es ein Sakrament gewesen: er hatte den Akt aus freiem Entschluß an sich vollzogen, und nur halb war ihm klar, daß er in der Tiefe seines Herzens von einer Unruhe getrieben wurde, die ihn auf dem Wege zu ewigen Zielen hielt. Ihm war das „unauslöschliche Siegel" der Taufe aufgeprägt worden, das als eine wirkende Kraft in ihm lebendig blieb, auch wenn er es vergaß oder als ein unbequemes, ihm nicht eigentlich zugehöriges Element am liebsten verleugnet hätte. Gelebt hatte er als ein Mann des gewöhnlichen Mittelmaßes, nicht einmal – in der öffentlichen Geltung – ein schlechter Christ, sondern ein guter Kaufmann, ein treuer Ehemann und Vater, ohne Todsünde, wessen er sich ausdrücklich rühmt, ein ehrenwerter Mitbürger und Wohltäter, von jedermann geachtet und geschätzt. Er hat nichts getan, als was fast alle tun: er führte ein Leben halb frommer, halb unfrommer Art, verwehrte dem Bösen den offenen Zugang, aber er hat es auch nicht verhindert, daß es durch die vielen Ritzen einsickerte, die sich im täglichen Leben wie von selbst öffnen: im Beruf, in der täglichen Lässigkeit, in der Flucht vor dem Eigentlichen, in der allzugroßen Selbstgewißheit und Selbsteinschätzung, in den Kompromissen, in der allzu unbedenklichen Selbstentschuldigung bei den täglichen kleinen und kleinsten Unfällen. Er hat es nicht einmal gesehen. Da aber wird ihm in einem Augenblick des Erschreckens klar, daß mit dem Empfang des Taufsakraments sich in seiner Lebensführung so gut wie nichts geändert hatte. Mit ihm sind ungebändigte Dämonen in das Leben weitergezogen und haben ihn zum Genossen gegengöttlicher Mächte gemacht, mögen sie auch getauft sein wie er. So ist ihm das Taufgelöbnis, obgleich jedes Jahr am Gedenktage des Sakramentenempfangs äußerlich gefeiert – in Anwesenheit des einzigen Zeugen, eines Blinden – keine lebendige Macht, im Gegenteil, er hat es verraten an die Erscheinungen des Tages, an die Triebe und ihre Befriedigung und an die Versuchungen der Welt. So kommt es, daß die nun zu erwartende große Versuchung ihn wehrlos findet: er wird den Dämonen zum Opfer fallen. Diese brechen auf ihn ein: er fühlt ihr Kommen, sie kreisen ihn ein, sichtbar, fühlbar, hörbar, er wird mehr und mehr von ihnen umstellt, der Geschichte des heiligen Antonius und dem Schreckensmotiv großer Darsteller von Bosch bis Flaubert ähnlich – bis auf der Höhe der Versuchung der Teufel selbst in Gestalt des Weinhändlers Tricheur ihn stellt und seine Wege führt. Wir erfahren dabei, daß er ihm von früh an auf der Spur war und durch die Stadien seines Lebens folgte und nun den Augenblick ergreift, um ihn ganz zu sich herabzuziehen. Diese schrittweise Annäherung bildet den ersten Teil des mächtigen Vorgangs. Nicht nur, daß just an diesem Tage, der schon an sich nicht der religiösen Besinnung, wohl aber einer natürlichen und halb sentimentalen Erinnerung an ein familiäres Ereignis gewidmet ist, der blinde Freund nicht erscheint, sondern wir vernehmen von Anfang an erst eine leise, dann eine zunehmende Beunruhigung in seinem ganzen Kreise, womit der Einbruch des Dunklen sich ankündigt. Wir sehen die ersten Zeichen auf der dämonisch bewegten und beunruhigten Natur, deren schillernder Glanz und metallischer Prunk etwas von den Reizen einer dunklen Unterwelt zeigt, das Treibende und Triebhafte sichtbar machend, wobei auch das Einfache und Unauffällige mit einemmal ein anderes Gesicht erhält. Die Sonne, die „mit glühenden Speeren durch das verwucherte Blattwerk drängte und runde, zitternde Flecke auf das weiche Frühlingsgras warf; ein feiner Dunst schien den Büschen von unten entgegenzuwölken, sich zu verdichten und ganz allmählich zu jener schweren, schrecklichen Süße der Mittagsstunde zu sammeln, die aus Langerweile und Sättigung, aus fleischlicher Neugier und geistiger Trauer zu gleichen Teilen gemischt ist." Die breite Straße Napoleons, „welche schnurgerade und unbekümmert von Mainz bis Paris hinläuft; sie kam von dem Horizont wie ein Delphin, der hinter dem Wolkenbug aufblitzt, herübergleitet, verschwindet und wieder sichtbar wird, bis sie endlich die letzte Erhöhung geschmeidig hinunterstürzte und wie ein scharfes, glänzendes Messer den südwestlichen Zipfel des Städtchens abschnitt[2]". Die Stadt, welche „gekränkt und beleidigt in ihrer Ordnung zurückblieb und das Schloß, in dem sich die Steuerbehörde, das Amtsgericht und das Museum befanden, wie eine Schulter emporzog[3]". Alles gewinnt in dieser unheimlichen Stunde ein seltsames Aussehen: die Straßen, die sich in der Unendlichkeit treffen und ihn an das Ende der Erde zu führen scheinen, „oder, was ein und dasselbe ist, an den Beginn aller Wege[4]". Belfontaine begreift es so und wird von einem leichten Schwindel erfaßt. Er stößt auf seine fünfjährige Tochter, die, vom Kinderspiel ermüdet, ihm die klagenden Worte entgegenruft: „Ich habe keine Lust mehr!" und dieses „Keine Lust mehr" tönt in seinem Herzen wider, laut, „langgezogen, zurückgeworfen von einem unendlichen Echo, das wie der Nachhall in leeren Räumen, gewaltiger erschien als die Stimme, die es hervorgebracht hatte[5]". Dies die erste Ankündigung einer metaphysischen Verlassenheit und des auf ihn zukommenden Verhängnisses. „Bin ich verrückt oder werde ich krank?" Dann breitete er die Arme aus und sagte mit singender, fremder Stimme: „All deine Wellenberge, deine Fluten, sie gingen über mich hinweg[6]".

Es folgt dann – an dieser Stelle – die Besinnung Belfontaines auf das Ereignis vor sieben Jahren, er legt die Marksteine der Jahre zurück, bis er an der Stelle seines Ursprungs, dem Tage des Empfangs der Taufe, angekommen ist, dem Tage, als er den Einbruch des Ungeheuren erfuhr und schwankend aus der Kirche herauskam. Es ist ein Meisterstück der Komposition. Wir werden alsdann noch tiefer in die Ursprünge seines leiblichen Seins geführt, in seine jüdische Abkunft, die Lebensform seiner Voreltern, so viel zu wissen notwendig ist, um das Minimum natürlicher Bestände zu verdeutlichen, an dem sich das Übernatürliche vollzieht. So steht er in einer doppelten Zeugung. Was geschieht, geschieht immer in einem Augenblick, einem „Jetzt", und es ist ihm nicht unsicher, daß er in einem dritten „Jetzt", in einem neuen Augenblick der Verwandlung steht.

So findet auch die Dichterin den Weg in die Gegenwart des Geschehens zurück, und man muß es immer von neuem bewundern, in welcher Weise sie die Formen der Komposition handhabt. Was sich nämlich jetzt darstellt, ist eine zweite Stufe dämonischer Begegnung, wenn auch nicht Versuchung, die mit dem Apotheker Gully, dessen radikaler Gottlosigkeit und rationalistischem Aufklärertum er nur mit schwacher Kraft den Rest seines Glaubens an eine ewige Vorsehung entgegenhält. Gully ist gewiß kein Teufel, aber er hat ihn im Leibe, und die Dichterin vermag diese ihre Meinung mit einer einfachen, eindrucksvollen Wendung zu verdeutlichen. Am Ende des langen Gesprächs, so sagt sie, lüftete er „seinen Strohhut und war bereits mit der Geschwindigkeit eines Bodenreptils verschwunden[7]".

Was sich hier als intellektuelle Entartung zeigt, entwickelt sich in der „Runde" der Fresser und Säufer als menschenunwürdige Völlerei. Belfontaine, dieser Halbe, die Peer-Gynt-Natur, gehört ihr nicht eigentlich an, aber er ist ihr häufiger Gast und fühlt sich dort halb wohl, halb unwohl, wie einer, der nur mit schlechtem Gewissen teilnimmt und sich dennoch die Genüsse nicht entgehen lassen will. Zudem hat er vor sich selbst Gelegenheit genug, sich innerhalb dieser Gesellschaft seiner Gerechtigkeit zu rühmen und mit sich selbst zufrieden zu sein. Aber wir spüren, daß wir dem Teufel schon ein gutes Stück entgegengegangen sind. Aus der Perspektive dieser Gasterei erscheint ihm das Nest, wie er es ausdrückt, so „klar und gleichzeitig wie verhext und auf der Stelle zusammengeronnen; ohnmächtig, sich zu erweitern, es sei denn in die Tiefe[8].." und die Gesellschaft ist ihm wie der Vollmond, „reizbar und geil, ohne richtigen Frohsinn, der nur an der Sonne gedeiht[9]". Die Dichterin führt uns die einzelnen Personen vor, von der Kochfrau und dem Küchenjungen angefangen bis zu den vornehmen Gästen aus den verschiedenen akademischen Ständen, ohne je die Atmosphäre des Zauberisch-Dunklen zu durchbrechen und ihre gottlos-frivolen Gespräche anders zu beleuchten denn als Spiegelungen tiefer Verderbnis. Und in einer augenblicklichen Erprobung, als es darum geht, Menschenfurcht zu bannen, ein echtes Bekenntnis abzulegen, den ganz zu Unrecht widerlicher Dinge bezichtigten Pfarrer zu verteidigen und damit zugleich die eigene religiöse Überzeugung kundzutun, versagt Belfontaine, Abglanz des Verrates, den Petrus an dem Herrn verübt hat.

Die Nähe des Teufels verspürt dann ein anderer, der Pfarrer selbst, den sich der Widersacher zum Gegenstand seiner Rache ausersehen hat, je mehr er sich des anderen bemächtigen will. Denn hier finden wir einen einsamen Beter, der im stillen mit dem Himmel um die Rettung des Bedrohten ringt und in schrecklicher Verlassenheit um so mehr sein Martyrium erleidet, je unvermeidlicher die Prüfung heranrückt; er ist ein Epileptiker, der seine Anfälle angesichts des Bedrohten erhält und ihm in die Arme sinkt. Seine von niemandem verstandenen Zusammenbrüche sind zu begreifen als ein stellvertretendes Leiden, das er kraft mystischer Auserwählung zu ertragen hat. Er nimmt zur Verwunderung, ja, zum Ärgernis seiner Gemeinde an den Schlemmereien der „Runde" teil, aber er ist unter Frevlern der einzige Heilige, der abgewandt von deren Treiben und wie geistesabwesend mit einem Wort und mit einer schlichten Gebärde die Gedanken der Menschen auf die zentralen Fragen des Lebens richtet und die Herzen durchschaut. Er wandert durch das Ghetto und die verrufensten Viertel der Stadt, wohin sich niemand ohne Schutz zu gehen traut, und bringt den Sterbenden die letzte Tröstung. Er teilt die Not der Mystiker. Er seufzt „unter der Last des Charismas", „eine Beute der furchtbaren Erwählung, die mit ihm geboren war[10]". Nur in dieser wechselseitigen Zuordnung von Pfarrer und Belfontaine und mit der unsichtbaren Anwesenheit des Teufels können solch erregende Stellen verstanden werden.

Wir werden sodann durch die verschiedenen Stationen dieser teuflischen Vorbereitungen geführt, wobei die jeweils folgende eine Steigerung der schon gewesenen ist. Ohne den Rahmen des Dichterischen zu sprengen, berührt Elisabeth Langgässer dabei die zentralen Irrtümer der Jahrhunderte, die sich als Masken des Satans dartun. Auf den Aufklärer Gully folgt ein ärgerer Typ, Mösinger, der die Welt biologisch erklären will. Er gibt der Dichterin Gelegenheit zu geistvollem Spott: als Pyrotechniker entfacht er das Riesenfeuerwerk einer flatternden Fahne, eine eigene Schöpfung, die ins Nichts hineingepulvert wird und keine Spur übrig läßt. Inzwischen fühlt sich Belfontaine dichter umstellt. Ihn überfällt eine wilde sinnliche Gier. Inmitten schwüler Erlebnisse, die bis zum Selbstmord einer schönen Frau führen, sieht er sich plötzlich durch den Pfarrer vor die Frage gestellt: „Glauben Sie an die Gottheit Christi?" Er leugnet und wird damit zum Verräter wider Willen und gegen seine Überzeugung.

Und so kommt es, daß der Teufel, als er wirklich erscheint, ihn als sein Opfer betrachten kann. Er erscheint plötzlich inmitten eines prachtvollen Feuerwerks, das Herr Mösinger veranstaltet, Herr Tricheur aus Paris. Der Teufel ist also französischer Herkunft, aber er spricht ein einwandfreies Deutsch. Er ist lächelnd und gewinnend; man kann ihn nicht einfach abschütteln, man will es nicht einmal. Sein Gesicht ist in dauernder Wandlung. Die Versuchung aber ist diese: Belfontaine soll Haus und Familie verlassen und ihm nach Frankreich folgen. Er bricht eine Woche später auf; der Teufel hat seine Hand im Spiele. Durch den Krieg wird Belfontaine in Paris festgehalten, und als er zu Ende geht, machen es die allgemeinen Veränderungen und Verwirrungen leicht, daß er bleibt, wo er ist. Er gilt als verschollen. Das Gerücht verbreitete sich, er sei erschossen worden, als er aus dem Internierungslager zu entweichen versuchte.

Aber in Wahrheit ist ganz anderes geschehen. Die Begegnung mit dem Tricheur ist eine Art Pakt: Belfontaine löst sich aus dem christologischen Bereich. Keineswegs ist es so, als wenn nun furchtbare Dinge geschähen. Ganz im Gegenteil, durch seinen Pakt kommt Belfontaine zunächst auf seine Rechnung. Indem er das Gesetz Gottes abwirft, befreit er sich von einem Joch, ohne das andere sofort zu spüren. Wiedergeboren aus Luzifer, geht er in die „zauberische Höhle[11]" ein. Ohne Erinnerung an die Heimat und völlig ungestört durch verräterische Verbindungen nach außen, die von seiner Existenz etwa Kunde geben könnten, geht er eine bigamische Ehe ein mit einem vom Grunde her verworfenen Mädchen Suzette, dessen Name uns vielsagend als erstes Wort des neuen Kapitels begegnet. Wir lernen die Welt kennen, in die der Teufel sein Opfer hineinbannt, hineinlockt und festschmiedet. Innerlich verworfen, lebt er das Leben eines Ehrenmannes, ja, eines kirchentreuen Christen weiter.

Aber damit greifen wir der Entwicklung voraus. Denn es kennzeichnet den Bau des Werkes in hohem Maße, daß wir Belfontaine lange aus dem Auge verlieren. Andere Schichten der von diesem Werk erfaßten Wirklichkeit schieben sich in den Vordergrund: die vom Teufel beherrschte Welt und Menschen, die über die Rolle des Teufels meditieren. So scheinen wir aus dem Kern der Handlung herauszutreten und werden erst wieder an späterer Stelle inne, daß alles zusammengehört und im Schicksal des Belfontaine eine eigentümliche Verknotung erfährt. Denn alles ist um seinetwillen da, die Kreise um ihn werden einmal weiter, einmal enger geschlungen, wir mögen ihn geradezu vergessen – aber er ist es, an dem sich ein sozusagen metaphysisches Exempel vollzieht. An ihm – dem Gegenstand einer teuflischen und einer göttlichen Auserwählung – wird ein Äußerstes sichtbar; während er durch Schuld und Schicksal immer tiefer sinkt, ja bis auf den Grund der Verlassenheit, wird er gegen alle Wahrscheinlichkeit an die Oberfläche geholt und gerettet.

Unter solchen Gesichtspunkten erhält das zweite Buch seinen Zusammenhang mit dem Ganzen. Der individuelle Vorgang der Teufelsbegegnung Belfontaines wird auf allgemeine Hintergründe bezogen, die Rolle des Teufels in der Heilsordnung und in der Weltgeschichte untersucht. Nur verhältnismäßig äußerlich ist dieses theologische Anliegen in einen Er-

zählbericht eingefügt, in dem sich die Dichterin zur Geschichts-
philosophie des Donoso Cortés zu bekennen scheint. „...ich
halte es für erwiesen...daß in der Zeitlichkeit stets das Böse
über das Gute den Sieg davonträgt und der Endsieg über das
Böse Gott sozusagen persönlich durch einen Eingriff von
oben muß vorbehalten bleiben. Daher gibt es keinen geschichtlichen Zeitraum, der nicht mit der Katastrophe, und zwar
zwangsläufig, enden wird[12]". Der Abhandlungscharakter des
langen Intermezzos gefährdet die Dichtung als Dichtung in
nicht geringem Maße. Aber es kommt der Dichterin darauf
an, die Erscheinung des Teufels in seinem ganzen furchtbaren
metaphysischen Ernst zu verstehen. Der Aufbau bleibt kunst-
voll: nachdem sie ihn versucherisch Schritt für Schritt heran-
geführt hat, um ihn alsdann sichtbar zu machen, läßt sie
seine Allgegenwärtigkeit durch seine Ausstrahlungen in allem
menschlichen Bereich erkennbar werden, beleuchtet ihn und
seine Rolle vom theologisch erfaßten Weltgrund aus und
verdeutlicht damit seine Furchtbarkeit von der obersten Stelle
aus. Darum ist auch der Handlungskern: Sturz und Gnade im
Leben Belfontaines, mit diesem zweiten Teil sozusagen unterirdisch verbunden. Die Schichten des Romans werden aus-
getauscht, das bisher Vordergründige tritt zurück, die ganze
Breite des dämonischen Bereichs wird sichtbar gemacht.

Mit dem dritten Buch wird Belfontaine wieder in die Mitte
gestellt. Bis zu einem gewissen Grade haben wir eine Wiederholung seiner früheren Zeit in Deutschland. Aber die Spannungen sind größer; er lebt in schwererem Frevel, äußerlich
jedoch in noch größerer Annäherung an die Kirche; er ist
ein von der Geistlichkeit bewunderter und verehrter Wohltäter. Aber der Teufel ist immer anwesend, jetzt nicht mehr
Tricheur, sondern wieder Grandpierre und zum Schluß auch
Matrose, der sich in die Liebe der jeglichem sinnlichen Einfluß

nachgebenden Suzette stiehlt. Aber während Belfontaine von
zunehmender Unruhe gepackt wird, abwechselnd von sinnlichen Eindrücken beunruhigt, andrerseits von der gähnen-
den Leere des Nichts angestarrt, erheben sich die Gegenmächte: es ist die kleine Zahl der einsamen Beter. Gegen Ende
gewinnt man den Eindruck eines erregenden Geisterkampfes,
der sich des Menschen wie eines Schlachtfeldes bedient: die
Stöße des Bösen werden immer stärker, die Pausen geringer
und kürzer; was im ersten Teil als Versuchung ausgebreitet
war, wird hier Tat und Untergang; der Teufel begleitet die
Handlung in Person und bricht mörderisch in das Haus Belfontaines ein. Vor der letzten Begegnung mit dem Teufel, der
sich an Belfontaine schon unwirksam zeigt, ist jedoch dies
geschehen: der innerlich auf den Einbruch göttlicher Mächte
Vorbereitete hat in Sturm und Regen, unter Blitz und Donner
die neue Erweckung aus dem Scheintod des Geistes zu Geist,
Glauben und Lebenskraft erfahren. Aus dem Unwetter ist die
Stimme eines Rufenden zu ihm gedrungen: Lazarus, komm
heraus! Im Brausen der Elemente geht der alte Mensch unter,
stirbt das Erbärmliche und Sündige, und es kommt ein neuer
Mensch, der Büßende, der Erlöste, der Getaufte aus ihnen
heraus. Das Stück gehört zur bezeichnendsten und bedeutendsten Prosa des ganzen Buches, ja, weit mehr, es ist eine
Höhe der gegenwärtigen Prosa überhaupt. Eine Stunde un-
begreiflicher Gnade überfällt ihn, von ihm weicht eine ungeheure Last – auch dies wird von der Dichterin nur angedeutet, aber in das gewaltige Naturereignis eingebaut und dadurch
glaubhaft gemacht. Es ist die sichtbare Wiedergeburt eines
Menschen, der die natürliche Verhaftung mit dem Unerlösten,
Besessenen abwirft und in den Zustand der Gnade eintritt, in
den er berufen wird.

Und dann kommt das Werk zu einem wahrhaft großen

Ende. Es wird berichtet, daß Herr Belfontaine das Städtchen verließ, um nach Deutschland zurückzukehren. Die öffentliche Meinung vergaß ihn. Es wird angedeutet, daß sich später in einem polnischen Konzentrationslager ein alter Mann befand, dem es durch Bestechung gelang, mit einigen jüdischen Christen in Freiheit gesetzt zu werden. Er sei mit diesen zu russischen Partisanen gestoßen und habe eine schwere Seuche überstanden, der die Frauen sämtlich erlagen. So sei er später in Richtung Westen gekommen, zum Bettler geworden aus Freiheit, Liebe und Freude. Mit seinen Spuren reicht er bis in unsere Zeit und verschwindet aus der Geschichte als einer, der noch unter uns leben mag, ein betender Bettler, dem die Legende die Gabe der Heilung und das Charisma der Erweckung gibt.

Wir fassen zusammen: Das Werk ist das Gegenteil eines psychologischen Romans und ist darum auch nichts weniger als eine Bekehrungsgeschichte. Sie berichtet von dem Verhältnis des Menschen zu den großen Mächten. Es ist die Geschichte einer Gnadenwahl. Der Mensch ist dem Zugriff der Hölle und des Himmels ausgesetzt. Er wird in den Abgrund gezogen; er wird durch die Gnade aus ihm befreit. Der Teufel greift zu, und Gott greift zu. Die tiefe Wahrheit tut sich auf, daß das Böse nicht bloß im handelnden Verstoß gegen die Moral zu bestehen braucht, im grellen und bewußten Bruch eines einzelnen Gesetzes, sondern ein Element der Welt ist, dem wir ausgesetzt sind. Und es wird auf der anderen Seite klargemacht, daß es ein höheres Gesetz nicht nur gibt, sondern die stärkere Macht ist, der sich das Böse unterlegen zeigt.

Der Mensch aber ist trotz seiner Kleinheit diesen Mächten gegenüber nicht determiniert. Sie würden sich nicht um ihn bemühen, wenn sie nicht um seine Entscheidung rängen. Das Eigensein des Menschen ist um so höher zu bewerten, als er

einer Übermacht standzuhalten hat, und es ist keineswegs so,
als fiele er unvorbereitet in das Böse wie ein Blinder in die
Grube, oder als werde er ganz gegen sich selbst dem Teufel
wieder entrissen. Wohl wird durch den Roman sichtbar gemacht, in welchen Kraftfeldern der Mensch steht. Er jedoch
hat allein zu entscheiden, wohin er sich wendet.

Aber es ist wahr: die Kunst der Dichterin besteht in der
Sichtbarmachung der Mächte und ihrer Wirkung in der empirischen Welt. Sie zeigt, wie der Tag des Absturzes durch-
flimmert ist von beängstigenden Anrufungen des Bösen wie
des Guten, von Anreiz und Mahnung, Verlockung und Warnung. Die Menschen sind Figuren des Schicksals: der Pfarrer,
der Losverkäufer, Elfriede, Gully, der Drogist. In einer ähnlichen Weise geschieht seine Heimholung: das Spiel wiederholt sich mit sozusagen umgekehrten Vorzeichen, Gestalten
gruppieren sich um ihn, ohne selbst zu wissen, welche Funktion sie im göttlichen Spiel haben. Im Hintergrund des ganzen Geschehens gewahren wir einen einsamen, aber machtvollen Beter, Lucien Benoît, der sich selbst einstmals an der
kleinen Heiligen von Lisieux zurechtgerückt hat und nun die
Sünder der Welt mit seinem Gebete umfaßt. So kommt die
Sturzflut der Gnade auf ihn zu: als eine Antwort auf das Gebet des Heiligen, als Gottes eigene Tat („Dieses Unausspech-
liche suchte ihn, während er vor ihm floh")[13], auf das stumme
Seufzen der eigenen darniederliegenden Kreatur des Sünders,
der sich – oft ohne es selbst zu wissen – ein Leben lang von
sich selbst hat befreien wollen.

Künstlerisch ist das Werk eine außerordentliche Leistung;
sowohl der Aufbau wie die Sprache zeigen es. Bemerkenswert ist schon der triptychonartige Aufbau in drei Abteilun-
gen. Das Ganze erscheint dazu in eine Art Rahmen gesetzt,
worin die Dichterin ihrem Widmungsspruch gemäß (Com-

mystis committo) Personen der Handlung aus dem Geschehen heraustreten läßt und sie mit den Lesern verbindet. Die Form, in der die Wirklichkeitsbereiche der Dichtung im Verlaufe der Handlung miteinander vertauscht und gegeneinander ausgewechselt werden, wäre einer eigenen Studie würdig. Gerade die häufigen Entgegensetzungen in der Durchführung des Themas, das eilige Hin und Her, die Kontrastwirkungen, der Szenenwechsel, wodurch das ungeheure Welttheater jeweils von einem andern Standpunkt aus ins Blickfeld rückt, das Zurückweichen und Verschwinden ganzer Erzählbereiche und ihr Wiedererscheinen an oft unerwarteter Stelle ist hoher Bewunderung wert. Die Rolle der Erinnerung, das Aufdämmern unterbewußter Schichten beeinflußt die Gestalt des Werkes bedeutend. Ein Stoß, ein Wort, ein Bild, ein Laut können seelische Erregungen hervorrufen, die zu unerwarteten ästhetischen Erlebnissen führen.

Eine Untersuchung über die Aussageweise würde den Charakter einer hervorragend begabten Schriftstellerin bezeugen, die in der Besonderheit ihrer Diktion die Besonderheit, ja Einzigartigkeit des Blickes auf die Welt ausspricht. Ohne Frage ist die Dichterin mit den Abgründen vertrauter als mit den heilenden Kräften. Wer ihr Werk aufschlägt, wo immer es auch sei, muß zu der Meinung kommen, daß sich die Linien der von ihr gezeichneten Wirklichkeit ins Chaotische hineinverlaufen, daß die sinnlich wahrnehmbaren Eindrücke, die Farben, Töne und Gerüche etwas an sich haben von dem schillernden Glanz, dem verführerischen Klang, dem scharfen Geschmack der unteren Welt. Menschen und Dinge stehen verzeichnet vor uns. Es ist so, als würde zwischen uns und die Welt ein Glas geschoben, das die empirische Welt unsichtbar und dafür anderes, dem normalen Auge nicht Wahrnehmbares sichtbar macht. Der Leser fühlt sich in eine fremdartige unheimliche Atmosphäre eingefangen, er spürt das wuchernde Wachstum, die unterirdischen Kräfte, die seine Füße umspielen und nach ihm fassen; von den Menschen geht ein sonst nicht merkbares Fluidum aus, die Dinge erhalten ein sonst nicht erkennbares fratzenhaftes Aussehen. In diesen Grenzen tritt uns eine ganz ungewöhnliche Gewalt der Anschauung und der Sprache entgegen. Die Dichterin ist Meisterin der Darstellung der „magischen Schönheit", unvergleichlich in der Bewältigung des Treibenden und Quellenden in der Natur. Die Flöte des Pan spielt sie wie kein anderer Dichter in unserer Zeit, vielleicht das ganze Ausland eingeschlossen. Ihre ungewöhnliche Menschenkenntnis – auch im Bereich des Sexuellen – setzt sich in Bild und Vergleich um. Indem sie ihre Gestalten bis in die Schächte des Traums verfolgt und mit ihnen die Leiter des Erwachens hinaufsteigt, gibt sie den elementaren Kräften das Aussehen von Gestalten, die auf der Stufe des helleren Bewußtseins als matte, jedoch immer noch schreckenerregende Schatten zurückbleiben.

Sieht man die Dichterin im Zusammenhange ihres Schaffens, so bezeichnet das „Unauslöschliche Siegel" eine deutliche Mitte. Auf dieses große Werk laufen die bisherigen Ströme zu, von hier aus scheinen sie klarer und gereinigter fortzuströmen. Was sich bei der Betrachtung des Romans als Verdeutlichung der dämonisch wuchernden Kräfte der Natur darstellte, hat in ihren zehn Jahre voraus liegenden Schöpfungen viel krassere Formen gefunden; es handelt sich um Werke eines hervorragenden Könnens, das ganz eindeutig und unabgelenkt den dunklen, naturhaften Gründen unserer Herkunft zugewandt ist und von einer Sphäre angesogen wird, von der man nicht anders als mit Schauder lesen kann. Es ist noch hinzuweisen auf „Proserpina", die Novelle „Der Gang durch das Ried" und das „Triptychon des Teufels". Das letztere Werk hat den Untertitel „Ein Buch von dem Haß, dem Börsenspiel und der Unzucht", drei Geschichten, die in das undurchdringliche Gestrüpp menschlicher Leidenschaften hinabsteigen und die unheimlichsten Möglichkeiten in die Wirklichkeit hinüberführen. Wir starren auf das naturhaft Elementare; was in diesen Novellen so vordergründig in Erscheinung tritt, sind Verdeutlichungen hintergründiger Mächte, die durch die Poren der Erde an die Oberfläche dringen. Elisabeth Langgässer hat den Schlüssel zu verborgenen Welten. Es ist, so dürfen wir sagen, das ihr auferlegte Schicksal, die Welt so zu sehen und darzustellen, und man möchte ihr die Kraft wünschen, dieses heillose Beieinander auszuhalten und zu bestehen.

Dagegen scheint ihr Roman „Märkische Argonautenfahrt", von dem sie Einzelheiten bekanntwerden läßt, über das „Unauslöschliche Siegel" hinaus eine vergeistigtere Welt zu verkündigen, ein Nachkriegsroman, in dem sie in einem westlich von Berlin gelegenen Kloster sieben Heimkehrer zusammenführt, von denen jeder eine moderne Irrlehre vertritt. Das Entsetzliche, so scheint es, wird noch einmal in aller Furchtbarkeit erfahren und im Erkennen gebannt. Es geht um die Heiligung des Elementaren, dessen Gewalt gleichwohl immer wieder durchbricht oder durchzubrechen droht.

Die kleinen, in der Sammlung „Der Torso" vereinigten Erzählungen zeigen die Dichterin von einer neuen Seite, als Meisterin der Kurzgeschichte. Auf sehr engem Raum wird ein Menschenschicksal aufgezeichnet, eine verworrene Seele in einem entscheidenden Augenblick belauscht, der die Erklärung bringt für ein rätselhaftes oder auch krankes Verhalten. Wie in ihren anderen Werken geht sie darauf aus, verborgene Seelenschichten an die Oberfläche zu bringen, in unverarbeiteten Erschütterungen, in unterjochten Schuldgefühlen

den Grund für seelische Unordnungen zu suchen. Die Art,
wie sie komplizierte Verhältnisse mit einem einzigen Handgriff umspannt, erweist sie auch bei den anspruchsloseren Gebilden als eine Dichterin von begnadeter Höhe.

Die Überwältigung dieser Erdmächte ist der Dichterin nur
durch das Christentum möglich. Es tritt immer klarer in ihr
Werk ein. Die Macht des Pan wird durch den Logos Christus
überwunden. Die große Linie ihres Prosaschaffens vom „Proserpina"-Roman bis zur „Märkischen Argonautenfahrt" läßt
ihr Bemühen erkennen, die Dämonen der Erde in ein größeres Reich einzubauen, den Teufel zu bannen und deutlicher
zu machen daß die Welt trotz allem vom Fluch befreit ist.

Diese Linie zeigt auch die Entwicklung ihrer Lyrik. Sie
verdeutlicht den Weg der Selbstbefreiung von den chthoni-
schen Kräften und steht zuletzt in Christentum und Kirche.
Der Anfang wird bezeichnet durch die Tierkreisgedichte, am
vorläufigen Ende findet sich die Kölnische Elegie, die mit
Prolog und Epilog die 700-Jahrfeier des Domes einrahmte.
Dazwischen liegen die Zeugnisse des Übergangs. Die am meisten verbreitete Sammlung, „Der Laubmann und die Rose",
enthält noch beides, naturhaftes Urgetön und die Stimme der
Erlösung. Ihre Gedichte sind bedeutend, in Inhalt und Ton
unverwechselbar ihr Eigentum. Ihre Beheimatung in der Welt
des sprießenden Lebens bringt nicht nur neue Namen, sondern auch ein neues Verhältnis zu Farben, Tönen und Gerüchen. Das Dynamische, das ihren Versen anhaftet, findet
seinen Ausdruck auf mancherlei Weise, einesteils durch häu-
fige Wahl daktylischer Verse, andrerseits durch Trochäen, die
dem Verse etwas Drängendes und Unruhiges geben; auch dadurch, daß jambisch geformte Verse in großer Kürze, drei-
oder vierfüßig, auftreten. Das Wunder der Natur bleibt ihr
Gegenstand, besonders die Wendezeiten, das frühe Jahr, wenn

die Erdkruste aufbricht und die Kräfte zu neuen Entfaltungen freigibt, das ahnende Erwachen von Pflanze und Getier, aber auch die Entfaltung des Sommers, die brütende Glut, die scheinbare Mittagsstille, in der doch die Früchte zur Reife kommen. Zugleich aber bemächtigt sich die Sprache des Heiligen, Mystischen, schwer Aussagbaren und rundet das Bild nach oben hin ab. Volltönend und vokalreich, wie sie ist, gibt sie einen Widerschein des Stimmengewirrs der unerlösten, des Wohlklangs der erlösten Welt. Das Unten mit dem Oben zu verbinden, bleibt ihre Aufgabe. In dem großen Gedicht „Daphne an der Sonnenwende" vollzieht sie im Bilde der griechischen Gestalt den Übergang aus der Gewalt des Pan über Apollo und Johannes zum Logos Christus. Das Gedicht „Fürchte Gott" spricht die Herrschaft Gottes über das Reich der Natur aus, die am Ende mit allen Schönheiten, aber auch mit ihren Geheimnissen versinken wird.

Diese dem mütterlichen Bereich der Schöpfung zugeordnete Dichtung also bleibt nicht beim Element; sie läßt den Logos zu sich herein. Die um uns wuchernde Schöpfung wird durch das Göttliche geheiligt, das sie umfängt. Pan, der Alte, wird, wenn nicht ausgetrieben, so über sich selbst gehoben und in den Bereich des Heiligen geführt. So schließen sich – wenigstens dem Willen und der Richtung des Werkes gemäß – die beiden Hälften des Daseins zusammen.

In der Wiedergewinnung der christlichen Wirklichkeit sieht Elisabeth Langgässer den Sinn der künftigen Dichtung. Sie will den Menschen wieder an der unendlichen Fülle des Seins teilnehmen lassen und ihn hineinstellen in die metaphysischen Bezüge. Sie reißt die Schranken nieder, die menschliche Selbstherrlichkeit um sich aufgerichtet hat, eine temperamentvolle Feindin aller künstlichen Selbstbeschränkungen. Mit Gott und dem Teufel bringt sie die Gesamtheit der Welt in ihr Buch, das damit Spiegelung eines großen Welttheaters wird.

Die Dichterin steht dabei in geistiger Gemeinschaft mit den heute größten Schaffenden, unter den Deutschen mit Bergengruen, Gertrud von le Fort und Stefan Andres, unter den Franzosen mit Bernanos, Claudel und Mauriac, mit den Engländern Eliot und Graham Greene und dem Amerikaner Thornton Wilder. Im Hinblick auf sie und diese Dichtergruppe hat man von einem vierten Existenzbewußtsein gesprochen, das nach der ersten Epoche des frühen Christentums, der mittelalterlich-gläubigen Weltnähe und der neuzeitlichen Auseinandersetzung zwischen spiritualistischer Weltverfehlung und säkularisierender Weltverhaftung nun die Welt in ihrer ganzen Dichte und Härte, aber eschatologisch zu fassen sucht. Von harmonischem Ausgleich ist in ihrem Werk keine Rede. Christen werfen der Dichterin Manichäismus vor. Sie sieht die Welt anders als der Philosoph des Ordo und der Humanität. Um ein Bild von Walter Dirks[14] zu gebrauchen: sie sieht die Wasserspeierfratze ganz nahe, aber dahinter ist immer doch ein Stückchen Domwand, das für den ganzen Dom steht. Sie steht mit staunenswerter Sicherheit in ihrer Welt, ihr Fuß schwankt nicht, als könne es für sie kein Fallen geben. Aber neben dem Abgrund der Verzweiflung ist doch auch das andere da: das neue Licht, manchmal als klarer Strahl, manchmal als schwacher Schein und doch als das Sinnbild der ewigen Klarheit.

STEFAN ANDRES

Gesetz und Freiheit

In der Reihe der Gestalten, die den Menschen in Bezug zu
den überindividuellen Mächten setzen, findet Stefan Andres
die nächsten Verwandten seines Geistes. Indessen genügt
schon ein Blick auf seine Novelle „Wir sind Utopia", das
Werk, das den Dichter in den letzten Jahren in besonderem
Maße populär gemacht hat, um zu wissen, daß er nicht in
Vergleich gezogen, sondern als eine dichterische Individualität verstanden werden will, und zwar eine sehr starke, die
neben den zahlreichen, zum Teil doch sehr bedeutenden Dichtern unserer Zeit einen eigenen Rang für sich in Anspruch
nimmt. Das neue Werk, „Die Sintflut", jedoch macht ihn zu
einem der Ersten unseres gegenwärtigen Schrifttums, zu einem
der charakteristischsten Verdeutlicher ihrer Problematik. Herkunft und Person des Dichters sind bemerkenswert und für
sein Werk aufschlußreich: die Heimat des 1906 Geborenen
ist Breitwies bei Dhröngen an der Mosel, jenes nahe der
Grenze Deutschlands gelegene Gebiet des Westens, das von
jeher die Tore nach innen und nach außen offengehalten und
lateinisch-romanische Einflüsse hereingelassen hat. Die Wirkungen zeigen sich bis heute an der Natur seiner Landsleute,
die sich auszeichnen durch klare Rationalität und ein starkes
abendländisches und – im ganzen – kirchliches Bewußtsein.

Zwar hat der Dichter sich in jungen Jahren den Regeln eines mönchischen Ordens, für den er bestimmt war, nicht unterwerfen können und unter dem Druck eines ungebändigten, problemgeladenen Weltstoffes sich auch ein wenig von der Kirche entfernt. Dennoch ist sein ganzes Denken und Trachten erfüllt von der Atmosphäre seiner Herkunft und seiner Bildung: er ist ein Dichter römisch-klarer Gesinnung, ein Kind seiner Heimat und ihrer Nachbarschaft, ein Liebhaber Griechenlands und Italiens, wo er Jahre hindurch seinen Wohnsitz fand, bei aller Helligkeit seines Werkes durchaus auch ein Kenner des Dunklen, Düsteren und Nächtlichen der Schöpfung, in ständiger und – wie es scheint – immer fruchtbarerer Auseinandersetzung mit der christlichen Wirklichkeit, insbesondere mit jenen Seiten, die ihm das Leben beschweren – ein Mann universaler Sehweise, der die von allen Seiten auf ihn einströmende Weltfülle zu ergreifen, zu durchdringen und zu deuten versucht. „Ich suche die Welt zu verstehen", läßt er den „Urheber" im Vorwort seiner „Sintflut" sagen.

Seinem Werk haftet zunächst starke Vitalität an, in einem Maße, wie es bisher wohl nur bei Elisabeth Langgässer zu beobachten war. Die äußere Erscheinung bestätigt die aus dem Werk hergeleitete Vermutung; er macht durchaus den Eindruck eines Mannes, der sich mit den Kräften der Erde auseinandersetzen muß. Aber wie mächtig diese Zone des Vitalen auch sein mag, sie erscheint gebannt, beherrscht und ins Geistige hinübergeführt – so sehr auch das Tellurische mit stets neuen Durchbrüchen droht. Andres ist kein Ausgelieferter oder Verhafteter, er stellt sich den unbestreitbar vor ihm lagernden Mächten des Chaos mit männlicher Kraft und Selbständigkeit entgegen. So ist sein Werk trotz aller Dunkelheiten, die ihm notwendig anhaften, doch mit der

Helligkeit des Geistes erfüllt, die ihn nicht zum Sklaven, sondern zum Herrn des Daseins macht. Die Weltfülle, die in sein Werk hineinstrahlt, ist nicht vollkommen böse, ist auch nicht im selben Sinne wie bei Elisabeth Langgässer eine Welt der Elemente oder des Pan, sie ist eine Schöpfung Gottes, wenn auch eine gefallene oder unbegreifliche, eine bedrohte und eine bedrohende. Diese Welt wird durch den Geist geadelt; die sein ganzes Werk schmerzhaft durchziehende Zwiespältigkeit zwischen unten und oben erscheint – nun auch in großen Erzählformen – von Fall zu Fall mehr und mehr erleuchtet, gedeutet und verstanden. In der Novelle „Utopia" steht an wichtiger Stelle das Paulus-Wort: „Alles ist euer, ihr aber seid Gottes" – es ist die trotz aller trüben Erfahrungen mit der Welt letztlich doch optimistische Grundhaltung, die in der Schöpfung nicht das bloß Dunkle, Dämonische und Ordnungen Zersprengende zu erkennen vermag, sondern das Erhaltende und Bewahrende und sogar Strahlende, das die Finsternis durchdringt.

Der Wirklichkeitsnähe des Moselaners entspricht sein Realismus. Anders als Elisabeth Langgässer hat er es primär nicht mit kosmischen Mächten zu tun, die sich auf dem Felde des Menschen ein Stelldichein geben, sondern mit realen Größen, Menschen mit eigenen Anlagen, eigener Lebensführung und eigenen Willensantrieben. Wohl fügt er sie in das Spiel der Mächte ein, unterwirft sie seltsamen Schicksalen und Zufällen, ja, es herrscht in seinen Werken eine unverkennbare Providenz, aber er stellt seine Gestalten den auf ihn zukommenden Gewalten mit ihrer Lebenskraft und ihrem Willen entgegen und gibt wenig Veranlassung zu dem Verdacht, daß sie durch das Geschehen determiniert würden. Die Gestalten seiner Romane stehen in Schuld und Buße, im Geben und Nehmen eigenwillig und stark da und ruhen auch während

der äußersten Erprobung ihrer Kräfte in sich selbst. Wenn
der Dichter es auch liebt, seine Geschöpfe in überraschende
und heillose Situationen zu stellen, so sind sie doch nie eigentlich Überfallene, die von der Gewalt der Mächte der Sinne
beraubt oder der Verantwortung enthoben würden. Diese
Situationen bringen keine Entscheidung, sondern sie fordern
dazu heraus – der Mensch sieht sich zwar unmerklich dem
unausweichlich höchsten Augenblick zugeführt, aber er tut
selbst Schritt für Schritt, und was in der letzten Sekunde geschieht, hängt ganz allein von ihm ab. So befindet sich der
Dichter bei der Konzeption und Gestaltung seines Menschenbildes in einer guten Mitte, was seinem klugen und einsichtsvollen Maßhalten zugerechnet werden muß: seiner – vielleicht
darf man sagen – christlich-antiken Bildung, die sich von Explosionen und Maßlosigkeiten nicht aus den Fugen bringen
läßt. Der doppelseitigen Bindung: einerseits an die göttliche
Weltführung, andererseits an die Mächte der gefallenen Natur,
entspricht eine kraftvolle menschliche Gestalt, die die Füße
breit auf den Boden setzt, den eigenen Willen betätigt und
darum auch zur Rechenschaft gezogen werden kann. Vielleicht trägt die Komposition des Proömiums zu seinem Roman „Sintflut" sehr zur Erhellung dessen, wie er sich die
Welt denkt, bei; der Dichter ist ja ein kleiner Abglanz des
schöpferischen Geistes, der die Welt im großen baut. Er ruft
seine Gestalten ins Leben, stattet sie mit ihren Fähigkeiten
aus, und als ein vorausschauender Demiurg weiß er,
wie sie sich verhalten und was ihnen blüht; aber die
Verantwortung für ihr Tun – er betont es des öfteren – gibt
er ihnen allein: sie bewegen sich in Freiheit durch die Welt,
er gibt sie aus der Hand – in demselben Augenblick, wo er sie
ins Leben ruft, leben sie nicht mehr allein aus der Kraft des
Dichters, sondern sind, was sie sind, durch sich selbst.

Aber er wäre doch nicht im vollen Sinne Realist, wenn er nicht auch das Entgegengesetzte sähe: die tatsächliche Einbezogenheit des Menschen in Weltzusammenhänge. Andres betrachtet die Welt gleichzeitig von unten und von oben. Es gehört zu den seine Schriftstellerei auszeichnenden Merkmalen, Menschengeschicke in der äußersten Verdichtung und Zuspitzung zu zeigen und sie unmittelbar vor den Hintergrund der Vorsehung zu stellen. Die Kunst der Verknotung von Zusammenhängen, die seinem Werk so oft das ungewöhnlich Spannende und das Energiegeladene gibt, wirkt keineswegs künstlich, sondern als Sichtbarmachung einer Fügung, die sich seltsamer Mittel bedient. In der Zuordnung menschlicher Verwirrungen und Verwicklungen zu den letztlich auflösenden, entspannenden und versöhnenden Kräften der göttlichen Weltführung liegt eines der Geheimnisse seiner Dichtung. Er hält es für die Aufgabe der Dichtung, daß sie einen Widerschein der Weltfülle, ihrer sich gegeneinander und aufeinander zu bewegenden Kräfte gebe, und verlangt von den Dichtern (über deren Berufung er sich in einer ähnlichen Weise wie Bergengruen ausspricht), „daß die Gestaltenden das Menschengetriebe in seiner ganzen Furchtbarkeit und Schönheit, seiner Todesbedrohtheit und Freudenfülle, seiner Schuld und Entsühnbarkeit ergreifen und umfassen, und daß sie trotzdem die Welt in Ordnung spiegeln." Dies ist das eigentlich erleuchtende Wort, daß die Welt wesentlich in Ordnung sei. Dennoch: zwischen der Welt Bergengruens und der von Stefan Andres besteht der Unterschied, daß hier dem Eigengewicht der Erde eine größere Bedeutung zukommt. Man spürt den Unterschied der Sehweise, wenn Bergengruen den Dichter den „Offenbarmacher ewiger Ordnungen" nennt.

In der kraftvollen Entfaltung solcher Grundauffassungen

und in der Betätigung einer ursprünglichen Erzählfreudig-
keit, die von Werk zu Werk vorwärts schreitet, liegt die Aktualität dieses Dichters. Er ist modern, weil er sehr brennende
Probleme aufgreift und diese in einer Weise behandelt, die
ihm viel Zustimmung bringt. Er sucht im Ausgleich und in
der Mitte, nicht im Extrem die dauernden Lösungen. Hier hat
sich der Mensch zu verwirklichen. Auch seine Sprache bewahrt eine Art „Mitte". Dem allzu Geglätteten und gemacht
Feierlichen und Gesuchten abhold, scheut er keineswegs das
derb Volkstümliche, Erdige, literarisch Unverbrauchte – der
Moselländer ist unverkennbar –, aber er liebt weder das Kli-
schee noch das gewagt Undichterische oder den Jargon. Den
sprachlich „billigen" Ausdruck, der sich nicht selten der höheren Formen der Dichtung bemächtigt, wird man bei ihm
nicht finden. Aber er will auch nicht mit klassischen Maßen
gemessen sein – wir leben in einer Zeit neuer Durchbrüche,
die auch den Gemäßigten oft rauh und schonungslos macht.

In den neuen Werken kündigt sich eine Richtung an, die
von der Utopia-Linie abweicht und unter dem Eindruck der
letzten Jahre den Widersacher der Persönlichkeit vor allem
im uniformen und normierten Denken sieht. Sie wird uns
gegen Ende beschäftigen.

Die Eigenarten von Problem und dichterischer Aussage zeigen sich in der Novelle „Wir sind Utopia" in der äußersten
Verdichtung. Es handelt sich um einen Priesterroman, der
nicht so sehr auf psychologisch-charakterologischen Studien
aufgebaut ist, sondern den Durchbruch des Sakraments im
Menschen zum Gegenstand hat und das Gewicht des unaufhebbaren Auftrags, der mit dem einmal gegebenen Siegel an
seinen Träger, den Geweihten, ausgesprochen ist. Der Her-
gang ist kurz der folgende:

Wir befinden uns im spanischen Bürgerkrieg. Ein Wagen

mit Gefangenen wird vor die Barockfassade eines Karmeliter-
klosters gefahren, aus dem ein Offizier mit gleichmütigen Gebärden heraustritt, um die Ankömmlinge in Empfang zu nehmen. Die Geräumigkeit und die vergitterten Fenster machen
den Bau für seine neue Bestimmung besonders geeignet,
Aufenthaltsort für militärische Gefangene zu sein, die zugleich
doch auch politische Gefangene sind. Einer von ihnen fällt
von Anfang an besonders auf; wir erfahren: es ist der Marine-
soldat Paco Hernandes, ehemals Mönch dieses Klosters, der
im Begriffe ist, seine alte Zelle zu betreten, aus der er vor
zwanzig Jahren geflüchtet war. Ein sehr seltsamer Zufall. Der
ehemalige Padre Consalves sieht sich um; er findet vieles, wie
es war, aber die noch frischen Einschüsse verraten ihm, daß
hier vor wenigen Stunden durch den Leutnant ein großes
Morden unter den Mönchen stattgefunden hat. Da taucht
langsam eine vergessene Welt auf: Namen, Gestalten, Lehren
einer früher genossenen mönchischen Erziehung. Aber auch
in dem Leutnant geht etwas vor sich – er hat einen gefangenen Priester, den er nicht schwer unter der Verhüllung der
Uniform und in den verwüsteten Zügen seines Gesichtes erkennt, einen exkommunizierten zwar, dem doch – im äußersten Falle – priesterliche Funktionen erlaubt sind. Er behandelt ihn gut, selbst ein Messer überläßt er ihm, ohne zu ahnen,
welche Versuchungen er damit hervorruft. Er will seine
Beichte ablegen in der Vorahnung eines baldigen Todes, ge-
quält von seinen entsetzlichen Taten, den Mißhandlungen von
Nonnen, die ihn in seinen Träumen erschrecken. Und so
wecken sich die beiden wechselseitig auf, der Priester den
Frevler durch seine bloße Anwesenheit, der Leutnant den
Priester, indem er Hilfe sucht – obgleich dieser doch einstweilen noch an ganz andere Dinge denkt: wie er sich mit dem
Messer Freiheit verschaffen könnte, und wie er in tausend

Hafenschenken und Lotterbetten den „Padre" in sich umgebracht hat.

Wie aber ist das alles gekommen? Er war immer auf das
Außerordentliche bedacht – übermäßig in Aszese, unmä-
ßig in Erwartungen. Ein alter verblichener Fleck an der
Decke führt ihn in ehemalige Träumereien zurück, in sein
Inselland Utopia, in dem alle Bedrängnisse aufgehoben, alle
geistigen Entgegensetzungen erledigt sein sollten – Ausdruck
eines spannungslosen Weltgefüges, die Landschaft eines Traum-
reiches. Dies aber führt in eine unwirkliche Welt. Der Mönch
ist ein Abbild der Weltverbesserer, die an der grausamen
Wirklichkeit des Ungenügens leiden, aber nun nicht in echter
Wirklichkeitstreue den Kampf gegen das Böse sozusagen an
Ort und Stelle aufnehmen, sondern der Wildnis der Gegenwart entfliehen möchten, um eine Welt nach eigenen Maßen
aufzubauen. Aber er hat nicht daran gedacht, daß das Böse
nicht nur mit ihm wandert, sondern überall schon da ist; wohin er auch kommt, ist er von ihm um so sicherer verschlungen worden. Niemand scheitert so notwendig wie der Uto-
pist. Die Beichte bei dem Dogmatiker, der mit zu den Er-
schlagenen des Leutnants gehört, hatte ihn – trotz der irre-
führenden und nicht eben dogmenstarken Art des Paters –
vor seinem Grundirrtum gewarnt: es gibt kein Utopia auf der
Welt. Zugleich war er an seinem Christentum verzweifelt:
worin besteht eigentlich der Unterschied zwischen Christ und
Nichtchrist, wenn die Taten keine Änderung zeigen? Der Irrtum seines Lebens also war ein falsches Weltverständnis, eine
falsche Wirklichkeitslehre gewesen.

Indem er sich so einer fast vergessenen und lange versun-
kenen, jedoch keineswegs ausgelöschten Welt bewußt wird,
betritt er die erste Stufe der Wiedererweckung des Priester-
tums in ihm. Aber noch befindet es sich lange im Widerstreit

mit mörderischen Absichten, denen er als Soldat – er ist ein
Hüne von Erscheinung – unterworfen ist. Auf der anderen
Seite verbindet sich die Hinwendung zum Sakrament mit be-
drohlichen militärischen Maßnahmen. Während der Leutnant sich auf die Beichte vorbereitet und der Gefangene sich
anschickt, sie anzuhören, geschehen ungeheuerliche Dinge:
Flugzeuge verkünden den Anmarsch der Befreier und den
Untergang der Klosterbesatzung, die man als „Rote" verstehen muß. Damit sind die erregendsten Dinge verbunden:
der Leutnant, des Todes gewiß, will beichten, muß aber dem
Befehl nachkommen, die Gefangenen zu töten. Der Gefangene
soll eine priesterliche Funktion ausüben, zugleich aber sich
und seine Mitgefangenen, Familienväter, vor dem sicheren
Tode beschützen. Wie kann solches miteinander vereinigt
werden? So kommt es zu einer äußersten Situation: der Priester will sein Beichtkind im Augenblick der Absolution von
hinten mit dem Messer durchstoßen, das dieser ihm arglos
überlassen hat. Diese Beichtszene ist von einer dramatischen
Spannung, die ihresgleichen in der Dichtung der Gegenwart
sucht: der Priester verfällt durchaus in seine frühere Rolle des
Segenspenders und findet die erlösenden Worte, die surren-
den Maschinen zwingen beide inmitten ihrer geistlichen Gespräche in andere Gedankengänge, die heilige Handlung wird
durch ein Telephongespräch unterbrochen, das den Befehl
übermittelt, die Gefangenen zu ermorden (der Priester weiß
es genau), beide verstehen die Situation. Da entdeckt der
Leutnant nichtsahnend die Dolchspitze in dem zerschlissenen
Anzug des Gefangenen. In diesem Augenblick liegt die Entscheidung. Der Priester wird nicht töten, der Spruch Gottes,
der seine dunkle Absicht kundtut, ist zu offensichtlich. „Dann
blickten sie sich an, und nun trat der eine auf den andern zu,
und sie küßten sich." Der Priester aber wird nun seinen

Kameraden die Lossprechung erteilen – er ist jetzt ganz Überwinder. Er hat zwar versäumt, die andern zu retten, aber er
wird ja auch mit ihnen sterben. Kaum ist die Absolution ausgesprochen, als das kleine Türchen des Schalters aufgeht, aus
dem sonst die Speisen verabreicht werden – ein Maschinen-
gewehr wird sichtbar, und ein paar Schüsse strecken alle hin.

Diese kleine Novelle ist nun wirklich ein Wunderwerk an
sprachlicher und inhaltlicher Verdichtung und einer erregenden Problematik, da sie tiefe Schichten des menschlichen
Seins berührt. Abermals finden wir die beiden Hälften der
Welt vor uns aufgetan: das Böse, das einen gefährlichen Bestand in unserem Dasein ausmacht, die Stimme von oben,
die ein verschollenes Priestertum wieder zu sich selber kommen läßt; der Mensch aber schwebt zwischen zwei Mächten,
in das Dunkle fallend, sich wieder zur Höhe erhebend. Die
Novelle zielt auf einen jenseits ihrer selbst liegenden Sinn:
wir sind Gottes Utopia, seine ewige Aufgabe und die unsrige;
das Utopia, das zu suchen und zu verwirklichen ist, liegt in
unserm Inneren und nicht außerhalb unseres Selbst. Es soll
nicht verschwiegen werden, daß Fragezeichen übrigbleiben:
die Haltung des aufgeklärten Dogmatikers, die Problematik
des Priesters, der mit dem Verzicht auf Gegenwehr ja nicht
nur sich selbst opfert, sondern die vielen anderen auf sein
Gewissen nimmt.

In Stefan Andres' Werk an zweiter Stelle steht der Roman
„Die Hochzeit der Feinde", der einesteils einige Linien der
„Utopia"-Novelle aufnimmt, andererseits jedoch neue Fäden
aufgreift und die bisherigen Motive um mehrere wichtige
vermehrt. Der Titel weist zunächst deutlich auf dieses Neue
hin: die Vereinigung des Fremden, ja, des Feindlichen in der
Versöhnung der Ehe. Der neue Roman spielt wechselnd zwischen Deutschland und Frankreich und spiegelt die deutsch-

französischen Spannungen. Dennoch ist der Roman durchaus nicht in der Hauptsache ein Roman des Ausgleichs zwischen den Völkern, so sehr auch die äußere Handlung darauf hinzuzielen scheint, sondern die Geschichte einer Schuld und eines verworrenen Lebens, das sich plötzlich durch den Einbruch unerwarteter Verhältnisse zur Ordnung gerufen und zu einer Revision vom Grunde her gezwungen sieht. So greift der Dichter in eine Tiefe, die der im Utopia-Roman ähnlich ist. Es finden sich auch die stilistischen Entsprechungen, die Liebe zur Komplikation, die kunstvolle Verknotung der Handlung zu einem unerwarteten und seltsamen Gefüge. Es zeigt die Stärke des Dichters in der Handhabung eines energischen Gesprächs und ein sehr lebhaftes dynamisches Element, das in Verbindung mit psychologischen Mitteln die Handlung vorwärtsbewegt. Aber nicht eben dies ist die Hauptsache, sondern die Schilderung des Einbruchs gnadenhafter Mächte in ein schuldig gewordenes Leben, der Durchbruch durch Verkrustungen und Verfestigungen der Seele und deren Antwort darauf, die langsame Auflösung jahre- und jahrzehntelang getragener Unordnungen in einer überraschenden Situation der Begnadung, der durch Winkel und Ritzen ins Innere des Menschen dringende Anruf, dem dann umgekehrt die Stimme des Herzens antwortet – bis die Schalen des Ichs zerbrochen daliegen und eine gesegnete Stunde das große Bekenntnis liefert. Und dies alles mit einem Tiefengang, der hinter eleganter und leichter Konversation verborgen ist, so sehr, daß man erst gegen Ende inne wird, worauf der Dichter *eigentlich* zielte – ein Versteckspiel der Komposition, das die nimmer ruhende Jagd der Gnade nach dem Menschen verdeutlicht.

So stehen wir also abermals im Bereiche jener Motive, von denen einerseits „Utopia", andererseits – mutatis mutandis –

das Werk der Elisabeth Langgässer erzählt. Auch Andres führt in die erregenden Entscheidungen, die zustande kommen, wenn gnadenhafte Berührungen sittliche Auseinandersetzungen hervorrufen.

Es ist mit dem etwas älteren Roman „Der Mann von Asteri" nicht anders. Eine Fülle von Welt wird vor dem Leser ausgebreitet: das Moselland, Italien, Griechenland, und der Dichter ist überall, so scheint es, beheimatet, im engen Tal der Jugend wie in Positano und am Hymettos. Er kennt die Weinbauern seines Vaterlandes so gut wie die Griechenlands. Wenn irgendwo, so zeigt sich hier die beneidenswerte, immer aus dem Vollen schöpfende, ja sprudelnde Erzählgabe und -freudigkeit des Dichters. Man sieht immer neue Situationen, Kontinente und Inseln, Gestalten und Schicksale sich vom Hintergrunde lösen und auf sich zukommen, schwebend leicht und ganz ungewaltsam; fast ist es so, als würde hier nichts mehr erfunden oder erdichtet, die dichterischen Realitäten brechen einfach hervor – und alles ist echt, lebensvoll, wirklichkeitsgemäß und hat sein Dasein aus der eigenen Mitte. Und der Leser fühlt sich als Teilnehmender eines staunenswerten Reichtums im Bannkreis einer fremdartigen Menschenwelt beglückt und zuletzt auch wohl nachdenklich auf sich zurückgeworfen, da er sich selbst in unendlich vielen Spiegeln erblickt.

Dabei ist das große Kaleidoskop von Menschen und Vorgängen, das von Seite zu Seite neue Figuren zeigt, doch von einem bewunderungswürdigen Kompositionsvermögen her geordnet. Auf einfachen, jedoch mächtigen Fundamenten wird ein komplizierter Bau errichtet, so aber, daß gerade aus den einfachen Maßen des Grundgefüges das Werk von jeder Stelle aus leicht überschaubar wird. Die geistige Mitte des Werks ist der den beiden genannten Werken vergleichbar – die Wiederholung des gleichen Prinzips macht es nun möglich, in ihm einen typischen Zug von Andres' Stilcharakter zu sehen: die begnadete Stunde als Aufforderung zur großen Korrektur und Kehre des Lebens. Der besondere Eindruck, den der Dichter hervorruft, ist verursacht durch die Tatsache, daß er sich gewaltige Voraussetzungen schafft und mit mächtigen, ganz und gar nicht alltäglichen Ereignissen arbeitet. Wie im Falle des Mönchs und des Arztes das Ungewöhnliche seine Hand im Spiele hat, so auch hier. Der Mann von Asteri, um den es hier geht, ist Franz Gratian, der vor zwanzig Jahren seine moselländische Heimat flüchtig verlassen hat. Damals waren ihm zwei Ereignisse zum Schicksal geworden: seine Liebesbegegnung mit einer Försterstochter und der gewaltsame Tod seiner Frau, der kinderlosen, verspielten Französin Hortense, die eben in dem Augenblick starb, als der erboste Förster drohte, ihr den Ehebruch Gratians zu verraten. Dieser hätte sich dem Verdacht, selbst der Mörder zu sein, sicher nicht mit Erfolg entziehen können. Jetzt aber, zwanzig Jahre später, nachdem er ein verworrenes Leben mit neuer Schuld hinter sich hat und einsiedlerisch auf dem Berge Hymettos lebt, kommt plötzlich Hans Bleicher, den er ins Leben gerufen, aber als Ungeborenen schon im Stiche gelassen hatte, in seine Einsamkeit, um den ungekannten Vater für sich in Anspruch zu nehmen. Was in den beiden andern Romanen entweder in der Mitte oder am Ende sich vollzieht, macht hier den Anfang aus: es sind die ersten Seiten, die die ungeheuersten Gewichte tragen: wie er, als wäre er vom Blitz getroffen, am Namensschild des Koffers den Sohn erkennt, augenblicklich darüber klar, daß von dieser Stunde an Unvermeidliches seinen Gang nehmen wird; wie er den nichtsahnenden Jungen, der in dem Einsiedler zunächst nur einen Freund seines Vaters vermutet und sich ihm aufschließt, um zu seinem Ziele zu gelangen, über sich, den Vater, sich ausreden läßt, um zu erfahren, wie weit dessen Wissen geht und was man sich in der Heimat erzählt. Und dann gibt er ihm den in Wachstuchbüchern niedergeschriebenen Roman seines Lebens zu lesen und läßt ihn für die Nacht allein. Den Jungen aber, das Manuskript in seinen Händen, durchfährt nun seinerseits der Blitz des Erkennens; bevor er die erste Zeile liest, weiß er, wer der Fremde vor ihm ist.

Und dann geschehen wahrhafte Dammbrüche; die Wasser, die durch die Energien des Vorberichtes – dem ägyptischen Wunder vergleichbar – sich zu Mauern getürmt hatten, brechen durch. Die Lektüre des Tagebuchs ist das Mittelstück des Romans, kompositorisch eine große Leistung. Abgeschlossen fast in dem Augenblick, als der Junge auftaucht, sind diese Blätter eine Art Lebensbeichte und eine Abrechnung mit sich selbst. Wir erfahren, wie der dicke Winzer von ehedem sich durch unvorhergesehene Ereignisse ganz plötzlich in andere, ungewohnte Verhältnisse hineingeschleudert wußte. Eines der Grundmotive von Andres' Erzählkunst, daß wir, wohin wir auch kommen, anderen zum Schicksal werden und umgekehrt von ihnen Schicksal erfahren, zieht sich wie ein roter Faden durch diesen Teil. Neue Verwirrungen und Verwicklungen und neue Schuld. Zu der alten Last gesellt sich neue: der Selbstvorwurf des Mordes bleibt ihm nicht erspart. Die Geliebte, die er gefunden hat, die Russin Nastasja, stirbt grausam an und mit dem Kinde, das sie von ihm empfangen hat. In das Gewebe der Handlung flicht sich bei aller Lebensfülle der dunkle Faden der Tristitia, der Verzweiflung am Leben, die ihren Grund in dem Bewußtsein hat, daß zu den schwersten Verhängnissen unseres Daseins das Ausweichen vor den einfachen Realitäten dieser Welt gehört.

Als Gratian am nächsten Morgen den Jungen aufsucht, ist

die Lektüre beendet. Abermals zeigt sich die Kunst des Dichters, große Dinge kompositorisch zu bändigen. Die Beichte des Vaters ist unvollendet, den Rest muß er durch die Tat vollziehen. Die Nacht hat das Verhältnis der beiden in der Tiefe berührt. Jetzt muß sich von beiden Seiten her erweisen, was es heißt: Vater und Sohn zu sein. Es scheint, als habe der Vater die Ungeheuerlichkeit dieser Stunden begriffen und in der Meditation der Nacht (über die Schweigen gebreitet ist) seine Entscheidungen schon vollzogen. Aber es ist etwas anderes, durch das Leben zu bestätigen, was der Gedanke vorweggenommen hat. Der Sohn steht vor entsprechenden Aufgaben. So wie der Vater endgültig zu ihm, so muß er endgültig zum Vater finden, quer durch alle Enttäuschung und Erbitterung hindurch. Wie aber könnte das geschehen, wenn nicht der Vater entschlossen die Führung ergreift? Wir finden die beiden am nächsten Tag auf langem Ritt durch das Gebirge (schönste Gelegenheit für den Dichter, sozusagen nebenher und unauffällig seine Liebe zu Land und Leuten und zur Vergangenheit der Antike in wunderbarer Weise auszubreiten), und als sie endlich in einem Gasthof vor Mistrà ankommen, wissen wir: das Ganze war um eines Mädchens willen, das der Vater sich ins Haus nehmen wollte. Noch einmal schwanken die Schalen der Waage, die sich in den letzten Stunden wie im Gleichgewicht bewegt hatten, als der Vater sich die beiden Menschen, wie nicht anders erwartet und kaum anders beabsichtigt, aufeinander zu bewegen sieht. Er selbst, keineswegs unberührt in seinen Gefühlen, wird es sein, der dem Jungen die Tore zum Leben aufschließt. Dies der zweite Teil dieses bunten Teppichs des Lebens. Aber ein dritter schließt sich noch an: voll Zorn gegen den Vater, den er im Verdacht hat, daß er ihm die Geliebte nehme, bemächtigt sich der Junge eines Koffers, der die Geheimnisse Gratians

enthält, und abermals wird Hans Bleicher Leser eines Tagebuchs, dessen, welches der Vater während der Gefangenschaft in Malta geschrieben hatte, wohin er von den Engländern während des Krieges aus Süditalien entführt worden
war. Die neuen Einsichten schließen sich mit innerer Logik an
die Erlebnisse der vergangenen Tage an, obgleich die Berichte
über längst Vergangenes Auskunft geben. Aber der Sohn begreift jetzt den Vater, wenn er liest, in welchem Maße er sich
in jener Zeit vom Leben gelöst und vor sich selbst Rechenschaft abgelegt hat. Wir aber ahnen, was dem Vater über seine
guten Entschlüsse hinaus in diesen Tagen zu leisten auferlegt
war. Und so kommt es auf den wenigen Seiten des vierten
Teils zu einem versöhnlichen Ende, als der Vater mit dem
nun endlich Gefundenen und dem Mädchen Galene den Berg
der Mönche verläßt, um dem Paar in ein neues Leben zu folgen. Groß bis ans Ende, läßt der Dichter den schnell Altgewordenen nun alsbald dahingehen, und indem er über die zeit-
liche Gestalt Vergessenheit ausbreitet und über den sorgsam
gepflegten Weinberg des Entschwundenen die Schafe weiden
läßt, nimmt er das Ewige in die Versöhnung auf.

In dem Roman „Ritter der Gerechtigkeit" betritt der die
Kreise des Lebens durchwandernde Dichter einen neuen Bereich. Zwar handelt es sich auch hier um die Wiederherstellung menschlicher Ordnungen und um große Korrekturen in
entscheidender Stunde. Aber die vor uns ausgebreitete Problematik ist allgemeiner als bisher und berührt jedermanns
Erfahrung. Den Hintergrund bildet der sich vor unsern Augen
vollziehende Zusammenbruch einer Welt und die darin sichtbar gewordene Grundverwirrung unseres Daseins. In der
Stunde der Katastrophe, wenn alle Stützen zerbrechen, wird
es offenbarer als je, daß die großen Verhängnisse im kleinen
Versagen begründet sind, in der täglichen, zur Gewohnheit

gewordenen Freveltat, der Ungerechtigkeit vor allem, der
Lüge, dem Haß und der Verleumdung. Andres ist ein leiden-
schaftlicher Sucher nach den menschlich echten Haltungen.
Sein ganzes Romanwerk ist darauf angelegt, die Menschen zu
sich selbst zu führen, sie unerbittlich zum eigenen Richter
über ihre Irrtümer und Verfehlungen zu machen und ihr Leben in Übereinstimmung mit dem überindividuellen Gesetz
zu bringen, das in Wirklichkeit der Wille Gottes ist. Unter
solchen Gesichtspunkten gewinnen die gewohnten Grundverhältnisse nur andere Größenordnungen: was in den übrigen Werken die unerwartete, unerhörte Konstellation scheinbar zufällig aufeinanderstoßender Ereignisse war, ist hier der
Krieg und sein Ende; er gibt die Gelegenheit, das Leben zu
überdenken und das Ich in seine eigentliche Aufgabe zurück-
zurufen: in äußerster Konsequenz das Rechte zu tun. Und
wenn drüben ein einzelner Mensch und vielleicht noch sein
Partner angerufen wurden, die Umkehr zu vollziehen, so vertritt dieser Roman ein allgemeineres Anliegen, das im Grunde
alle zur Entscheidung zwingt. Denn die Klage, die über das
Buch ausgebreitet ist, betrifft die menschliche Unzulänglichkeit, die sich weit unterhalb des Bereichs des Seinsollens an-
siedelt und nicht nur aus Schwäche, sondern auch aus Feig-
heit sich auf die Flucht begibt vor der Unbedingtheit sittlicher
Ansprüche. Ihr ist es zur Last zu legen, wenn ein Staat entsteht, der die Individuen mit dem Prägestempel der Norm
versieht; sie läßt die Lehre der Kirche zum Gespött werden
angesichts des erbarmungswürdigen Lebenswandels der Christen. Dieser Roman ist ein besonders eindrucksvolles Zeugnis
für das Anliegen des Dichters, daß der Mensch sich bemühe,
ganz er selbst zu sein, indem er seine Freiheit in den Dienst
der höchsten Bindungen stellt.
Die konkrete Handlung, die solchen Abstraktionen zu-

grunde liegt, führt uns nach Süditalien zur Zeit des Zusammenbruchs des Faschismus im Sommer 1943. Die Frage ist, wie dieses Ereignis geistig bestanden wird. Das italienische Bürgertum, das vor uns hingestellt wird, ist nicht sehr zahlreich, aber den einzelnen Personen soll doch stellvertretende Bedeutung zukommen. Der Dichter entwickelt ein pessimistisches Bild: das breite Feld beherrschen die Halben, die opportunistisch heute Treue schwören und morgen verraten, keine Grundsätze anerkennen als den Erfolg und das Geld und dabei nach außen hin durchaus als tadellose Bürger und sogar als gute Christen erscheinen. Den Durchbruch durch diese haltlose, tückische und faule Welt vollziehen drei Menschen, die Andres „Ritter der Gerechtigkeit" nennt, aber sie gehen nicht nur verschiedene Wege, sondern zeigen, jeder in seiner Weise, wie schwer es ist, den rechten zu finden und zu beschreiten, wie leicht, ihn zu verfehlen.

Da ist Dino Falconieri, der bürgerliche Neffe des Fürsten di A. Er ist an den Menschen in einer zweifachen Weise irre geworden: an der bürgerlichen Gesellschaft, die er für verrucht hält, und an der Kirche, deren Vertreter sich zu ihrer eigenen Lehre in Widerspruch setzen. So wird er ein Nihilist, der mit seinem voltairischen Spott auch noch dessen „Ecrasez" verbindet, als Rebell und Anführer der Bande der „Ritter vom weißen Roß" Unteritalien unsicher macht und als deren letzter zugrunde geht. Die Seele des jungen Empörers enthüllt sich – selbst dem langsam begreifenden Freunde – erst allmählich; unter immerwährendem geistvollem Sarkasmus, der in Wahrheit nur die Vorstufe zu furchtbaren Untaten ist, verbirgt sich eine tiefe Verwundung, an der alle diejenigen mitschuldig sind, die zur Enttäuschung dieses Enthusiasten der Menschen beigetragen haben. Platons Phaidon hilft dem Freunde, sich die innere Natur des Wüterichs zu verdeutlichen: „... Die

Menschenfeindschaft komme daher, daß man einem Menschen zu sehr geglaubt habe, ohne Erfahrung, und dann entdecke, wer dieser Angehimmelte in Wirklichkeit sei. Und Platon sagt, daß, wenn sich solche Enttäuschungen wiederholten, ein derart vom Menschen Betrogener zum großen Hasser sich verändere[1]". So vollzieht sich das Geschick einer edlen Natur in tragischer Weise, da es nicht möglich ist, Gerechtigkeit auf dem Wege der Gewalt herzustellen.

Diesem steht der Fürst di A. gegenüber, der ein Leben lang zwar dem Gedanken der Gerechtigkeit und der sozialen Liebe gedient hat und darum in seinen Kreisen in den Verdacht der Abtrünnigkeit gekommen ist, aber er hat nicht der Tat gelebt. Es ist jedoch nicht genug, nur in Gedanken das Notwendige anzuerkennen und im übrigen den Weltlauf sich selbst zu überlassen, in egoistischer Selbstgenügsamkeit mit den schönen Dingen des Lebens vertraut zu bleiben und als Philosoph, Ästhet und Sammler kostbarer Porzellane die Berührung mit der rauhen Wirklichkeit zu scheuen. Als der sozial nur Redende hat er einen viel größeren Anteil an den Verwirrungen des Neffen als der brutale Egoist, der seinen Gesinnungen gemäß handelt. Der skurril anmutende Zug, daß er das Leben des Neffen durch einen geringfügigen Umstand verdarb – er hat ihm auf Grund des – falschen – Verdachtes, er sei der Dieb einer besonders geliebten kleinen Porzellanfigur, seine Gunst entzogen – mag als sinnbildliche Bedeutung für die allgemeine Erfahrung sprechen, wie wenig dazu gehört, um ein schweres Unheil anzurichten. Gleichwohl ist er durch den Stachel in seinem Gewissen ein Leben hindurch beunruhigt. Ganz zum Schluß findet er unter dem Eindruck der furchtbaren Erlebnisse die Kraft zu einer radikalen Umkehr. Als sein Palast den Zerstörungen des Krieges zum Opfer fällt, löst er sich Stück für Stück aus den

irdischen Bindungen und verbringt seine letzten Tage frei-
willig im Armenhaus, um seine Worte, wenn auch spät, durch
die Tat zu bestätigen. Zwar kann er seinem Neffen nicht
mehr helfen, aber Fabio, der Dritte, der zwischen den Ge-
gensätzen der Welt sich den rechten Weg suchen und die Kraft
seines Herzens zusammennehmen mußte, um nicht zu strau-
cheln, weiß sich für sein ganzes Leben durch diesen Tod
bestimmt, denn er hatte es nun gesehen, „daß die Wahrheit
sich bewiesen hatte – in einem Menschen[2]".

Am Ende seines bisherigen Werkes steht der große Roman
„Das Tier aus der Tiefe", der erste Teil eines riesigen Ge-
samtwerks, das unter dem Titel „Die Sintflut" angekündigt
ist. Die in den „Rittern der Gerechtigkeit" begonnene Auseinandersetzung mit den geistigen Entwicklungen unserer Zeit
und ihren Ereignissen wird darin fortgesetzt. Aber im Gegensatz zu jenem handelt es sich um eine Satire großen Stils. Der
Dichter verdeutlicht die hinter uns liegenden Vorgänge an
einer Modellwelt; die wesentlichen, nur zu gut bekannten
Erscheinungen des „Dritten Reiches" werden in eine andere,
von einer freischaffenden Phantasie gestalteten Welt hinüber-
getragen. Der Dichter macht sie zu Elementen im Bauplan
einer grotesken Konstruktion und läßt auf sie ein grelles
Licht fallen, indem er sie nicht nur in eine fremde Umwelt ver-
pflanzt, sondern scharf betont. Es haftet dem Ganzen etwas
Parabolisches an, das nicht sich selbst, sondern ein anderes
meint und gleichnisweise darstellt. Ohne Zweifel ist damit
etwas Gewagtes unternommen. Die welterschütternden Irrtümer des menschlichen Geistes können auch am kleinsten
Vorgang sichtbar gemacht werden. Andres aber hat sich eine
gewaltige Aufgabe gestellt: er läßt die mißgebildete Schöpfung verwirrter Menschen sozusagen noch einmal entstehen,
sieht dem verfluchten Original Zug für Zug ab, um dies alles

in seiner Welt zu verwenden, macht das Wesentliche deutlich und spürt den Kräften nach, die zu solchen Taten fähig
waren. Er weist dem Geist des Irrtums und des Bösen die ei-
serne Konsequenz nach, der er sich selbst unterworfen hat,
nachdem er einmal den Fuß auf den Weg zu seinen Verhängnissen gesetzt hatte.

Auf Groteske ist schon das geistreich-originelle Präludium
angelegt, in dem der Autor die Gebilde seiner Phantasie zu
einer letzten Konferenz einlädt, bevor er sie in die Handlung
entläßt. Als die von ihm zwar ins Leben gerufenen, dann jedoch aus sich selber heraus wirkenden und in eigener Verantwortung für ihre Taten einstehenden Geschöpfe treten sie
denn auch ihm, dem Autor, höchst eigenwillig und sehr an-
spruchsvoll gegenüber. In gewollt skurriler Zuspitzung geben
sie einen humorvollen Hinweis darauf, wie sie sich alsbald verhalten werden und was von ihnen zu erwarten ist. Grotesk
sind auch die Inhaltsangaben an der Spitze der jeweiligen
Kapitel.

Die Handlung aber ist diese: In dem süditalienischen Città
morta, der Stadt, von der in Andres' Romanen des öfteren die
Rede ist, hat sich eine kleine Gruppe von Phantasten und
Ideologen um den Nietzschejünger Leo Olch geschart, der
seine neue Lehre vom Menschen gebildet hat und ihr Geltung verschaffen möchte; es ist die Lehre von der „Entwer-
dung" der Person und ihrer Hinüberführung in eine vom
Prägestempel seines Willens geschaffene „Norm". Der neue
Mensch ist der „Genormte" – es wird zukünftig nicht gedul-
det werden, daß sich Menschen aus der eigenen Mitte heraus
entwickeln und ganz sie selbst sind. Der Wunsch dieses Psy-
chopathen, seinen Ideen politische Aktionskraft zu geben und
sie in große Verhältnisse hinüberzuführen, erfüllt sich in dem
Augenblick, als es ihm gelingt, den in Città morta als Ferien-

gast eintreffenden Dogmatikprofessor Alois Moosthaler in
seine Kreise zu ziehen. Er glaubt, in ihm ein Werkzeug seines
Willens zu finden. Aber die Lage bringt es mit sich, daß dieser durchaus unwichtige und unbedeutende Theologe von
seiner neuen Umwelt zu unerwartet beträchtlicher, stets
wachsender und zuletzt unumschränkter Macht gehoben wird.
Es begibt sich das Merkwürdige, daß der Normer nicht seine
Bewegung, sondern diese ihr Haupt erschafft. Der Machtgierige tritt in bereits fertige Verhältnisse und wird – er weiß
selbst nicht eigentlich wie – von Fremden auf den Schild gehoben. Was anfangs wie ein Spiel sich anläßt, das sich im
privaten Kreis von Harmlosen erschöpft, tritt alsbald in das
öffentliche Leben hinaus. Es zeigt sich, daß ein System von
äußerster Künstlichkeit sich tatsächlich trägt und aufgenommen wird. Aber es bedarf, nachdem es einmal der Obhut des
bloßen Gedankens entschlüpft ist, mehr und mehr gewalt-
tätiger Mittel, um am Leben zu bleiben. Es entstehen Organi-
sationen und Kartotheken, Uniformen werden eingeführt,
Scharen von Aufpassern und Schnüfflern geschaffen. Man
führt eine totale Registrierung ein, die den Menschen wie
Maschinen erfaßt und ihm kein Geheimnis läßt, „von seiner
Steuererklärung bis zu den geheimen Aussagen des Orts-
ältesten über sein Verhältnis zur Norm, seinen Charakter,
seine Geltung als Bürger, seine Werbetätigkeit für die Norm
und seine beruflichen Erfolge und Niederlagen." Man arbeitet
mit allen Mitteln massenpsychologischer Beeinflussung, mit
Witz, Pathos, Wiederholung, Übertölpelung durch Kühnheit,
Drohen, Aufbrüllen, Pause, Windstille, Lächeln, Güte und
Aufforderung zur Freude. Je unübersehbarer die Formen
werden, in die man hineingerät, um so zweckhafter und be-
rechneter wird jede einzelne Tat, um so unwahrer und verlo-
gener die zur Schau getragenen Gesinnungen. Längst hat der

ehemalige Dogmatiker die Kirche verlassen und seine Vergangenheit von sich getan. Das Gewöhnliche seiner Natur
kommt heraus, ob er nun die „geistigen Grundlagen" seiner
Partei verkündigt oder die göttlichen zehn Gebote durch
zehn andere ersetzt, die sich aus Nietzsches Evangelium der
Vornehmheit ableiten und den rücksichtslosen Willen zur
Macht vertreten. Mit Lug und Trug schreitet der Machthaber
wider Berufung zur Höhe weiter: die Unbequemen werden
bedenkenlos geopfert; er scheut sich weder vor Erpressung
und Fälschung noch vor Mord. Das erste bedeutende Opfer
ist eine Jüdin, die der Bewegung in ihren Anfängen ihr Haus
und beträchtliche Summen zur Verfügung gestellt hat; der
siegreich durchbrechende Antisemitismus geht über sie hinweg. Nur eine kleine Schar von Aufrechten bewahrt sich den
klaren Blick und die geistige wie moralische Unabhängigkeit,
unter ihnen der Armeleute-Priester Don Evaristo, der einen
weitaus sichereren und untrüglicheren Instinkt für das Echte
wie das Teuflische besitzt als der vornehme, von Moosthaler
düpierte Bischof.

Das „Tier aus der Tiefe" – diese dunkle apokalyptische Gestalt – ist die Verdeutlichung des Menschen im Zustande
seiner äußersten Entartung, des letzten und schlimmsten Abfalls von sich selbst. Die „Norm", das Kollektiv, ist die Ver-
leugnung seiner selbst, Verrat seiner göttlichen Herkunft,
Widerrufung seiner Natur. Auch dieser Roman steht im Zeichen der Krisis; er gibt in paradigmatischer Weise einen Ausblick auf die Endsituation, die zu durchschreiten ist. Der Ernst
der Dichtung wird dadurch nicht geringer, daß er Hitler
und sein Regime von sich abrückt und ein allzu nahes Zeitge-
schehen „mit dem Kunstmittel der Analogie auf die Ebene der
klaren Anschauung und der leidenschaftslosen Betrachtung[3]"
hebt, er wird im Grunde nur noch größer, indem er die

Antriebe, aus denen Machtgebilde entstehen, isoliert sichtbar macht.

Dies um so mehr, als es ihm gelingt, dem Geschehen eschatologische Züge zu verleihen. Diese Normbewegung ist nur eine der vielen auf totale Vermassung hinstrebenden Bewegungen unserer Zeit, die sich in die Hülle der Wahrheit kleiden. Nicht umsonst ist Moosthaler ein abgefallener Dogmatiker und der Chef der Kartothek ein Jesuitenzögling. Die äußerste Verderbnis bedient sich der echten Menschenordnungen wie eines Gehäuses und versteckt sich in fremden Einrichtungen, so daß selbst der Getreue sich täuschen läßt. Aber was drüben zum Heil gehört, wird hier Farce und Mittel der Verführung: die Hierarchie der Werte und der Personen, der Glaube, der Gehorsam. Es scheint zu den Kennzeichen der Endzeit zu gehören, daß sie ihre Irrtümer unkenntlich macht, indem sie sie in christlicher Gewandung einhergehen läßt. So gesehen, steht das Werk von Andres auf dem Hintergrund einer Geschichtstheologie, für die das Erscheinen des Antichrist der Einbruch radikal gegengöttlicher Mächte ist. Moosthaler – im Vorhofe des Antichrist – hat an ihm Anteil nicht nur durch die angemaßte Macht, mit der er sich zum Herrn seiner Umwelt macht, sondern auch durch das Äffische seiner Natur, das nach altem Glauben den höllischen Gegenspieler Gottes kennzeichnet.

Franz Werfel

Rudolf Alexander Schröder

Elisabeth Langgässer

FRANZ WERFEL

Im Vorraum der christlichen Welt

Zur Anerkennung der großen Ordnungen der Welt, ja,
weitgehend zum Bekenntnis zur Kirche und der von ihr ver-
kündeten Wirklichkeit hat sich Franz Werfel führen lassen,
wenn er auch den Schritt zur Konversion nicht zu tun vermochte. Sein episches Werk hat jedoch schon seit den zwan-
ziger Jahren diese Annäherung immer sichtbarer gemacht;
die in der Emigration entstandenen Romane aber zeigen, daß
ihn zum Schluß nur noch eine dünne Trennungslinie von der
vollen Gliedschaft ferngehalten hat.

Werfels Name ist eng verknüpft mit den Anfängen und der
Geschichte des Expressionismus. Damals war er die tönend-
ste und erregteste Stimme der Jugend, die den Durchbruch
wagte gegen die Sattheit und Leere einer entgötterten Welt.
Er bildet in seiner Weise eine Parallele zum Aufstand Ernst
Jüngers, wenn man die Vorzeichen verändert: die Triebkraft
des einen war eine intellektuelle, die des andern eine emotio-
nale Leidenschaft, beiden aber ging es um das Bekenntnis zum
Wesenhaften, Echten und Natürlichen in der Menschenbil-
dung und in allem, was Menschen tun. Werfel fand damals
das weithin gehörte Wort der Sehnsucht, das den Menschen
in seiner Isolierung anruft und ihn in die Nähe des Bruders
stellt. Was die vielen um ihn qualvoll erlebten, wußte er zu

sagen: aus der dunklen Einsamkeit des Herzens verlangte er nach der Verwandlung in alle Dinge und Wesen, bereit, die eigene Individuation aufzuheben, alles Fremdwesen in seine Liebe hineinzunehmen. Durchdrungen von einem religiösen Weltgefühl, neigte er sich in Güte und Erbarmung zur Kreatur und suchte die Züge des Göttlichen in allem menschlichen Du, ohne sich vor der niedrigen oder sogar ekelerregenden Schöpfung zurückzuziehen. Ein Picasso der Dichtung, bemühte er sich, hinter Masken das ewige Antlitz wiederzufinden. Er suchte es bei den Armen, die im Prozeß eines harten Lebens ihr Ich verloren haben, bei den Erniedrigten und Beleidigten, die um eines Geringen willen ihr Größtes zu opfern gezwungen waren. Der Strom seines Gefühls überschwemmte die Welt, die Liebe ergoß sich pantheistisch über Menschen und Dinge, alles an sich reißend, alles überflutend, und fand ihren Ausdruck in hymnisch gesteigerten Versen, die der leidenden Welt nicht nur ihre Schmerzen, sondern die Individualität nahmen und sie aufgelöst und ohne Kontur in den Urgrund der Liebe zurückführten.

Das war der Anfang. Zwischen ihm und dem Ende liegen viele Verwandlungen, und doch ist das Antlitz des jungen Werfel auch in den Hervorbringungen des altgewordenen wiederzuerkennen. Der Dichter der Gefühlserregungen und des erschütterten Gemüts ist er bis zuletzt geblieben, und der beschwörende Ruf: O Mensch! klang noch vom Lager des Sterbenden über den Ozean nach Deutschland, das der Anklage der Welt entgegensah. Die Liebe zu allen Geschöpfen, die Sympathie zu den Menschen, vor allem den geringen, hat ihn durch die Jahre begleitet. Aber bei bleibender Grundgesinnung veränderte er seine Haltung zur Welt: er gab seinem Blick die Richtung auf das Konkrete und Nahe. Er unterwarf seinen unbegrenzten, auf das Allgemeine und

Unbestimmte gerichteten Subjektivismus den Forderungen, die aus der Umwelt auf ihn zukamen, der Hymniker zog feste Grenzen um sich, faßte die Gegenstände ins Auge und entdeckte auf diese Weise eine neue Menschenwelt, der seine Dichtung in Zukunft dienen sollte.

Die Hinwendung zum Objektiven war mit seinem ersten Roman offenbar. Er hat seitdem ein großes episches Werk vor uns ausgebreitet und ist als einer unserer größten Erzähler von uns gegangen. Was ihn vor anderen auszeichnet, ist das Verständnis der Menschen aus der Mitte des Herzens, seine gütige Anteilnahme an allen Taten, seien sie groß oder verkehrt, an allen Schicksalen, seien sie verdient oder unbegreiflich. Werfel ist ein einfühlender Dichter, der sich behutsam in die Tiefe des anderen versenkt. Ist die Empfänglichkeit für das Fremde die beste Mitgift seiner Jugend, so ist er zum Menschengestalter doch erst geworden, seitdem er die Geschöpfe der Welt nicht mehr mit seinen Gefühlen überflutet, sondern sie in sich selbst ruhen läßt und sich hütet, in ihre Welt einzubrechen. Voll strahlenden Humors, ist er doch ohne Ironie, die von Natur aus verletzt. Er ist ein Mitleidender seiner Gestalten und darum immer unter ihnen, ein Jasager trotz aller furchtbaren Erfahrungen und darum das Gegenteil zu denjenigen, die sich skeptisch und verneinend zur Welt verhalten.

Die Ursache von all dem ist: Werfel ist ein von Grund auf religiöser Dichter. Waren schon seine ersten Verse nichts als ein religiöser Durchbruch durch eine glaubenslose Welt, so erweist ihn sein ganzes Werk als einen Dichter frommen Gemütes. Nur ist er gerade in seinem Innersten den Weg der Läuterung gegangen und hat – wie alle seine Gefühle – so auch sein religiöses Bewußtsein unter Kontrolle genommen. Die katholische Umwelt, in der er dauernd lebte, mag ihm

manchen Umweg erspart haben; seine naturgegebene Empfänglichkeit machte ihn auch für den stärksten Eindruck offen.

Mit den beiden andern Pragern, mit Rilke und Kafka, repräsentiert Werfel in einer erregenden Weise die gegenwärtige
Situation des abendländischen Denkens. Während Rilke mit
seinem harten und unerbittlichen Entschluß, im „Hiesigen"
zu verweilen, der Dichter des unwiderruflichen Endes ist, ver-
deutlichte Kafka in eindrucksvoller Weise das agnostische
Unvermögen, sich zwischen Nichtsein und Sein zu entscheiden. Werfel aber wagt den Durchbruch in die Transzendenz
und gelangt bis in die Vorhöfe der Glaubenswelt, deren Inneres er bereits sieht und deren Luft er schon atmet. Tief ver-
feindet mit dem agnostischen Radikalismus, „der die geistige
und ästhetische Quelle der gesamten modernen Literatur
wäre", ist er durchdrungen von den heilenden Kräften der
christlich-katholischen Glaubenswelt, ohne doch an ihren sakramentalen Segnungen teilzunehmen. So vermag er auf seiner Wanderung durch die Wirklichkeit, durch die Geschichte
und die Länder der Welt, über die Menschen jeglicher Artung
und ihre Probleme hinweg bis an den Rand der Mysterien
vorzudringen und eine Welt der Geheimnisse offenbar zu
machen, von denen er sich selbst noch ausgeschlossen wußte.
Aber er begreift sie; die Wundergabe seiner Erzählkunst, die
ein phantastisches Reich vordergründiger Dinge schafft, Gestalten in Fülle ins Leben ruft und stets neue Überraschungen
bereithält, darf nicht darüber hinwegtäuschen, daß es ihm
letztlich um die Deutung unserer Rätsel geht, um das Bleibende
im Vergänglichen, um die Maßgesetze unseres Tuns, woran
der einzelne sich selbst orientiert und in Ordnung hält. Er ist,
je älter er wurde, um so tiefer davon überzeugt gewesen, daß
eine jenseitige Welt mit ihren Kräften und Gesetzen in die
unsrige hineinwirkt und sich immer wieder zur Geltung bringt.

Die Immanenz unseres Daseins wird je und je durchbrochen durch die Allmacht Gottes, durch sein Wirken in den Seelen, durch seine Offenbarungen, durch Gnade und Sakrament.

So ergibt sich die Merkwürdigkeit, daß ein nichtkatholischer, ja ein nichtchristlicher Dichter, den seine Treue zum verfolgten Judentum, wie er selbst sagte, veranlaßte, nicht zu konvertieren, einer der eindrucksvollsten Zeugen des katholischen Glaubens wurde, die Kirche von ihrer Außen- wie von ihrer Innenseite gleich gut begriff, ihre weiten Räume durchschritt und selbst die Winkel kannte, in denen man einsam sein kann, das Leben der Heiligen und ihre Entrückungen verstand und noch in seinem letzten Buch sich zur Ewigkeit der Gründung Christi bekannte. Es handelt sich um drei große Werke, „Das Lied von Bernadette", „Der veruntreute Himmel" und „Der Stern der Ungeborenen".

Besonders der erste Roman hat den Namen des Dichters noch einmal in alle Welt getragen. Der Anlaß des Buches ist bekannt. Auf der Flucht vor den eingebrochenen deutschen Truppen geriet der Autor nach Lourdes und gelobte dort, als nächstes Buch die Geschichte der Bernadette Soubirous zu schreiben, wenn es ihm vergönnt sein sollte, die rettende Küste Amerikas zu erreichen. Er nannte die Geschichte nachher ein „Lied", vielleicht um das fast Unwirkliche des Vorgangs und seinen starken gefühlsmäßigen Anteil daran zu charakterisieren. Es handelt sich in Wahrheit nicht um einen Roman. Ein genaues Studium der Prozeß- und Kanonisationsakten ist vorausgegangen. Die im Werk auftretenden Gestalten haben die Züge ihrer Urbilder. Umwelt und Landschaft sind der Wirklichkeit entsprechend dargestellt. Dichtung daran ist eigentlich nur, wie das Material der Akten mit Leben gefüllt, die Kräfte gegeneinander in Bewegung gesetzt werden. Jedoch läßt nicht nur das Geschehen, sondern auch die Darstellung den Leser nicht aus dem Bann. Der Dichter verwendet an sein Thema die ganze Größe seiner Kunst, Geschehnisse in Fülle mit einem Blick zu umspannen. Was aber auf diese Weise zu Ende geführt ist, macht ganz den Eindruck eines Werkes, dessen Stoff den Dichter überwältigt hat.

Er beschreibt ein Leben, das zu den seltsamsten der modernen Zeit gehört. In der Mitte eines ungläubigen Jahrhunderts, das sich dem Materialismus verschrieben hat, tritt in einem unbedeutenden französischen Landstädtchen ein unbegabtes, zurückgebliebenes Mädchen aus heruntergekommener Familie mit der Behauptung auf, sie habe eine außerordentliche Erscheinung gehabt. Sie verteidigt ihre „Dame" gegen den Unglauben aller, der Eltern, des Klerus, der weltlichen Behörden, gewinnt – menschlich gesprochen – gegen alle Wahrscheinlichkeit – Stück für Stück der Umwelt für sich, bis sie über ihre Gegner triumphiert, die Wunderquelle gegraben, die Kirche darüber gegründet hat, und verschwindet nach getaner Arbeit fast unauffindbar für die Welt im Kloster, nach eigenen Worten wie ein Besen behandelt, den man nach Gebrauch in die Ecke stellt. Aber die Welt um sie ist verwandelt, Ströme von Segen, Heilungen der Seele und des Leibes gehen von dem kleinen Pyrenäenstädtchen aus. Sie selbst wird wenige Jahrzehnte nach ihrem frühen schmerzlichen Tode der Ehre der Altäre gewürdigt.

Es würde zu weit gehen, dem Werke einzelne Betrachtungen zu widmen. Zweifellos gab die Geschichte eines solchen Lebens einem großen Künstler auch bei der strengen Bindung an die Akten Raum genug, ein eindrucksvolles Werk zu schaffen. Es lädt ihn ein zu zeigen, wie von einem einzigen Punkte aus eine träge, vom Wellenschlag der Geschichte unberührte Welt in Bewegung gesetzt, eine im gewöhnlichen Trott des Alltags dahinlebende verspießerte Landstadt verwandelt, ein durch keine außerordentlichen Ereignisse gestörter Gang der Kirche in Schwingungen versetzt wird. Für Werfel, der es liebt, große Verhältnisse zu schaffen und in einem einzigen Knoten zusammenzuhalten, ein zweifellos verführerischer Gegenstand mit seinen psychologischen Problemen und dem Gewoge der Meinungen.

Was aber diesem Buche gleich bei seinem Erscheinen eine große Bewunderung eintrug, war das offensichtliche Bekenntnis des Dichters zu der von ihm dargestellten Welt. Er läßt keinen Zweifel aufkommen, wo seine Sympathien sind, und so gelingt es ihm in vollkommenem Maße, die Welt von Lourdes zu treffen. Er schildert die Männer des Glaubens, den Pfarrer von Lourdes und den Bischof von Tarbes; das innere Leben der Kirche: die liturgischen Feiern, das Zusammensein in den Klöstern, die Typen der Frömmigkeit, die heiligmäßig Lebenden und Betenden neben den Frömmlern und den Betschwestern, die Geradegewachsenen und die Verschrobenen, die Erleuchteten und die Suchenden, und er begreift die Wege des mystischen Lebens und den Durchbruch der Gnade in einem so komplizierten Wesen wie der Generalstochter Schwester Vozous, der Religionslehrerin des Kindes und ihrer späteren Novizenmeisterin. Man folgt dem Autor mit großer Verwunderung: kein falscher Ton stört diese Schilderung, kein Aufklärertum, keine Ironie. Im Gegenteil: die Welt des Unglaubens scheint eher blamiert und in ihrer Torheit nicht recht ernst genommen: die Behörden, die ihre Verhöre anstellen und von einem kleinen Mädchen in die Schranken verwiesen werden, – der berühmte Psychiater, der unverrichteter Sache nach Hause zieht, – die Staatsgewalt, die vergeblich ihre Gendarmerie ausschickt, – der romantische Dichter Lafite, der aus den Ereignissen einen Mythus machen möchte, – die Geschäftsleute, die zum Schluß ihr Geld verdienen. Also eine

Fülle von Welt im kleinen, nicht ohne daß die Wellen die Kammhöhen erreichen, wo dieMächtigen leben: selbst die Ministerien werden in Bewegung gesetzt, der Kaiser läßt sich von ihnen bemühen, doch heimlich besorgt er sich, statt amtliche Entscheidungen zu treffen, Wasser aus der Wunderquelle, um seinem kranken Sohn Heilung zu verschaffen.

In besonders eindrucksvoller Weise schildert Werfel die psychologische Entwicklung der Heldin, – wie dieses Mädchen, das aus dem Cachot, dem Wohnort der fast Asozialen, stammt, einer solchen Begnadung entgegengeführt wird, den alten Satz geradezu Lügen strafend, daß die Gnade die Natur voraussetze. Hier lag offenbar das eigentliche Problem. „Bernadette", so heißt es in einem Brief an einen Freund, „ist der Beweis für die völlige (von der Erde aus gesehen) ‚Ungerechtigkeit' der Gnade. Es gibt keine ‚verdienstlosere' Heilige. Ihr größtes Verdienst ist, daß sie ‚ihren Augen traut' und das bißchen Kampf für die Dame auf sich nimmt und sich nicht einreden läßt, daß sie verrückt ist ... In Bernadette ... liegt der ganze Nachdruck auf dem Mysterium selbst und auf der ‚Unschuld' der Heldin in jedem Sinn. Vielleicht ist das am schwersten zu begreifen[1]". Er zeichnet ihre in allem, was zum Religiösen gehört, zurückgebliebene Natur, ihren überraschend scharfen Blick für Wirklichkeiten, ihre eidetische Begabung, die sich später im Kloster bis zu künstlerischen Fähigkeiten steigert, das Glück ihrer Erscheinungen und ihre Dienste als Botin der Dame, ihren kindlichen, aber siegreichen Kampf gegen die Widerwärtigkeiten, vor allem aber das Aufbrechen ihrer ganzen Natur unter der Einwirkung des Wunders, das sie erlebt, und ihren langsamen, aber stetigen Aufstieg zur Heiligkeit[2].

Werfels Werk ist kein Problem-Roman, sondern gibt eine Anschauung des Wunderbaren und schildert den Durchbruch des Göttlichen in unsere Zeit. Ganz ohne Beschwernisse ist er nicht. Gott bleibt ein Deus absconditus. Seine Absichten sind rätselhaft. Die helle Landschaft des Romans steht auf dunklem Hintergrunde. „Wir verlieren", so schreibt Werfel in obigem Brief weiter, „beim Anblick eines solchen Wesens den Glauben an die rettende Kraft ,der guten Werke', wir fühlen die Verdammnis unseres Wesens heilloser, die durch die Erbsünde prästabilierte Ohnmacht, wir wähnen uns ausgeschaltet von der Möglichkeit der Gnade, der Begnadigung... Der Anblick drängt zu inneren Entscheidungen, zu denen ich selbst z. B. nicht fähig bin..." Kommt in solchen Worten ein banges Verzagen angesichts des dunklen, noch unbegriffenen Restes am Rande von so viel Helligkeit zum Ausdruck, so wird doch bei allem sichtbar, daß ein Glaubender diesen Roman geschrieben hat. Zwar mag es auffallen, daß von Christus mit keinem Wort die Rede ist, aber der Dichter mochte sich auf die Akten berufen: es handelt sich um ein ausschließlich marianisches Ereignis. Der Dichter bekennt sich zum Wunder der Erscheinung: die Heilige ist doch nichts als das Medium göttlicher Macht. Hier wird eine große Korrektur menschlicher Haltungen vorgenommen. Sie kommt nicht aus den Kräften der Selbstbesinnung, sie wird hervorgerufen durch einen unmittelbaren Anruf Gottes. Plötzlich ist er da, allen menschlichen Stolz in seiner Wesenlosigkeit entlarvend und sich der schwächsten Instrumente bedienend. Die verwandelnde Kraft des Göttlichen, die Ordnung stiftende Macht des Jenseits ist das hinter all der Farbigkeit der Schilderungen verborgene Thema des Romans.

Daß er die katholische Welt zuinnerst verstanden hat, ja, aus ihrer Mitte heraus seine Gestalten schafft, zeigt sich auch in dem zweiten, in der Emigration entstandenen Roman „Der veruntreute Himmel", dem eines der ernstesten Probleme

christlicher Lebensführung zugrunde liegt: der Wille zum
Verzicht auf alle Sicherungen und die bedingungslose Hingabe an die göttliche Gerechtigkeit und Barmherzigkeit. Gewisse Züge verbinden den Roman mit früheren, vor allem die
Neigung, sehr einfache, unintellektuelle Gestalten zu Trägern
urbildlicher Lebenserfahrungen zu machen; wie er früher die
Magd Barbara und in seinem eben genannten Roman die unscheinbare Bernadette in die Mitte seines Werkes gestellt hat,
so hier abermals eine Magd, Teta, die durch grundstürzende
Lebenserfahrungen zur Korrektur ihrer Irrtümer und zur
rechten Einsicht geführt wird. Sie hat den Ertrag ihres Lebens
daran gesetzt, um einem jungen Neffen durch das Gymnasium
und dann durch die Universität zu helfen, wobei sie ihm das
Studium der Theologie vorschrieb, um sich mit seiner Hilfe
einen Platz in der Ewigkeit zu sichern. Aber sie hat ihr Geld
an einen Betrüger verschwendet, der sie um immer neue
Summen prellt, bis sie – nach Jahren – entdecken soll, welches freventliche Spiel mit ihr getrieben worden ist. Der Himmel, um dessen Besitz sie eigennützig ein Leben lang gearbeitet hatte, ist ihr „veruntreut" worden. Aber diese rauhe Enttäuschung ihrer Erwartung gereicht ihr zum Heil; es ist ihr
noch die Zeit gegeben, eine Umkehr zu vollziehen. Sie trennt
sich von den ihr verbliebenen Ersparnissen, um gute Taten
ohne eigenes Interesse zu tun und vertraut sich, arm und hilflos geworden, allein der Gnade an. Wir erfahren zum Schluß,
daß all ihr Geld, auch das der Wohltätigkeit zur Verfügung
gestellte, ohne Segen geblieben ist; was durch Geiz und
Habsucht zusammengebracht wurde, verweht wie Spreu
im Wind. Der Dichter stellt dem Roman ein Wort von Jean
Paul voran: „Es ist, als hätten die Menschen gar nicht den
Mut, sich recht lebhaft als unsterblich zu denken." Der Roman ist ein eindringliches Zeugnis für Werfels Glauben, daß

die Beziehungen zwischen Gott und den Menschen nicht im Sinne eines Rechtsverhältnisses aufgefaßt werden können. Die unendliche Höhe des „verborgenen Gottes" kann den Menschen nur dazu veranlassen, mit gleichsam leeren Händen den Absprung in die ewige Barmherzigkeit zu wagen.

Werfels Riesenroman „Stern der Ungeborenen" – etwa 700 Seiten lang – ist ein Schwanengesang und der Weisheit letzter Schluß. Er enthält endgültige Aussagen, Abschluß eines Lebens, das das Glück hatte, sich den Umklammerungen durch den Nihilismus zu entziehen und dem Geist der Offenbarung zuzuwenden. Er hat bis zwei Tage vor seinem Tode (26. 8. 45) daran gearbeitet. Es ist ein utopischer Roman wie der von Kasack, nur daß er uns das Leben nicht vom Jenseits des Todes aus zeigen will, um eine Philosophie des Nichts daran zu verdeutlichen. Vielmehr will er in kühnem Sprung das Jenseits aller Entwicklungen erreichen, um – ähnlich wie Hermann Hesse – alle seine Hoffnungen und Befürchtungen auszudrücken und schließlich zu sagen, was er vom Menschen hält. Als Darstellung einer utopischen Welt bietet der Roman zugleich die Möglichkeit zur satirischen Behandlung der unsrigen; er gewinnt seine Inhalte geradezu aus der Entgegensetzung unserer Zeit, indem er die unsere Epoche bewegenden Wünsche und Ziele als erfüllt darstellt und damit entlarvt[3]. So gewinnt Werfels Roman auf eine eigentlich selbstverständliche Weise eine Art Zweipoligkeit: er setzt das Sehrohr, das auf „unendlich" eingestellt ist, im stillen immer wieder ab und sieht dabei in die nächste Nähe. Indem er von ganz entfernten Menschen phantasiert, faßt er uns als Vergleichspunkt ins Auge. Erst dadurch gewinnt der lange und stoffreiche Roman mit seinen wohl nicht ganz gebändigten Massen ein interessantes Gesicht. Mag er auch nicht zu den größten Schöpfungen unserer Zeit, ja, nicht einmal des Dichters gehören, so ist er doch ein sehr interessantes Zeitdokument, das mit seinen großen Formen und aus der Feder eines unserer gewandtesten Autoren dazu dient, an der Erhellung unserer Gegenwart teilzunehmen.

Um Zukunft und Gegenwart miteinander zu verbinden, bedient sich der Autor eines phantastisch-humoristischen Kunstgriffs. Der Autor läßt sich, den Autor Franz Werfel, auf quasi-spiritistische Weise aus dem Fegefeuer zitiert werden und das Leben dieser Spätmenschen von Neo-California mitleben als Revenant aus den „Urzeiten" oder den „Anfängen der Menschheit". Er findet sich trotz seines prähistorischen Aussehens – er trägt den Frack, den man seiner Leiche ins Grab gegeben hat, entdeckt sogar in den Schwalbenschwänzen noch einpaar Dollarstücke, die man bei der Schlamperei des Begräbnisses zu entfernen vergessen hatte– nach einigen Bemühungen ganz gut zurecht und macht nun mit, was man ihm bietet. Wir müssen wissen, daß es sich immerhin um das Jahr 102000 handelt und können erwarten, daß sich bis zu dieser Zeit einiges ereignet hat. Wir spüren Zug für Zug die Ironie.

Tatsächlich ist die Welt äußerlich nicht wiederzuerkennen. Der imperiale Grundzug unserer Zeit ist verwirklicht: wir werden in eine Welt ohne Politik, ohne soziale Problematik, ohne Technik und Maschinerie, ohne Mühe und Sorge eingeführt. Wir befinden uns auf einer hochgradig und fast völlig durchzivilisierten Erde. Die Unifizierung der Welt ist so gut wie beendet: was an Arbeiten zu leisten ist, wird zentral geregelt, Mahlzeiten werden an einer einzigen Stelle der Welt hergestellt. Die Sprache ist monolingual: man erinnert sich kopfschüttelnd der nur noch wissenschaftlich zu erfassenden Zeit, als man mehrere Sprachen lernen mußte, um sich zu verständigen. Seit Menschengedenken gibt es keine Kriege mehr. Sie sind nur noch Gegenstand der Wissenschaft, und man kann sich nicht denken, wie es eigentlich zugegangen ist. Es ist für die Bewohner dieses Sterns ein Ereignis, als ihnen ein Zeitgenosse unserer beiden großen Kriege Aufklärung geben kann. Man fragt ihn: Worum ging es eigentlich bei euren kriegerischen Auseinandersetzungen? Ja, worum ging es denn überhaupt? Die Beantwortung wird aus der Perspektive solcher Zeiten lächerlich: „Es ging um ein trübes Spülicht, um ein schmutziges Gebräu von Arbeitskrisen und Ersatzreligionen. Je unechter nämlich eine Religion, um so fanatischer beißen ihre Anhänger um sich. Meine damaligen Zeitgenossen waren fanatisch darauf versessen, keine Seelen und Persönlichkeiten zu besitzen, sondern Ich-lose Atome materieller Großkomplexe zu sein. Die Einen hingen dem Großkomplex „Nation" an, indem sie die Tatsache der Zuständigkeit, daß sie nämlich in irgendeinem Lande und unter irgendeinem Volke geboren waren, zum ewigen Wert erhoben. Die andern hingen dem Großkomplex „Klasse" an, indem sie die Tatsache, daß sie arm und niedrig geboren waren und dies nicht länger sein wollten, zum ewigen Wert erhoben. Beide Großkomplexe waren jedoch für ihre Anhänger ziemlich leicht austauschbar, da beinahe jedermann sowohl arm war als einer Nation angehörte. Und so wußten denn die meisten von den einen wie von den andern nicht, warum sie sich gegenseitig umbringen müßten. Sie taten es aus Furcht. Aber sie fürchteten sich weniger voreinander, als sie sich vor ihren eigenen Führern fürchteten, die wiederum aus Furcht vor ihnen, den Angeführten, sie zwangen, sich gegenseitig zu vernichten[4]..." Es versteht sich, daß es nicht leicht ist, einer Menschheit jenseits aller Kriege die Motive zu unseren Auseinandersetzungen klar zu machen. Neue Weltalldimensionen haben sich aufgetan – man macht Weltraumausflüge wie anno dazumal eine Spazierfahrt in die nächste Umgebung und sieht den Kosmos um sich kreisen, die Sonne zur Größe einer Fahrradlampe zusammenschrumpfen und in rasender Eile durch das All jagen. Auch die Natur nimmt an den Veränderungen teil: es gibt kein grünes Rasenstück mehr; sie ist grau und macht einen bläulich-stählernen Eindruck.

Was sich hier dartut, ist nicht nur eine spaßhafte, sondern auch eine grausige Karikatur unserer Wünsche. Der vollendeten Rationalisierung unserer Welt haftet etwas Furchtbares und Unmenschliches an. Die Menschen selbst sind uniform, ununterschieden, typisiert. Das Leben in den großen Formen ist unpersönlicher als je: es fehlt ihm der private Charakter, die Heimlichkeit der eigenen Atmosphäre, die mit uns und nur mit dem einzelnen lebenden und zu uns gehörigen Dinge. Alles Leben ist schematisiert. Die Anfänge von heute sind in jenen Zeiten das Ende. So wie man schon heute, ob gesund oder krank, auf individuelle Behandlung und Pflege kaum noch Anspruch mehr erhebt – man bezieht die Medizinen aus der Apotheke in standardisierten Packungen, statt daß sie wie zu Großvaters Zeiten nach Rezepten angefertigt würden, und man ißt, was einem die Lebensmittelfabriken zuschicken – so wird man in jenen Zeiten vollends darauf verzichten, dem Leben noch eine irgendwie persönliche Note zu geben. Das Werk der Technik ist vollendet. Die Weltraumfahrten unserer Erdbewohner bewirken auch, daß der Mensch nirgends mehr Wurzeln schlägt. Er ist heimatlos, nur in großen Räumen zu Hause, ohne eigenen Bezirk, den er durchseelen könnte. Es ist, als hörte man durch die große epische Form den alten beschwörenden Ruf des Dichters: „O Mensch!"

Und dennoch ist in einem tieferen Sinne alles beim Alten geblieben. Mag der Mensch auch noch so viele Entwicklungsstadien durchwandern, er bleibt im Grunde, was er ist. Inmitten eines Menschengeschlechtes von Technikern gibt es

Rückfällige, die in dieser Maschinenwelt von der Sehnsucht nach der Natur gepackt werden und in die alte Barbarei zurückfallen – Naturburschen, die von der Zivilisation aufgegeben werden und in einer Art „Ghetto" der Natur gesammelt leben – es sind die „Dschungel", an die der Zivilisierte nur mit Abscheu denkt. Dort lebt man wie in alten Zeiten: man pflügt, sät, erntet, spinnt und webt. Auf diese Menschen stützt sich jegliche Erneuerung; so ahnen es die Nachdenklichen dieser „astromentalen" Zeit.

Aber auch die Menschen der Zivilisation selbst sind im Grunde nicht anders als wir heute. In ihnen lebt die alte Unruhe der Menschen aller Zeiten. Wer diesem Gewimmel zuschaut, erkennt in ihnen dieselbe Unleidlichkeit, das Zänkische, Rechthaberische, das nun einmal mit allen Menschen verbunden ist. Die Problematik ist der unsrigen ähnlich: es geht um die Fragen der Transzendenz und des Todes. Der Bemühung unseres Abgesandten, die fremde Welt zu erforschen, steht die entgegengesetzte gegenüber: die Künstlichkeit der Lebenshaltung zu überwinden und die Erfahrung menschlicher Grunderkenntnisse zu machen. Drüben will man etwas wissen vom Phänomen des Todes, den unser Erdenbürger ja schon bestanden hat. Wir nähern uns dabei den entscheidenden Fragestellungen: wie steht eine solch unglaublich fortschrittliche Welt zu Gott, von dem doch nirgends die Rede ist? Müßte nicht, so meint unser Freund, in einer Welt, die alles an Sorge verbannt hat, was einen Kirchenfürsten unserer Zeit plagt – die Sorge um die materielle Existenz von Zehntausenden, um die an Tuberkulose und Syphilis Erkrankten – müßte nicht das religiöse Leben einen großen Aufschwung nehmen?

Zunächst ist es keineswegs so. Im Ganzen macht man sich weniger Sorge. Auch die Unermeßlichkeit des Weltalls, das man unmittelbarer anschauen kann, führt weniger zum Lob-

preis Gottes als zur Selbstverherrlichung des Menschen. Aber
geblieben ist doch das Böse, das die Menschen immer daran
hindern wird, aus einer fallenden Linie eine steigende zu machen. Es zwingt sie immer wieder, von vorn anzufangen. Im
Gegenteil, es ist vieles schlimmer geworden. Der Optimismus
der Zivilisation ruft den Pessimismus der Kultur hervor. Kein
technischer Fortschritt, nicht die größte Anstrengung der
Menschen kann ihrem Wuchse auch nur eine Elle zugeben,
sie intelligenter und sittlicher, die Erde wohnlicher machen.
Zuletzt sieht sich der Mensch mit seinem Problem allein gelassen: wie er es fertig bringt, ein Mensch zu sein. Ja, in dem
Maße, wie manche Schwierigkeiten schwinden, müssen andere wachsen, da die Proportionen, in denen der Mensch steht,
unverändert sind und sich bei allen Schwankungen wiederherstellen. Am Ende des Romans sagt der „Großbischof“, in
dem man den Papst wiedererkennt: „Die alten Zivilisationen,
von denen Sie sprachen, mein Sohn... haben wenigstens das
Leiden und den Tod auf sich genommen und damit dem Fluch
des Erzengels Rechnung getragen. Die heutige Zivilisation...
ist der betrügerische und raffinierte Versuch, jenem Fluch
durch tückische Machenschaften zu entgehen, jenem Fluch,
der uns befiehlt, das Brot der Erde im Schweiße unseres Angesichts und mit Sorgen zu essen und demütig zum Staube
zurückzukehren, der wir sind... Ja, zum Staub zurückzukehren und der Auferstehung warten!“

Das ist die Paradoxie alles Fortschritts. Am Menschen ändern wir nichts. Er geht durch alle Zeitalter mit unveränder-
tem Gesicht. Auf erhöhter Basis ist er kein anderer als der auf
einer tieferen; er muß sich nur mit andern Verhältnissen be-
freunden. Im Gegenteil vermag der auf höherer Ebene Stehende nur mit größerer Sorge zu erfüllen, ob er die Bestände
des Menschseins ebenso gut bewahre wie der andere. Der

Gertrud von le Fort

Marie Luise Kaschnitz

Rudolf Hagelstange

große Abfall vom Religiösen, meint der Gran Obispo, beweise, wie fragwürdig es mit dem Fortschritt bestellt sei. Es gibt nur *einen* Trost: je mehr sich der Mensch von Gott entferne, um so näher rücke er ihm auch wieder; es ist – durch den Mund des obersten Hirten – eine der schönsten Verdeutlichungen Werfelscher Geschichtstheologie.

Unter eschatologischem Gesichtspunkt gibt es für den Dichter nur einige wenige Mächte, die den Menschen bis an den Rand der Ewigkeit begleiten. Die erste ist der Tod unter Einschluß der todbewirkenden Mächte: des Bösen, des Übels und des Unglücks. Die Kirche wird übrig bleiben. Die Zeitgenossen werden es dem Rückkehrer nicht glauben, aber es ist wahr. Die hoffnungslos in aufklärerischen Gedanken verfangenen Menschen unserer Zeit werden ihm entgegenhalten: wenn alle primitiven Religionen durch fortschreitende Erkenntnisformen abgelöst werden, so kann die Kirche Christi mit ihren geschichtsbedingten Mythologien und Dogmen die fortschreitenden Erkenntnisformen nicht überleben. Aber sie irren sich. Und zuletzt der Jude. Er hat sich nicht normalisiert, nicht den Nationen angeschlossen, er ist derselbe geblieben. Die Juden unserer Zeit – die aufgeklärten – werden es nicht gern hören. Aber nicht sie sind gemeint, sondern die andern. Sie leben in den alten Formen, in den alten Gewohnheiten, erfüllen die Gebote der Schrift und sprechen ihre Segenswünsche, machen ihre alten Unterschiede zwischen rein und unrein.

Und damit beweist Werfel im Angesichte des eigenen Todes abermals, daß er die Offenbarung bereits in seinen Glauben aufgenommen hatte. Es ist ein tröstlicher Ausblick in die Zukunft, die unserm „Stern" noch unvorausdenkbare Wandlungen bescheren wird.

RUDOLF ALEXANDER SCHRÖDER

Christlicher Humanismus

R. A. Schröder ist in mancher Hinsicht das norddeutsche
Gegenstück zu Hans Carossa, im selben Jahre – 1878 – mit
ihm geboren, mit diesem in vielem verwandt, wenn man gewisse, zum Teil wichtige Vorzeichen verändert. Mit ihm gemeinsam ist die treue Bewahrung der Lebenslinie, die Ver-
ankerung im Vergangenen und Bleibenden, die Inwärtswen-
dung, das Vertrautsein mit schönen Dingen, die Abneigung
gegen alles Exaltierte, Aufregende, Rebellierende. Auch er
ist ein Freund Goethes, mit dem er das Maßvolle, Bewahrende und Behütende teilt. Auf das stärkste ausgeprägt ist sein
Bewußtsein, Teilnehmender einer jahrtausendealten Tradition
zu sein, die ihren unvergänglichen Schatz von Problemen,
Lösungen, Inhalten und Formen der jeweiligen Gegenwart
darbietet. So hält er nichts von „Neubeginnern" und „Neu-
tönern" und rechnet sich selbst in stolzer Bescheidenheit zu
den „Fortsetzern", ja zu den „Wiederholern". Dafür läßt er
sich von den edelsten Geistern der Weltliteratur beschenken
und reicht die Gaben weiter an die Freunde in der eigenen
Nation. Er gehört zu unsern größten Übersetzern: von jeher
ein Freund und Beschützer der Sprache, hat er mitgeholfen,
sie zum Dienste an der Welt fähig zu machen und sich frem-
dem Geist anzuverwandeln. Seit 1910 mit Übersetzungen aus

der Antike beschäftigt, hat er zunächst Homer, alsdann Cicero, Horaz und Vergil dargeboten; in späteren Jahren auch die Franzosen (Molière und Racine) sowie Shakespeare. So umfaßt seine Übersetzungsliteratur große Reichtümer der abendländischen Tradition, wobei die Ursprünge in der Antike stark betont werden. Schröders Wesen verweist uns auf das Humanistische.

Bei der Vielheit des Wortgebrauchs ist heute immer zu fragen, wie es gemeint ist. Nichts Ärgeres könnte uns geschehen, als wenn die Bestände antiker Überlieferung nur als Fassade für eine fragwürdige Bildung dienten. Humanistische Bildung ist heute nur unter einer Voraussetzung möglich: daß das Gut der Antike in die christliche Überlieferung eingeschmolzen wird.

Wir wären damit beim zweiten Punkte. Wir sahen, daß Carossa, aus katholischen, wenn auch geschwächten Überzeugungen herkommend, nach der Aussage seines Werkes sich allen Katastrophen zum Trotz von dem inneren Gesetz des Bildens und Umbildens nicht hat abbringen lassen. Ihn beschäftigen die Geheimnisse des „inneren Lebens". Und gerade an dieser Stelle unterscheidet sich Schröder von ihm: neben dem Lob des Irdisch-Schönen finden wir in seinem Werk eine eschatologische Note, das Bewußtsein, vor der Ewigkeit zu stehen, die Kierkegaard-Frage nach dem eigenen Heil und die unruhig-machende Antwort darauf, die ihn dazu zwingt, sich mit vollem Ernst apostolisch in die Welt zu stellen.

Die Entwicklungslinie, die sich an Hand seiner Dichtungen und seiner Lebensschilderungen verfolgen läßt, ist von erregenden Schwankungen begleitet. In seiner Autobiographie „Aus Kindheit und Jugend" – dem entsprechenden Buche Carossas vergleichbar und ein schönes Gegenstück dazu, schildert er seine Herkunft: das Elternhaus in Bremen, seine

Freude an der inneren Ordnung, die den späteren Innenarchitekten verrät, seine Freundschaft mit den Gärten, die immer zum notwendigen Bestand dieses Mannes gehört haben. Er bezeichnet sich selbst als Bremer seinem Wesen und seiner Lebenshaltung nach, als deutsch mit nordisch-englischem Einschlag, mit dem Hang zur Exklusivität und zu vornehmer Distanziertheit. In den Jahren zwischen 1900 und dem Ausbruch des ersten Weltkrieges entstehen schöne Dichtungen, die Zeugnis für das Bemühen sind, das Leben auf der Grundlage eines innerweltlichen Humanismus aufzubauen. Inmitten eines Kreises erlesener Namen, zu denen Gerhart Hauptmann, Rudolf Borchardt und Rainer Maria Rilke gehörten, schreibt er seine Gedichtzyklen, die „Bodenseesonette" (1905), „Baumblüte am Werder" (1905), das Wander- und Liebesgedicht „Kreuzlingen" (1904) und schließlich „Elysium" (1905). Große Ehrungen erreichen ihn früh, 1910 die Goldene Medaille in Brüssel, 1913 der Grand Prix in Gent. Christlich ist in dem bisherigen Werke offenbar nichts. Und nun fällt es auf, daß vom Jahre 1912 an, als er die „Gesammelten Gedichte" und die Odyssee-Übersetzung herausgibt, bis zum Jahre 1930 größere Veröffentlichungen fehlen. In diese Jahre fallen die großen Einbrüche: 1930 tritt er vor die Öffentlichkeit mit der Sammlung „Mitte des Lebens – geistliche Gedichte". Er tat es nach eigenem Wort als ein – „soweit ein Mensch das von sich selber sagen kann – von Grund aus Verwandelter".

Was inzwischen geschehen war, gründete sich auf drei Voraussetzungen: das Erlebnis des Krieges, der erwies, daß ein scheinbar festgegründetes Haus auf Sand gebaut und eingestürzt war und ganz andere, felsenfeste Fundamente brauchte, damit es das Leben künftig tragen kann; – die unbedingte Ehrlichkeit des Dichters vor sich selbst, der mit der Unerbittlichkeit und Unbedingtheit Kierkegaards an sich zu vollziehen trachtete, was nun einmal geschehen muß; – die trotz allem verborgene Christlichkeit, die nie einen billigen Verrat zuließ, als Stimme aus dem Jenseits mitten im Weltlauf oft vernommen und zum Beispiel in der immerwährenden Freude an der Lieddichtung Paul Gerhardts bewahrt wurde. Diese „Mitte des Lebens" ist der neue Anfang; er verkündet die Rückkehr zu Christus, zu dem er sich fortan inbrünstig bekennt. Die Höhe wird in der Sammlung „Lobgesang" erreicht — choralartige Lieder, in denen unter der Nachwirkung Paul Gerhardts persönliches Bekenntnis und zugleich der Dank für die Gnade der Umkehr ausgesprochen ist. Es sind Lieder für die christliche Gemeinde geworden; R. A. Schröder wird einer der neuen Lieddichter der evangelischen Kirche. Sie hat ihm seine Lieder gedankt. Er selbst diente ihr im zweiten Weltkrieg als Lektor verwaister Gemeinden und wurde 1942 noch ordiniert. Seitdem hielt er nicht nur Gottesdienst in den Kirchen, sondern auch Hausgottesdienst und gab Predigten heraus. Die Universität Tübingen hat ihm für seine theologischen Verdienste 1946 den Dr. theol. h. c. verliehen[1].

Wir fassen zusammen: Über die Möglichkeiten Carossas hinausgehend, ist Rudolf A. Schröder Verkünder eines Humanismus, den man in Wahrheit christlich nennen kann. Er rechnet mit Sündenfall und Erlösung und mit der gnadenhaften Überhöhung des Menschen in einen neuen Seinszustand. Gleichwohl lebt er von dem Schatze der Überlieferung. Er ist einer der großen Erben und Teilnehmenden an alter Kultur. In seinen Bänden „Aufsätze und Reden" spricht er von Vorbildern Homer, Vergil, Horaz, Cicero, Goethe und immer wieder Goethe; und von Weggenossen: Hugo von Hofmannsthal, G. Hauptmann, Rilke. Wir sehen überall dasselbe Bemühen: die Macht und Wirkung des christlichen Geistes in den Werken von Menschenhand und Menschengeist darzutun. Er ist der Mittelpunkt eines Kreises von Gleichgesinnten, großenteils bedeutender Namen meist evangelischen Bekenntnisses geworden. Der Dichter hat ab 1935 mancherlei veröffentlicht: Lobgesang, Osterspiel, Weihnachtslied, Kreuzgespräch, seine Übersetzungskunst auf den Christen Eliot ausgedehnt. Inzwischen ist er der „alte Mann" geworden, der mit sich selbst Zwiesprache hält und in Erschrecken und Trost vor der Ewigkeit steht. Zwei seiner persönlichsten Gedichte gehören zu seinen schönsten: „Ist's schon spät im Jahr" und der Zyklus „Der Mann und das Jahr", womit er den Silvesterabend des Jahres 1945 beging:

> Der du sprachst im Heiligtum:
> „Ich erschaff und ich erhalte",
> Gönn der Kreatur den Ruhm,
> Daß sie deines Lobes walte,
> Dem kein Höllengrimm entreißt,
> Die du trägst, dreieinige Krone;
> Offenbart im Menschensohne,
> Ewigvater, Sohn und Geist!

GERTRUD VON LE FORT

Der christliche Kosmos

In der Reihe der vor uns stehenden, zum größten Teil ausgezeichneten Namen nimmt Gertrud von le Fort einen hohen
Rang ein. Das Echo, das sie bis zur Stunde vor allem unter der
Jugend hervorruft, beweist, daß ihr Werk mitten in die Problematik der Zeit hineinspricht. Einem aus den Verwirrungen
der Gegenwart zu klaren Überzeugungen und festen Haltungen strebenden Geschlecht ist sie in einer kaum überschaubaren Weise eine Wegbereiterin geworden, der das Seltene
gelang, Dichtung unmittelbar in Leben zu verwandeln. Tief
erfahren in den Existenznöten der Zeit, die sie selbst durch-
gemacht hat, vermag sie es wie wenige Dichter der Gegenwart, den Menschen wieder in Ordnungen zu beheimaten, für
die sie durch ihr Wort Staunen und Bewunderung erweckt.
Sie tut es durch eine Dichtung, die monumentale Züge trägt,
Zeugnis eines großdenkenden Geistes, dem die Kraft zu
außerordentlicher Gestaltung gegeben ist. Sprache und Bau
ihrer Werke verraten dabei nicht nur die Leidenschaft eines
vom Geiste entzündeten Menschen, sondern auch die Ruhe
eines Denkens, das sich in unzerbrechlichen Ordnungen zu
Hause weiß. Das verleiht ihrem Werk eine Helligkeit, die
auch in den verwirrtesten Auseinandersetzungen nicht ganz
verdunkelt wird. Als die Theologin unter den Dichtern un-

serer Tage ist sie von Haus aus am meisten dazu veranlaßt, ja
genötigt, die Welt von oben her – als Schöpfung Gottes – zu
betrachten und darin auch dem Menschen seine Stelle zuzu-
weisen. Ihre große Sicherheit begründet sich darin, daß sie
selbst die Ordnungen bewahrt. Trotz der oft zum Zerreißen
getriebenen Spannungen verleugnet sie nicht die Herrschaft
eines Geistes, der die Welt mit ihren Abgründen zwar begreift, aber überwunden hat und es darum auf sich nehmen
kann, die erregendsten Prüfungen unter das Auge der Ewigkeit zu stellen. An ihrem Werk kann sichtbar werden, was
christliche Dichtung ist. Sünde, Sakrament und Gnade, Erlösung und Kirche haben darin ihren Anteil. Die christliche
Welt ist nicht nur vorausgesetzt; sie ist Fundament und Ge-
rüst. Daß in unserer Zeit seit Jahrhunderten durch sie und
durch einige andere – die vorgenannten – Dichter wieder
einmal Dichtung dieser Art von Rang unter uns steht, verdeutlicht den Wandel der Anschauungen, wodurch ein bereits
verlorener Bereich zurückgewonnen worden ist.

In einer kleinen, wenig bekannten Schrift „Mein Elternhaus" gibt die Dichterin, die sonst so wortkarg über sich
ist, Auskunft über ihr Sein und ihr Werden und gewährt damit denjenigen, die sich von ihr bereichert fühlen, Zugang
zum Vorraum ihrer Geheimnisse. Ihre Vorfahren waren Hu-
genotten, französische Reformierte. Die Familie wanderte 1562
aus Savoyen nach Genf aus; von dort gelangte 200 Jahre
später einer ihrer Zweige nach Deutschland. Ihren Vater
schildert die Dichterin als einen deutschgesinnten, jedoch auf
seine hugenottischen Ahnen stolzen Offizier, der zu jener
tüchtigen Generation von Soldatenführern gehörte, die ihr
militärisches Handwerk mit eifrigem Studium spezieller Fä-
cher und unaufhörlichem Bildungsbemühen verbanden. Wenn
man die großen Geschichtsromane der Dichterin überschaut,

wird man nicht irren, daß sie gerade hierin dem Vater zu danken hatte. Der frommen Mutter, die den Christenglauben in ihr grundlegte und sie beten lehrte, weiß sie sich in unauslöschlichem Dank verbunden. Die junge Protestantin studierte Philosophie und Kirchengeschichte und wurde nach dem frühen Tode ihres Lehrers Ernst Troeltsch Herausgeberin seiner Dogmatik nach Kollegnachschriften. Im Jahre 1926 trat sie in Rom zur katholischen Kirche über.

In dieser Zeit gewinnt das Werk der keineswegs mehr jungen Autorin Bedeutung. Was sie fortan schreibt, ist eine lebenslange Auseinandersetzung mit Unglauben und Gottlosigkeit. Als ehemalige evangelische Christin trägt sie an der Last ihrer Vergangenheit, die sie nicht leugnet, sondern auf sich nimmt als ein Stück ihres Selbst. Man begreift, daß sich in ihrem Werk kein hartes Wort findet gegen diejenigen, von deren Weg sie sich trennt. Im Gegenteil spricht aus ihm Güte und Verstehen für diejenigen, die ihrem Entschluß nicht folgen können.

Gleichwohl ist sie eine jubelnde Konvertitin. Nach ihrer Konversion wird sie die Verkünderin befreiender Erkenntnisse. Das gesamte Werk ist die Entfaltung ihrer religiösen Welt. Aber im Gegensatz zu vielen uns sonst bekannten Konversionsdichtern ist ihr Werk nicht Wiedergabe eines subjektiven Erlebnisses, preisende Erneuerung eines einmaligen großen Augenblicks – wie besonders deutlich bei Luise Hensel –, sondern Schilderung der göttlichen Ordnungswelt und der Stellung des Menschen in ihr. Ihr Werk dient der Gestaltung der umfassenden Wirklichkeit, der objektiven Welt- und Menschenordnung, „deren Innewerden ihr Leben von Grund auf verwandelt hat[1]". So macht sie sich zur Gestalterin des katholischen Weltbildes. Wir finden auch dessen Ordnungen in ihrem Werk wieder.

Es lassen sich drei Motivkreise unterscheiden. Sie werden
bezeichnet durch die Worte: Kirche – Reich – Frau. Damit
ist keine chronologische Aufeinanderfolge gemeint, sondern
eine ineinander verschlungene Thematik, die sie das Leben
hindurch begleitet.

Der erste ist der mächtigste und am tiefsten führende. Er
wurde eröffnet durch die „Hymnen an die Kirche" – 2 Jahre
vor ihrer Konversion. Es sind Verse in einer bisher nicht gehörten Sprache. Der Gegenstand war so gut wie unbekannt:
die Begegnung der Seele mit der Kirche. In zyklisch ange-
ordneten Bewegungen vollzieht sich ein Vorgang von dra-
matischer Kraft: die Kirche tritt der Seele als die unerbittlich
Fordernde entgegen, vor der zu fliehen natürlicher wäre als
sich ihr anzuvertrauen. Aber die Seele folgt dieser Stimme,
bis sie sich ganz am Ende von der mütterlichen Kirche in die
Arme schließen läßt. Die Verse haben seitdem ihre Runde in
der Weltliteratur der Christenheit angetreten und die Dichterin berühmt gemacht. Das individuelle Erlebnis, das in ihr
verborgen ist, gewinnt typische Züge: die Dichtung spricht
von der Rettung der verlorenen und preisgegebenen Men-
schenseele durch eine Ordnungsmacht, die mit nichts in der
Welt verglichen werden kann, von der vergeblichen Flucht
vor ihr und vor Gott, von schließlicher Unterwerfung und
Heiligung durch die Kirche der Gnaden. Die mächtige, an die
Psalmen erinnernde Sprache mit ihren Doppelversen, von
denen der zweite oft eine Variation des ersten ist, gibt der
Hymnendichtung dieser Frau eine Kraft, die nicht so sehr von
ihrer eigenen starken Empfindung herkommt, sondern in dem
großen Gegenstand ihren Ursprung hat. Die Verse tönen wie
die Musik eines Orchesters, es sind die Klänge eines pathe-
tischen Barock, die Bilder, die die Erfahrung des Ungeheuren
verdeutlichen sollen, wachsen ins Übermächtige, es ist ein ein-

drucksvolles Spiel mit Metaphern, Vergleichen und Antithesen, die es ermöglichen, die geistigen Bereiche durch riesige Vorstellungen zu veranschaulichen. Mit ihnen ist in der deutschen Sprache der Gegenwart etwas Einzigartiges geschaffen.

Zum Motivkreis um die Kirche gehören auch die beiden Romane „Der römische Brunnen" und „Der Kranz der Engel". Die in ihnen entwickelte Problematik hat – vor allem in der jüngeren Generation – die lebhafteste, ja erregteste Diskussion hervorgerufen. Mit den Hymnen ist das Thema der beiden Romane dadurch verbunden, daß die Kirche abermals als die große Stiftung Christi begriffen wird, an der die Menschen sich entscheiden müssen. Aber anders als bei dem zeitlosen Gegenstand der Hymnen geht es hier um die Erfahrungen, die Auseinandersetzungen und die Not unserer unmittelbaren Gegenwart. Es handelt sich um den Einbruch Gottes in den Geschichtsraum menschlicher Schöpfungen, um den Sieg des alle Maße setzenden Gottes über den Eigen-Sinn menschlicher Entwicklungen, ja, um eine Auseinandersetzung im Vorraum des Antichrist. Die furchtbare, allgemein bedrängende Aktualität dieser Romane liegt darin, daß sich in ihnen das Schicksal unserer Zeit von einer der wichtigsten Perspektiven aus darstellt: sie weisen die fast hoffnungslose Verfallenheit der ganzen Welt an die Gottlosigkeit auf, die sich daraus ergebende allgemeine Stimmung entweder der Bereitschaft, unterzugehen, oder des heroischen Nihilismus – die Problematik der Kirche innerhalb dieser Situation, die den Einzelnen vor die Frage stellt, was in solcher Lage seine Aufgabe sei. Daß sich in der Geschehnisfolge der beiden Romane die Gewichte in einer ungeheuren Weise vermehren, ist dabei offenbar nicht so sehr eine Frage der künstlerischen Komposition wie eine Folge der sich gegen den Untergang hin beschleunigenden Entwicklung. Die Haltungen im zweiten

Roman sind über die des ersten Romans hinaus endgültiger und einem unübersteigbaren Ende zugekehrt.

Das Thema der beiden Romane ist der zweimalige Zusammenstoß moderner Gottlosigkeit mit der göttlichen Ordnung. Der Schauplatz des ersten ist Rom, des zweiten Heidelberg. Zwischen ihnen liegt der Abstand einer halben Generation. Die Romane sind durch dieselben Menschen miteinander verbunden. Auch die Toten des ersten wirken noch in den zweiten hinein, und die Neuauftretenden des zweiten Teils werden schon im ersten sichtbar. Aber zwischen ihnen liegt ein Abstand wie der einer zwischen Anfang und Ende sich ausdehnenden Katastrophe. Während sich im ersten das Kommen des Gewaltigen erst ankündigt, in Schrecken und Gnade anwesend nur im mystischen Ereignis einer einzelnen Seele, erscheint er im zweiten spürbar in den Trümmern einer geistigen Katastrophe, als Richter, Ordner und Wiederhersteller und schließlich doch auch als Allerbarmer.

In den römisch klaren Formen des ersten Romans, dessen Bau überschaubar ist wie eine Architektur der Antike, sind ungeheuere Gewalten verborgen. Auf dem Hintergrund der ewigen Stadt, die sich in dreifacher Weise zeigt, als das Rom der Antike, das Rom der Geschichte und die Roma Sacra der Christenheit, sieht sich eine kleine Schar auserwählter Menschen in die Gerichtsstunde ihrer selbst gestellt. Die Gewalt der Vorgänge wird um so eindrucksvoller, als die Dichterin mit geringem Aufwand arbeitet. In der Mitte einer begrenzten Welt, die von ihr geprägt wird, steht die Großmutter der Heldin des Romans, eine starke und edle, in sich selbst ruhende Natur, ganz diesseitig und groß gesonnen, von tiefem Respekt für alles Fremde erfüllt, wenn es nur von Gewicht und Bedeutung ist. Sie verkörpert das heitere lebenssichere Heidentum Winckelmanns. „Im Anfang war das König-

reich der großen und edlen Menschen", ist ihr Glaubensbekenntnis. Die Roma Aeterna ist für sie die Meisterin der Form,
das Vorbild und der Quellbereich alles Lebendigen, denn
„was überhaupt die Fähigkeit habe, gestaltet zu werden, das
werde hier auch zu unverlierbarer Gestalt".

Ihr tritt „Enzio", wie der junge blonde Deutsche genannt
wird, entgegen, der die Unruhe des Nordens mitbringt und
nun in Rom, der Mitte der Welt, *sein* Sinnbild findet. Er spürt
in der ewigen Stadt das, was ihn angeht, den Atem der Geschichte, den Rausch des Lebens. Er ist ein Freund der Ruinen und der römischen Nächte. Er geht den Spuren der Barbarei nach, die ihm mehr sind als alle Zeugnisse der Kultur.
Immer auf der Suche nach dem neuen Mythos, glaubt er gerade in Rom den rechten Boden für seine Anschauungen zu
finden. Aber er ist bei allem unglücklich. Für Taumelnde wie
ihn gibt es nirgendwo festen Grund. Obgleich ein Freund der
kraftgenialischen Gebärde, fühlt er sich doch angefaßt von
der Verzweiflung des Nichts, dem er sich ausgeliefert weiß.
Unbewußt wütet er gegen sich selbst und macht damit alle zu
Mitleidenden seiner Person, verhärtet sich gegenüber allen
entgegengesetzten Eindrücken und wird gerade da einsam
und verstockt, wo andere in die Knie sinken oder wenigstens
vor dem unbekannten Geheimnis sich verneigen. Rück-
sichtslos gegen Ältere, zeigt er sich unfähig zu verehren – ein
Jüngling von hohem Intellekt, aber menschlich, wie er selbst
wohl spürt, von quälender Nichtigkeit. Seine letzten Verse
beim Abschied von Rom schreibt er in der Erinnerung an die
Kaiserfora, sie gelten dem Eindruck des Verfalls und des Untergangs und der bloßen Phantomhaftigkeit alles Geschaffenen.

Und nun ereignet es sich, daß ein Kampf anhebt zwischen
Apoll und Dionysos, helles Heidentum gegen barbarisches,

wie wenn Kräfte sich begegnen, die sich gegenseitig ausschließen. Es siegt das letztere: die Großmutter sieht am Ende die Welt, in der sie sich ein Leben lang eingerichtet und wohl gefühlt hat, nicht nur bedroht, sondern auseinanderbrechen; sie stirbt unter dem Eindruck eines Empörers, der die von ihr vergessenen Schlußfolgerungen zieht. Zwar kann sie im Tode nicht verleugnen, was ihr Sinn und Inhalt des Daseins gewesen ist, und hält noch in der letzten Stunde das Auge auf das Pantheon gerichtet, doch weiß sie, daß die freundlichen Götter den dunklen weichen. Es ist der abendländische Weg von Winckelmann zu Nietzsche, der sich hier abzeichnet. Enzio, der Sieger dieser Szene, wird seinen Weg weitergehen, bis zum äußersten Ende; dort wird ihm der unsichtbare Partner entgegentreten, der ihn zur Ordnung ruft.

Es sind also keineswegs die christlichen Mächte, die diesen Untergang herbeirufen. Das verstärkt den Eindruck eines Welttheaters, in dem Gott der Zuschauer eines zu seinen Füßen sich abspielenden Geisteskampfes ist. Die Welt richtet sich durch sich selbst zugrunde. Aber es gibt auch einen Durchbruch des Göttlichen in diesem Roman, an einer verborgenen Stelle, in einer verirrten und verzagten Seele, Veronikas Tante Edelgart. Sie erfährt die ganze Gewalt des rächenden und versöhnenden Gottes. Die Gnade der Auserwählung einmal abgewiesen zu haben, muß sie bezahlen mit der Verunstaltung ihrer Person, mit Beten, das keine Erhörung findet, mit Büßen, das Gott nicht zu sehen scheint. Aber was in Wahrheit geschieht, ist etwas anderes: sie wird ein Leben hindurch verfolgt wie von einem „Jagdhund des Himmels", in alle ihre Verstecke hinein, und je gottferner sie zu sein scheint, um so schärfer sitzt ihr der Verfolger auf den Fersen. Und so unterliegt sie in entscheidender Stunde, in einer Szene von hinreißender Kraft; wir spüren den Atem

Gottes, den Durchbruch auf offener Szene – sie erfährt als Liebe und Erbarmung, was ein Leben lang ihr Entsetzen war.

Die zweite Auserwählte ist Veronika selbst. Sie tritt zwar am wenigsten hervor und steht doch in der Mitte. Der Roman ist die Geschichte ihrer Konversion. Aufgewachsen zwischen entschiedenen Heiden und verworrenen Christen, folgt sie der Stimme des eigenen Herzens, bald in Bewunderung der Großmutter zugetan, bald in aufglühender Liebe im Kraftfelde Enzios, manchmal auf Seiten der Tante Edelgart, dann gegen sie mit Abneigung erfüllt. Sie ist das „Spiegelchen", das fremde Welten auffängt, die Unselbständige, die – nach der unfreundlichen Deutung ihres Namens durch Enzio – zur Schutzpatronin die Heilige der Eindrucksfähigen hat. Aber eben darum wird sie am sichersten von der Gnade erreicht, unter so vielen verwirrenden und widersprechenden Eindrücken folgt sie der stärksten Kraft. Es sind die dienenden und doch weltüberwindenden Kräfte des Katholizismus, die wir hier eine Seele gewinnen sehen.

Das Drama setzt sich im „Kranz der Engel" fort. Das Problem wird bedrängender und radikaler, es heißt jetzt: die Kirche und die moderne Welt. Es geht darum, wie sich der Christ in unserer Welt des Unglaubens verhalten soll. Die Säkularisierung des modernen Geistes ist vollkommen. Sie durchdringt alle Schichten der Völker Europas und bestimmt die Physiognomie des ganzen Abendlandes. Sie bemächtigt sich der akademischen Jugend und spiegelt sich wieder in den aufrührerischen Menschenmassen der Industriegebiete. Das eine wie das andere wird im Roman sichtbar. P. Angelo, der römische Mystiker, setzt den Unglauben bei jedermann voraus und ist der Meinung, daß die heutige Welt überhaupt nicht mehr bekehrbar sei. Aber die wenigen Christen müssen doch die Hüter der Flamme sein, die auch die Finsternis der Jahr-

hunderte mit einem göttlichen Leuchten durchdringt. Was
sollen sie aber tun? – Sollen sie sich von den Ungläubigen
trennen um die eigene Seele zu bewahren, eine heimliche
Kirche der Auserwählten gründen und warten, bis sich die
Fluten verlaufen und trockenes Land auftaucht? Oder gebietet
die Stunde nicht viel mehr, daß der Christ unter Einsatz aller
seiner Kräfte und in einem übergroßen Vertrauen auf die
Hilfe des Höchsten, dessen Botschaft er ja verkündet, sich
opfert für den Dienst an einer übermenschlichen Aufgabe,
wider alle Wahrscheinlichkeit, wider alle Hoffnung, immer ge-
wärtig, daß die Wellen über ihm zusammenschlagen, daß er
von der Flut, der er sich entgegenstemmt, fortgerissen wird,
ein Opfer des Unglaubens, den zu bekämpfen er ausgezogen
ist?

An einem äußersten Grenzfall entwickelt die Dichterin das
Problem in einer ungewöhnlichen Schärfe. Veronika ist auf
der Rückkehr von Italien nach Deutschland durch den Krieg
in der Schweiz aufgehalten worden. Als sie Deutschland wieder betritt, ist sie zur Jungfrau herangeblüht und entzündet
sich in tiefer Liebe zu Enzio, der verwundet aus dem Kriege
zurückkehrt. Aber sie findet ihn anders: in seiner ursprünglichen Haltung gesteigert, fanatisch in seinem Haß gegen jeg-
lichen Glauben, der seine Kraft aus religiösen Quellen her-
leitet. Enzio will nicht nur nichts von einer kirchlichen Trauung wissen, sondern die Braut sogar zur Gefährtin seines Unglaubens machen. Und um dem Geliebten treu zu bleiben und
ihn zu retten, wagt sie den äußersten Einsatz: sie will ihm in
die äußerste Gottverlassenheit folgen, bereit zu einem nicht
mehr von der Kirche anerkannten Liebesbund, willens, die
absolute religiöse Trostlosigkeit des Geliebten zu teilen, überzeugt, daß ihr Bund mit Enzio auch in dieser Form ihr von
Gott als Lebensschickung zugewiesen sei, und in der Hoff-

nung, durch diese Tat das letzte Band zu knüpfen, das den
Gottesleugner, den Gottfernen noch mit Gott verbindet.

Darf sie es tun? Sie hört zwei warnende Stimmen – die des
Hochschullehrers, dem in einer denkwürdigen Auseinandersetzung mit Studenten die Augen aufgehen für die zerstörerischen Gewalten, die von diesem Jünger Nietzsches hervorgerufen werden; die des Dechanten, der die objektive Meinung der Kirche vertritt und sehr wohl weiß, daß nicht nur
Gnaden überströmen. Aber sie wagt dennoch das Äußerste,
ermutigt durch die Überzeugung des Paters Angelo, daß die
Gläubigen die volle Liebesgemeinschaft mit den Ungläubigen
eingehen müssen, wenn sie diese und die Welt retten wollen.

Aber es ist ein Akt vermessenen Vertrauens. Im Vorraum
der Ehe der Gnadenwelt der Kirche entsagend, bricht sie zusammen. Sie erfährt an sich die Verwüstung der Welt, aber sie
erfährt sie grausamer, da sie weiß, was sie aufgegeben hat. Indem Veronika den geistigen Raum der Kirche verläßt, glau-
bend, daß sie auch dann nicht von der Gnade im Stich gelassen werde – indem sie Christus aufgibt, um ihn desto mehr zu
verkündigen, sich der Unseligkeit anheimgibt, um Seligkeit
für einen anderen zu gewinnen – tut sie eine Tat der Paradoxie, die die übernatürliche Ordnung zum Widerspruch herausfordert. Sie hat es zu büßen, indem der Wahnsinn sie berührt. Und so wird ihr Weg nicht bestätigt, sondern mit dem
Außerordentlichen auch der Irrtum ihrer Tat offenbar gemacht.

Der starke Eindruck, der von dem Werk als Dichtung aus-
geht, beruht darauf, daß hier eine vollkommene poetische Gestalt entstanden ist, in der „Inhalt" und „Form", Problem
und Aussage, eng aufeinander bezogen sind.

Der Roman bietet sich als Lebensbericht dar und ist in der
Ich-Form geschrieben. Die Einheit der beiden Werke, die

schon thematisch aneinander gebunden sind, wird durch die
Person der Erzählerin hergestellt, die ihr Leben schildert von
ihren römischen Kindheitstagen bis zur Katastrophe ihrer
reifen Zeit. Dadurch wird der Strom des selbsterlebten Lebens Stilgesetz der Erzählung, deren Fluß nur in der Mitte –
zwischen den beiden Büchern – unterbrochen wird, sonst
aber kein Aufhalten kennt, nicht einmal durch Kapiteleintei-
lung. Die Geschehnisse wirken dabei trotz der Objektivierung, die der Abstand der Zeit hervorruft, unmittelbar und
gegenwärtig; es ist die schicksalhafte Verkettung der Erzählenden mit der von ihr vorgetragenen Erzählung, die den Eindruck der Lebensnähe bewirkt. Die vor unsern Augen aus-
gebreiteten Verhältnisse werden nicht objektiv geschildert,
sondern dargereicht. Das „Spiegelchen" trägt seinen Namen
in einer doppelten Weise zu Recht: Veronika fängt fremde
Welten nicht nur auf, sondern hält sie in dieser Spiegelung
auch allen entgegen, die ihr begegnen.

Die Art ihrer Schilderung zeigt viele Eigentümlichkeiten.
Wie vielleicht sonst an keiner Stelle ihres Werkes ist es der
Dichterin darum zu tun, in der Sprache die seelischen Bewegungen und Erregungen eines jungen Mädchens bis in die Zeit
der Reife hin spürbar zu machen. Die Schreiberin der erschütternden Vorgänge aus vergangener Zeit steigt in eine frühere
Gefühlswelt hinab, die sie aus den Erinnerungen heraus zu
neuem Leben erweckt. Es ist die Zartheit eines reinen, liebenden, großen Dingen geöffneten Herzens, das auf seinem Wege
zur Höhe zugleich den schwersten, Menschenkraft übersteig-
genden Prüfungen ausgesetzt ist. Die Fähigkeit der psychologischen Einfühlung, wie sie die Dichterin an den Tag legt,
ist unvergleichlich. Nur ein Mensch, der große Dinge groß
erfährt und anderen Menschen liebend und verstehend begegnet, kann solche Aussagen machen. Das besonders Auszeich-

nende der beiden Werke aber liegt darin, daß geistige Welten dichterisch begriffen werden. Die Dichterin zeigt nicht nur das Wachstum einer geistigen Gestalt, sondern läßt sie durch große Räume schreiten, die sie sowohl mit dem Intellekt wie mit dem Herzen ergreift.

Dies geschieht einesteils dadurch, daß die Welt des Katholizismus mit seinen Ordnungen das ganze Gefüge des Werkes bestimmt. Er umfaßt das vielschichtige Geschehen wie ein fester Rahmen. Wo wir auch sind, ob in Rom oder in Heidelberg: das Katholische wandert mit, weil es nicht an den Ort, sondern an die Person der Heldin gebunden ist.

Das Katholische bildet das Maßgesetz auch der anderen geistigen Welten, die sich aus den entgegengesetzten Voraussetzungen erheben. Diese werden darum nicht minder groß und unbefangen dargestellt. Den stärksten Eindruck gewinnt man von den Gestalten, die die festesten Konturen besitzen; im ersten Roman ist es die Großmutter, im zweiten der Professor. Das Erlebnis bedeutender Menschen füllt überhaupt weite Bereiche des Werkes; es bedient sich mehrerer Ausdrucksformen, sei es des einfachenBeschreibens geistigenSeins, sei es der Wiedergabe von Wort und Handlung – die Dichterin selbst überrascht am meisten mit der Fülle ihrer Möglichkeiten.

Und so wie Menschen wird deren Werk, die Welt der Kultur, geistig begriffen, und auch die Schönheit der Landschaft ist aufgenommen von den Organen des Geistes. Die Dichterin sieht die Stadt Rom und ihre nächste Umgebung mit den Augen eines Menschen, der Schönheit zu sehen gelernt hat und weiß, welchen Anteil die Geschichte des Geistes daran besitzt. Umgekehrt trägt Heidelberg die Züge einer deutschen Stadt – wenige Städte wären so geeignet gewesen, dem italienischen Rom eine entsprechende deutsche Schönheit ent-

gegenzusetzen. Die barocken Giebel, das Schloß, der Buchenwald, der wie ein Christbaum vom Lichtermeer nächtlicher-
weise entzündete Berg, das Blütenmeer des Frühlings: das ist
nicht schon deutsch, sondern wird es erst durch die Augen
der Dichterin.

Als drittes Kennzeichen einer solchen dichterischen Leistung mag hervorgehoben werden der wunderbare Einklang
zwischen innerem und äußerem Geschehen, wodurch die Welt
draußen zum Zeichen der inneren gemacht wird, und zwar
in der natürlichsten Weise, indem die Augen zeigen, was die
Seele sehen will. Daher die Zuordnung der Großmutter auf
das Antik-Klassische, des Enzio auf das Chaotisch-Dynami-
sche, der Veronika auf das Christliche. Es handelt sich dabei
nicht um Umprägungen, die der subjektiven Kraft der Seele
zuzuschreiben wären, sondern um die Heraushebung geistiger Schichten aus ihrem Totalzusammenhang. Eine andere
Zuordnung von außen und innen findet sich im Verhältnis
von Körper und Seele, so besonders deutlich bei Enzio, dem
jungen blonden blauäugigen Deutschen, der das Gefährliche
seiner Natur hinter einer nordisch-männlichen Schönheit verbirgt. Die wechselseitige Spiegelung bemächtigt sich begreiflicherweise am ehesten der Sprachwelt, und es erweckt Bewunderung zu sehen, in welchem Maße von Anfang an die
Sprachgestalt bestimmt wird durch die Art der geistigen Begegnung. Aus der Übereinstimmung von innen und außen
entsteht die Fülle der Symbole; die Dinge der äußeren Welt
deuten hin auf geistige Realitäten, werden durch sie Träger
und Ausdrucksmittel eines Sinnes. Unter den sehr zahlreichen
Beispielen, die fast Seite für Seite aufgezählt werden können,
ist besonders eindrucksvoll der Titel gewählt, der die beiden
Romane zu einer Einheit zusammenfaßt. Die Dichterin nennt
ihr Werk „Das Schweißtuch der Veronika. Der Name der

Heldin ist verbunden mit der Gestalt aus der Passionsgeschich-
te, die nach der Legende dem leidenden Erlöser ihr Schweißtuch
reichte und es mit seinen Zügen zurückerhielt. Von hier aus bestimmt sich der tiefste Sinn des Romans: in der dem Erlöser dar-
gereichten Seele prägt sich das Antlitz des Mächtigsten der Welt
ein, aber als des Leidenden, und es darf wohl die Vermutung gewagt werden, daß es dem Sinne der Dichterin entspricht, auch im
Bilde der übrigen irrenden, leidenden und scheiternden Menschen die Züge Christi zu finden. Die beiden Engel, die gemeinsam einen Kranz tragen, sind das Symbol der ehelichen
Liebe; sie begleiten das Denken und das Tun der Heldin
durch den zweiten Teil und erscheinen dort sichtbar, wo sich
Entscheidendes vollzieht: zu Beginn, auf der Höhe des Glücks
und in der tiefsten Bedrängnis.

Die ausführliche Behandlung des großen Romans soll uns
eine ähnliche Analyse im weiteren Werk der Dichterin erspa-
ren; die gebotene Kürze verlangt eine zusammenfassende
Übersicht. Das Motiv der Kirche beherrscht auch den Roman
„Der Papst aus dem Ghetto". Diesmal weitab von der Gegenwart, verdeutlicht die Dichterin doch ihr innerstes Anliegen:
daß das Kreuz auch inmitten einer Welt von Irrungen und
Trümmern aufgerichtet bleibt und gerade in dem Augenblick seine Herrschaft verkündigt, wenn das Böse zu trium-
phieren scheint. Der hier wie in dem Doppelroman zum Ausdruck kommende Pessimismus allem menschlichen Geschehen gegenüber wird in Schranken gehalten durch die Überzeugung, daß der Lauf der Welt von einem allmächtigen göttlichen Willen kontrolliert werde, der sich der Erscheinungen
dieser Welt bedient, um sie in seinem Sinne zu verwenden,
auch der gegengöttlichen und gerade dieser. Im 12. Jahrhundert ist die Kirche in Gefahr, das Opfer machtpolitischer Bemühungen von drei verschiedenen Gruppen zu werden, der

römischen Adelspartei der Frangipani, des deutschen Königs und des jüdischen Geschlechtes der Pier Leone, das den schismatischen Papst Anaklet II. auf den Stuhl Petri entsendet. Alle drei sind darauf bedacht, im Widerspiel gegeneinander die Kirche zum Instrument ihrer Politik zu machen. Die Kirche jedoch geht aus diesem Kampf als Siegerin hervor: wenn sie es sich auch gefallen lassen muß, daß unwürdige Vertreter in ihre Reihen geraten, so bleibt ihr Wesen doch von den Wechselfällen der Geschichte unberührt. Aber auch das Inkommensurable der christlichen Existenz im Vergleich zu allen anderen, auf Macht aufgebauten weltlichen Institutionen wird sichtbar: Christentum kann man nicht mit machtpolitischen Mitteln „durchsetzen"; es gehört zu seinem Geheimnis, daß alles, was in diese Zeitlichkeit entsandt ist, um seinetwillen leiden muß.

Die Hinwendung zum zweiten Motivkreis, zur „Welt", bedeutet für das Werk der Dichterin nur eine Änderung des Standpunktes; bei der kosmischen Betrachtung, die alle Dinge in der Schöpfung in einer großen Spannung miteinander verbindet, bleiben wir in der Einheit des Weltganzen, das mit den Augen der Offenbarung gesehen wird. So sind Kirche und Welt keine durchaus getrennten Bereiche. Weil beides ineinander wirkt, findet sich beides im Werk der Dichterin aufeinander bezogen. Nur die Gewichte sind hier und dort anders verteilt. Im Motivkreis der Reichsdichtung zeigt die Dichterin ihre Vorliebe für die Geschichte und ihre Fähigkeit, sie zu deuten. Sie tut es vollständig aus christlichen Voraussetzungen. Ihre Geschichtsbetrachtung ist theologisch bestimmt. Geschichte will heilsgeschichtlich betrachtet sein. Auch das deutsche Volk hat seine ihm von Gott gegebene Sendung. Insofern der Mensch sich vor die Verpflichtung gestellt sieht, das Reich Gottes in dieser Zeitlichkeit zu ver-

wirklichen, hat jeder Weltaugenblick seine besondere heils-
geschichtliche Bedeutung, denn er berichtet von dem jeweiligen Stande der Verwirklichung des Auftrags, von den Fort-
schritten der Menschen oder ihrem Versagen, in einem absoluten Sinn sogar von der Entscheidung für oder gegen das
Heil, für Gott oder für den Teufel.

„Reich" – ein Wort, das wir heute als eine einmal gewesene
und uns nur mit Schmerz erfüllende Realität aussprechen, war
einmal eine den Deutschen durch göttliche Fügung auferlegte
Verpflichtung und Aufgabe, nämlich Erbe des Imperium
Romanum zu sein und eine große Verwirklichung vorchrist-
licher Völkerverbindung als Sacrum Imperium, als ein begnadetes, sozusagen getauftes Reich im neuen Zeitalter des Christentums weiterzuführen. Salbung und Krönung haben den
deutschen Kaisern eine Weihe verliehen, die den heilsge-
schichtlichen Auftrag bestätigen und das Sakramentale ihrer
Berufung vor Gott verdeutlichten. In ihren „Hymnen an
Deutschland" (1932) entfaltet die Dichterin in drei Abschnitten („Das Schicksal, „Die Sendung", „Der Sieg") Wesen und
Schicksal des Reiches durch die Zeit. Es war ein großes Miß-
verständnis, diese Hymnendichtung in die Nähe politischer
Ideologien zu rücken. Immer geht es um den metaphysischen
Sinn von Auftrag und Schuld. Die Kraft, die Deutschland
stärkt, ist die „Gnade". In der Anerkennung ihrer alles bewir-
kenden Macht im deutschen Schicksal klingt der letzte Zyklus der Reichshymnen aus.

Während der Roman des mittelalterlichen Kaisertums bis
auf die Einleitung („Das Reich des Kindes") noch ungedruckt
blieb, ist das Reich zum Thema der „Magdeburgischen Hochzeit" geworden. Hier ist ein bedeutender historischer Roman
aus geschichtstheologischen Voraussetzungen entstanden,
wodurch die Zerstörung Magdeburgs in weite Zusammen-

hänge rückt. Aus den bekannten Elementen der Geschichte
baut die Dichterin ein Geschehen auf, das seine Eigenart aus
der Kraft der Idee erhält. Die Zerstörung Magdeburgs ist ihr
Symbol für das schuldhaft herbeigeführte Ende des alten
Reichs: hier wurde mehr als eine Stadt vernichtet, hier
wurde eine Idee verraten und zu Grabe getragen. Die Spaltung der Deutschen im Glauben hätte für das Reich eine neue
Aufgabe sein müssen, nämlich die, die Getrennten wenigstens in der politischen Einheit zu verbinden. Statt dessen
werden beide Parteien aneinander schuldig und zerstören
nach der Einheit des Glaubens auch die Einheit des Reiches.
Die Besten auf beiden Seiten erkennen den Einbruch des Verhängnisses und versuchen alles, um es abzuwenden. Der Rat
der Stadt ist gut kaiserlich gesonnen und will zum Reiche
halten, wenn es ihm nur die protestantischen Freiheiten ga-
rantiert. Tilly, der kaiserliche Generalissimus in Hameln, be-
spricht sich in der Not seines Gewissens mit seiner Standarte,
die das Bildnis Mariens trägt: diese sagt ihm, daß sie nicht mit
dem Schwert in der Hand, sondern im Herzen die Welt über-
winde. Aber währenddessen werden die Gutwilligen durch
andere Mächte überwunden; auf beiden Seiten siegen die Ei-
ferer. Im protestantischen Magdeburg gewinnt der Haß gegen
das katholische Reich die Oberhand, und im katholischen Lager wendet man sich gegen die protestantischen Rebellen.
Und während dort der schwedische Obrist Falkenberg endgültig die Herrschaft übernimmt und – um reiner Machtfra-
gen willen – zum Entsetzen der gläubigen Protestanten auch
die Gewissen vergewaltigt, führen hier ehrgeizige Generale
und Wiener Machtpolitiker das Wort. Ein neues Zeitalter beginnt. In das Sacrum Imperium brechen säkularisierteMächte.
Tilly spricht es aus: der Glaubenskrieg beginnt nicht, er ist
vielmehr zu Ende, es wird zukünftig nichts mehr als Krieg

sein. Er wird in diesen Tagen weltgeschichtlicher Ereignisse
weiß über solchen Erkenntnissen: die irdischen Mächte haben
ihren eigenen Weg angetreten und werden ihn fortzusetzen
wissen. „Wo bisher das Gebot stand, alles Irdische den Rechten der heiligen Religion aufzuopfern, da wird künftig das
Gesetz stehen, daß man die Rechte der heiligen Religion allem
Irdischen aufopfert – diese Rechte werden es sein, die man
überall und immer zu allererst preisgibt!²“ Das wissen auch
die Protestanten, die ihre Stadt in Brand, Blut und Haß verlieren. Zu spät ist die Einsicht, die der ehemals eifernde Jesuit
aus der Umgebung Tillys verzweifelt ausruft: „Man hätte sich
der Kaiserlichen Majestät zu Füßen werfen sollen, damit dieselbe das Edikt zurückstelle! Man hätte sie beschwören müssen, dem Gewissen nicht Gewalt anzutun, Geduld zu üben, bis
der Geist die Spaltung überwindet! Allein man hat mit den
abgefallenen Seelen keine Geduld gehabt, genau wie der Lu-
ther mit der verweltlichten Kirche keine Geduld gehabt hat,
und nun geht an der Geduldlosigkeit der Christenheit die
Christenheit zugrunde! Statt den Spalt zu schließen, haben wir
ihn tiefer aufgebrochen: man wird uns diesen Tag von Magdeburg niemals vergessen! Die heilige Religion wird mit dem
Schicksal dieser unglücklichen Stadt belastet bleiben – bis in die
fernsten Zeiten wird man sie deshalb verklagen!³“ Am Ende
wächst die Geschichte ins ganz Große, als der protestantische
Prediger Bake in tiefer Verbitterung mit den Seinen das brennende Magdeburg verläßt und – für einen Augenblick an den
Dom gelehnt – drinnen die landfremde Stimme des katholischen Geistlichen hört, der das Credo singt, Worte, die zuerst
seine Abneigung, dann seine wachsende Zustimmung erwecken, bis er betend in das Glaubensbekenntnis einstimmt
und damit ein Bekenntnis zum gemeinsamen katholischen und
protestantischen Glauben ablegt.

Künstlerisch zeigt sich die Dichterin von einer neuen Seite. Dem historischen Geschehen entspricht der objektive Erzählbericht – das Geschehen ist von der Erzählenden abgerückt und ruht in sich selbst. Aber man spürt das hohe Maß ihrer inneren Beteiligung. Sie meditiert aus ihren Gestalten heraus, indem sie deren Überlegungen mit vollzieht. Sie stellt die Personen ihres Werkes in die Not der Entscheidung, sie läßt sie nicht nur handeln, sondern über ihr Handeln nachdenken. Die ungeheuren Vorgänge, deren Tragweite sie ahnen, werden auf Schritt und Tritt umdacht. Der Mensch weiß, daß er starken Mächten gegenübersteht, die nicht mehr zu überwältigen sind, jedoch Entscheidungen hervorrufen, die für ganze Zeitalter von Bedeutung sein werden. Daher das ratlose Verzagen angesichts der immer neuen Gefahren und Bedrängnisse, das angsterfüllte Nachprüfen bereits getroffener Entscheidungen. Daher auch der vielfache Gebrauch des Konjunktivs der Bedingungssätze, der Ausdruck der Unsicherheit, des „Vielleicht" und „Man hätte doch..", der unaufhörliche Versuch, durchzubrechen durch die immer dichter werdenden Netze der Verstrickung. Die andere Eigenart des Romans ist die enge Verbindung mit dem Symbol: der Marienstandarte Tillys steht die magdliche Stadt gegenüber, die die Erinnerung an ihre Namenspatronin vergessen hat und nun den falschen Bräutigam in ihre Kammer läßt. Und was hier im Großen geschieht, vollzieht sich gleichzeitig im Kleinen bei Erdmuthe, die ihre Verblendung in Erniedrigung bezahlen muß.

Der dritte Motivkreis betrifft die Frau; ihr gilt ein bedeutender Teil des Werkes. Da das ganze Denken der Dichterin darauf angelegt ist, vom Standpunkt einer alles überschauenden Seinsbetrachtung aus die letzten Grundlagen zu erreichen, auf denen die Welt aufgebaut ist, kann es nicht verwundern, daß sie in die metaphysischen Tiefen der Frau zu dringen versucht und sich bemüht, den Schöpfungsgedanken Gottes nachzusinnen. Eine Vertreterin der modernen Frauenbewegung wird man in ihr nicht finden. Sie geht weder biologischen noch historischen oder sozialen und psychologischen Problemen nach. Ihr Blick ist einzig auf die Wesensstellung der Frau im Aufbau der Welt gerichtet.

Am Anfang dieser Reihe steht ein kleines philosophisches Werk, „Die ewige Frau". Hier erweist sich die Kraft einer hervorragenden Denkerin, die nicht nur auf dem Felde der Philosophie zu Hause ist, sondern stark und kühn genug, die Offenbarung als wichtigste Quelle der Weltdurchdringung auch im Bereiche dieser Problematik zu benützen. Es ist die katholische Dogmatik, die „die gewaltigsten Aussagen gemacht hat, die je über die Frau gemacht worden sind.. Nicht allein, daß die Kirche die Frau – jede Frau – in der Lehre vom Sakrament der Ehe mit sich selbst vergleicht, sie hat auch eine Frau zur Königin des Himmels erklärt, sie hat sie die „Mutter des Erlösers", die „Mutter der göttlichen Gnade" genannt." Indem die Dichterin mit der Kirche Maria als die einzige Auserwählte in der ganzen Menschheit begreift, in der sich das Bild des unentweihten Menschen am Schöpfungsmorgen vor dem Sündenfall darstellt, entwickelt sie am Bilde der Gottesmutter in „lebendig bestürzender Folgerichtigkeit" (M. Eschbach) die Züge, die das Wesensbild der Frau konstituieren. Sie sieht den einen im „Fiat", worin Maria dem Engel ihre Hingebung und Bereitschaft ausdrückt, sich dem Willen Gottes zu unterwerfen und im Dienste des höchsten Heilsplans das Tor zur Erlösung zu werden; den anderen im Schleier, durch den sie vor der Öffentlichkeit unsichtbar wurde, ihre Leistung verbarg und hinter ihrem Werk zurücktrat. In Hingebung und Verborgenheit besteht Mariens Anteil am Erlösungswerke Christi. Aus dieser höchsten Perspektive fällt

Licht auf die Rolle der Frau in der natürlichen Ordnung der Dinge. „Wo immer die Frau zutiefst sie selbst ist, da ist sie nicht sie selbst, sondern hingegeben – wo immer aber sie hingegeben ist, da ist sie auch Braut und Mutter . . . Vom Motiv des Schleiers her eignet der Frau vor allem das Unscheinbare: alles, was unter die Bezirke der Liebe, der Güte, des Erbarmens, des Pflegens und Behütens gehört, also das eigentlich Verborgene und zumeist Verratene auf Erden⁴". Wo aber die Frau von dieser ihrer Bestimmung läßt, fällt sie von sich selbst ab und wird zur apokalyptischen Gestalt. Am Anfang steht Eva, der Ursprung allen Abfalls, da sie sich der ersten Bestimmung, Hingabe zu sein, entzog; am Ende befindet sich das Weib der „Geheimen Offenbarung": – „nur die ihrer Bestimmung untreu gewordene Frau kann jene absolute Unfruchtbarkeit der Welt darstellen, welche ihren Tod und Untergang herbeiführen muß".

Beides, Hingabebereitschaft und Verborgenheit, bleiben Zeichen der Frau in ihren drei Verwirklichungen, als virgo, sponsa und mater. Als Jungfrau und Braut ist sie die „Frau in der Zeit": sie trägt dem Mann die andere Hälfte des menschlichen Seins zu. In ihr wird die Hingebungsgewalt des Kosmos offenbar; während der Mann sich in der geschichtlichen Situation verbraucht, lebt die Frau über ihn hinaus und vertritt die Generation. „In der Hingebung der Frau als Offenbarung dieser anderen Welthälfte steckt der weibliche Anteil an der geistig-kulturellen Schöpfung des Mannes⁵". Die drei Verwirklichungen tragen dabei ihre eigenen Mysterien: Jungfräulichkeit ist nicht nur mädchenhafte Erwartung, sondern eine in sich selbst ruhende Seinsweise der Frau mit ihren eigenen Aufgaben. Die Jungfrau ist die Trägerin einer ungewöhnlichen Kraft, wie Geschichte und Glaube aller Völker bezeugen, und nicht selten die letzte Hilfe in der Bedrängnis,

wenn alles andere versagt. Als sponsa des Mannes ist sie Mitschaffende und Mittragende der Kultur. Die Anwesenheit des
weiblichen Moments bedeutet die Anwesenheit eines verborgen Hilfreichen und Dienenden, ihre Abwesenheit im selben
Maße nicht nur Unvollkommenheit, sondern Zerstörung und
Untergang. Da Gott „die eine Hälfte des Seins unwiderruflich weiblich setzte", kann der Mann nicht aus sich allein
Kultur schaffen. Wo er es versucht, entstehen die heillosen
männlichen Zeitalter mit ihren auf bloße Herrschaft und
Macht hingeordneten Tendenzen. Die großen Gestalter wissen,
daß die Frau ein unsichtbarer Pfeiler der Geschichte ist; daher
die oft überschwenglichen Huldigungen, die ihr entgegengebracht werden[6]. Aber sie darf es nicht vergessen: ihre Mitwirkung ist unweigerlich an ihren religiösen Charakter gebunden.

Die „zeitlose Frau" dagegen ist die Mutter. Sie ist „die im
Strom der Geschlechter Versinkende"; sie ist um des Kindes
willen da, mit dem sie zu einer Einheit verschmilzt, in dem
sie untergeht. Hingabe und Verborgenheit erreichen ihre
äußerste Höhe; das Dasein der Mutter erfüllt sich in tiefer
Unscheinbarkeit. Ihre Kräfte reichen tiefer in die nächste Generation als die des Mannes; auch in diesem Sinne wird sie
Mitschaffende der Geschichte. Aber Mutterschaft erschöpft
sich nicht im leiblichen Gebären. Als Ärztin, Fürsorgerin,
Lehrerin und Krankenschwester entwickelt die Frau mütter-
liche Kräfte und wird die Stütze der Hilflosen, der Schutz-
und Pflegebedürftigen. Als Regentin ist sie meist eine
glückbringende Lenkerin der Geschicke ihres Volkes. Als
Bewahrerin und Hüterin aus Natur ist die Frau nicht ge-
neigt, preiszugeben und unnötig aufs Spiel zu setzen. In
Umbruchszeiten den vorwärtstreibenden und selbst Verhängnisse nicht scheuenden Kräften des Mannes gegenüber ist sie

oft die Pflegerin der Tradition. „Die zeitlose Frau ist die Hüterin der zeitlosen Güter ihres Volkes!"

Von solchen Gedanken aus eröffnet sich der Ausblick auf
den dritten Teil von Gertrud von le Forts dichterischem
Werk. Jungfrau, Braut und Mutter treten uns in ihren Novellen entgegen. Auf dem Hintergrund der philosophischen
Überlegungen stehen die konkreten Gestalten der Dichtung,
die Bevorzugte und Auserwählte einer göttlichen Sendung sind.

Jungfräuliche Gestalten treten uns im Novellenwerk der
Dichterin zweimal entgegen: in der „Letzten am Schafott"
und in der „Abberufung der Jungfrau von Barby".

In der ersten Novelle hören wir von dem Schicksal der beiden Karmelitinnen Marie de l'Incarnation und Blanche de la
Force in den Schreckenstagen der französischen Revolution.
Wir erfahren abermals von der Paradoxie des Christseins wie
im „Papst aus dem Ghetto" und der „Magdeburgischen Hochzeit": daß man die Macht des Bösen nicht mit einfach menschlichen Mitteln überwinden kann, sondern nur durch das Mysterium Christi, durch Teilhabe an seinem mystischen Leib
und durch Nachvollzug einer in seinem Leben urbildlich gegebenen Seinsweise.

Blanche, die Hauptgestalt des kleinen Kunstwerks, trägt
das Schicksal einer naturgegebenen Angst. Sie tritt in den
Karmel ein, man versucht, sie mit pädagogischen, medizini-
schen und seelsorgerischen Mitteln zu heilen. Daran mögen
alle Anstoß nehmen, sie als unwürdig verurteilen, sie als
Kranke, ja, als Mißratene geringschätzen und ihr ein strenges
Leben auferlegen, ihr ein heroisches Ja zum todestraurigen
Geschehen der Zeit abzutrotzen versuchen – in die Geheimnisse dieses Zustandes vermag niemand einzudringen. Da wird der
furchtsamen Nonne die Gnade zuteil, ihre unüberwindliche
Angst ins Religiöse hinüberzutragen und damit ihr eine Weihe

zu geben. Das Geheimnis ihres Namens „Jésus au jardin de l'Agonie" eröffnet ihr den besonderen Auftrag, in ihrer armseligen Angst die erschütternde Todesangst Christi nachzuerleben. So darf sie erfahren, daß in ihrer Angst das verborgene Wirken Gottes offenbar wird, das die menschliche Schwäche über sich hinausführt und in todesmutige Sicherheit umwandelt. Der Flucht aus dem Kloster folgt der Weg zur Stätte der Hinrichtung; den Hymnus der Karmelitinnen, die vor ihr jubelnd in den Tod gehen, übertönt zum Schluß ihre kleine, aber feste Stimme, bis Blanche von der Menge gelyncht wird. Marie de l'Incarnation, die sich immer glühend zum Opfertode angeboten hat, muß erfahren, daß Gott gerade die Schwachen und nicht die Starken zu seinem Werkzeug macht.

Die kleine Novelle gehört zu den künstlerisch vollkommenen Gebilden der deutschen Dichtung. Sie stellt sich abermals in einer neuen von der Dichterin noch nicht verwandten Gestalt dar: als Brief eines Edelmanns an seine Freundin, die er über die wahren Vorgänge bei der Hinrichtung der sechzehn Karmelitinnen von Compiègne aufklärt. Die geistigen Hintergründe der Zeit werden oft durch eine in Klammern beigefügte Bemerkung verdeutlicht. In den Schreckenstagen der Revolution ist mehr geschehen als Kirchen- und Klostersturm. In Brand und Blut wurde das Welt- und Menschenbild der Aufklärung widerlegt. Die Briefform macht es der Dichterin möglich, die eigene Erschütterung sichtbar zu machen; abermals handelt es sich nicht um eine kühle Berichterstattung, sondern um einen Schaffensprozess, der dem eigenen Herzen entsteigt. So ist die psychologische Durchdringung der einzelnen Gestalten nichts als das Ergebnis der Einheit von Dichterin und Werk; indem sie Kraft und Schwäche aus dem Innersten ihrer Gestalten entwickelt, läßt sie doch beides aus dem eigenen Ich entquellen. Der Weg der Entwick-

lung ist eine fortwährende Zunahme der Gewichte. Er beginnt mit der schicksalhaften Geburt inmitten der Unruhen der
vorrevolutionären Zeit und endet im blutigen Aufruhr
der Massen. Am Anfang steht die Ursache aller späteren Verwirrung, die mit dem Kinde geborene Angst, am Ende gelingt der furchtsamen Nonne deren Überwindung. Die Dichterin findet zum Schluß noch einen letzten sanften Anstieg,
indem sie die überlebende Marie de l'Incarnation die letzte
Prüfung bestehen läßt, die schmerzliche Tatsache siegreich
auf sich zu nehmen, daß sie zum Opfer nicht ausersehen war.

Das Thema der „Abberufung der Jungfrau von Barby"
ist diesem verwandt. Was dort französische Revolution heißt,
ist hier das Wüten der Sektierer. Die Rolle der Novizenmeisterin vom französischen Karmel wird von der Äbtissin über-
nommen, die im Widerstand gegen den Frevel der Gottes-
lästerer die selbstverständliche Haltung erkennt, die Gott
von ihnen verlangt und der Größe der ihm angetanen
Schmähungen entspricht. Daß aber das wilde Geschehen zugleich ein Anruf zur Buße ist und die Welt vom Dunkel ihrer
Gottverlassenheit nur erlöst werden kann durch die Teilnahme an der Gottverlassenheit Christi, erfährt nur die My-
stikerin von Barby, die in die „Nacht der Minne"eingeht und
darin ausharrt, so wie Christus aller Unbill nichts als Schweigen und Ausharren entgegengesetzt hat. Der große Bilder-
sturm in der Welt erfährt eine schreckliche Entsprechung
in der Seele der Jungfrau; die Äbtissin verweist die Unver-
standene in ihre Zelle, so daß sie gleichermaßen von Gott
und der Welt verlassen ist. Hier erfährt die Jungfrau von
Barby die letzte Vereinigung mit dem leidenden und sühnen-
den Christus in ihrem gewaltsamen Tod, dem sie von den
brutal bei ihr eindringenden Verderbern ausgesetzt wird.

Was bleibt, läßt sich zusammenfassen. Es täten sich ent-

Manfred Hausmann

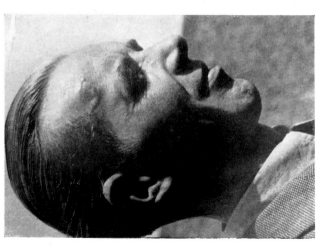

Horst Lange

Käthe Rheindorf

Hans Egon Holthusen

Waltraut Nicolas

sprechende Tiefen auf, doch wird die dichterische Höhe der „Letzten am Schafott" und der „Jungfrau von Barby" nicht erreicht. Auch bei der Behandlung von Braut und Mutter bleibt der Blick auf die ewigen Ordnungsbilder gerichtet.

Die „Opferflamme" (1940) ist die dichterische Verdeutlichung des Sponsa-Themas. Die bisher letzte Aussage der Dichterin gilt der Mutter. Es möge bei bloß andeutenden Bemerkungen bleiben. „Das Gericht des Meeres" behandelt den Durchbruch mütterlicher Gefühle in einem Augenblick, als der jungen Frau eines schwer mißhandelten Volkes die Möglichkeit gegeben ist, den erkrankten Prinzen des Gegners in Leben oder Tod zu singen. Es bedarf keines langen Kampfes, um der von innen und von außen an sie herantretenden Versuchungen Herr zu werden: sie singt das Kind in das Leben und versäumt dadurch – vom irdischen Blickpunkt aus gesehen – die große Stunde ihres Volkes. Das aufbrausende Heidentum ihrer Umgebung, vertreten durch Budoc, nimmt dafür Rache an ihrer Person – aber sie hat doch getan, was naturhafte Mütterlichkeit, durch das Christentum geadelt, ihr auferlegt hat.

Lassen wir den Blick noch einmal zurückgehen: wir staunen über die Reichweite einer solchen Gestaltungskraft, die sich ein verlorengegangenes Universum zurückerobert und das christliche Weltbild so groß zurückgewinnt. Das Echo, das aus aller Welt zurückschallt, besagt: hier werden Tröstungen ausgesprochen, die sich in der Seinsgerechtheit solcher Dichtung begründen. Gegenüber den Selbstbekenntnissen des Nihilismus, auch wenn sie in intellektuell oder ästhetisch bewundernswürdiger Form vor uns stehen, geht von ihnen eine Kraft aus, die in die Zukunft führt – Stimmführer eines wachsenden Chores, der sich entgegen allen Schrekken der Zeit zum Lobe der ewigen Güte zusammenschließt.

ERLEBNIS UND ÜBERWINDUNG DES KRIEGES

Die Situation der Krisis, von der in diesem Buch die Rede ist, umschließt den Krieg; in ihm kam zur Entladung, was sich an dunklen Gewalten unterirdisch angesammelt hatte. Wären unsere Verhängnisse nur geistiger Art, so würden sicher Millionen über sie hinwegleben, ohne sie zu bemerken. Der Krieg aber hat sie in das Dasein jedes einzelnen getragen und sie allen sichtbar gemacht. Er wird als *die* große Katastrophe der Menschheit begriffen. Er ist mit unermeßlicher Grausamkeit geführt worden und hat kein Ende genommen, als die Waffen ruhten: er setzte sich fort im Elend der Flüchtlinge und der Gefangenen. Er gab die große Gelegenheit zur Selbstbesinnung, indem er die Frage an alle stellte: was aus den Menschen werden würde, wenn sie auf diesem Wege weiterschritten. Er führte die Menschen vor die Konsequenzen ihres Wahns; er ließ sie wie in einem Spiegel ihre Entartungen sehen. Längst war der Abbau des Menschlichen vorausgegangen, das Persönliche entwertet, ehe es zum gewissenlosen Mord an Tausenden, zur bedenken- und sinnlosen Hinopferung von Millionen kam. Der Krieg jedoch machte es erst allen klar, wohin wir durch uns selbst gekommen waren.

So versteht es sich, daß er in anderer Art erfahren wurde als der erste Weltkrieg. Nicht nur das Grauen war größer; vielmehr scheint es, daß er geistig intensiver begriffen wurde: als Stunde eines furchtbaren Gerichts, als Selbstoffenbarung menschlicher Schuld, als Resultat dunkler Verirrungen, als Stätte ungeahnter Perversionen. Daher ist auch die heutige Kriegsdichtung anders als die nach dem ersten Kriege. Die eigentlichen Realitäten des Krieges stehen weniger zur Rede als die Frage nach dem Sinn und die Schlußfolgerungen aus der Katastrophe. Bis auf Stalingrad hat keiner der großen Kriegsschauplätze einen Gestalter gefunden, und auch hier wird der grausige Untergang einer Armee nicht um seiner selbst willen geschildert. Die Realitäten des Krieges sind eine Erscheinung zweiter Ordnung angesichts der tiefer greifenden Verpflichtung, *innerlich* mit ihm fertig zu werden.

Die Neigung des Deutschen, Ereignisse wie dieses aus tieferen Gründen zu verstehen, sie „metaphysisch" zu sehen, dient nicht dazu, sein Gewissen zu erleichtern, wie man ihm vorhält, sondern vermag ihn nur noch schwerer vor sich selbst zu belasten. Auch teilt er sie mit aller Welt. Indem er die Geschehnisse objektivierend von sich abrückt, sieht er sich um so tiefer in sie hineinverwickelt. Das Erschrecken hat etwas von der Wucht endgültiger und endzeitlicher Erfahrungen; wenn dieser Krieg und seine Lehre nicht die Wandlung menschlicher Gesinnungen bringt, ist sie nicht mehr zu erwarten. So gesehen, wird die Dichtung dieses Krieges eine Abrechnung des Menschen mit sich selbst. Oft ist sie weit mehr: ein Gespräch mit Gott oder der Versuch, den Weg zu ihm zurückzufinden.

Das Erlebnis des Krieges ist verschieden nach dem Lebensalter derer, die in ihn hineingestellt waren; auf die Älteren wirkte er anders als auf die Jüngeren. Wer vor der Jahrhundertgrenze geboren ist, ging mit den Erfahrungen des Ersten Weltkrieges auf den Zweiten zu, machte wachen Sinnes die Entwicklungen durch und wurde meist Warner, Mahner und Tröster. Die im ersten Jahrzehnt oder etwas später Gebo-

renen waren durchweg Teilnehmer des blutigen Ringens und
sind heute die eindrucksvollsten Verdeutlicher des Geschehens, um so mehr, als ihnen Alter und Reife die Kraft gab,
auch das Furchtbarste zu bestehen. Am schwersten getroffen
wurde die Jugend, die beim Ausbruch des Krieges zwanzig
Jahre und weniger war. Es sind diejenigen, die der Krieg in
ihrem Mündigwerden überraschte; hier hat er die schlimmsten und nachhaltigsten Verheerungen angerichtet, indem
er die entscheidenden seelischen Entwicklungen unterbrach
und damit jene Stimmung schuf, die für die jüngste Generation so bezeichnend ist: das Bewußtsein der Heimat- und
Ordnungslosigkeit, der Verzweiflung und des Unerfülltseins,
das eifrige Bemühen, das Versäumte nachzuholen, das – oft
vergebliche – Ringen um den Lebenssinn. Für diese Generation ist niemand so bezeichnend wie Wolfgang Borchert.

Die Ernte – nach fünf Jahren – ist nicht groß. Doch gibt
es einige Zeugnisse – so darf man annehmen – von bleibender Bedeutung. Sie finden sich in Lyrik, Erzählung und
Drama.

Die Lyrik

Der Anteil der Lyrik ist begreiflicherweise besonders
stark, aber es gibt nur verhältnismäßig wenige gültige Aussagen. Was jedoch herausgehoben zu werden verdient,
kann das Recht für sich in Anspruch nehmen, stellvertretende Bedeutung zu besitzen. Die Gestalt der Dichtung ist bemerkenswert; sie macht erkennbar, daß sie nicht so sehr der
Spiegel unserer Gemütserschütterungen ist als der Widerhall
unserer in der Tiefe getroffenen, in ihren letzten Gewißheiten bedrohten Menschennatur, die sich ihrer Würde, ihrer Art
und ihrer Stellung in der Ordnung der Welt erst wieder ver-

sichern muß. Ekstase und expressionistische Gebärde gehen ihr ab; die Sprache der 2oer Jahre ist kein Ausdrucksmittel für die Leiderfahrung unserer Tage. Nicht der leidenschaftliche Ruf: O Mensch!, mit dem sich nach 1918 Freund und Feind erschüttert in die Arme fielen, entspricht der seelischen Grundverfassung unserer Generation, sondern ein verwirrtes oder auch tröstliches: O Gott! Wer wie unsere Gegenwart von dem Ungeheuren angefaßt ist, antwortet nicht im Schrei, sondern verstummt im Erschrecken. Bevorzugt werden strenge Maße, das Sonett, antikisch freie Rhythmen und selbst die Terzine. In ihnen kündigt sich ein Weltverhalten an, das dem Ich den Überschwang verbietet und den Vorrang des Überindividuellen anerkennt. Es muß zugegeben werden, daß gerade die herkömmlichen Versmaße das Gefäß für konventionelle Aussagen sein können, die jeder Originalität ermangeln. Ihre wirkliche Bedeutung aber erweist der große Dichter: für ihn sind sie das echte Ausdrucksmittel der heutigen Wirklichkeitsbegegnung. Sie umschließen dabei keine in sich ruhende Schönheit, für die der Sinn der durch Feuer und Trümmer gegangenen Menschen von heute verschlossen zu sein scheint, sondern die moderne Erfahrung, die das Grauen kennt und das Schauerliche zum Gegenstand der Dichtung macht. Dabei teilt sich der nüchterne Realismus, der die heutige junge Generation auszeichnet, der Lyrik mit. Sie nimmt dem Rohen und Groben nicht das Schreckliche, sondern läßt es stehen. Zum Wirklichkeitsbereiche der heutigen Lyrik gehören nicht nur die Natur, sondern die Bombe, der Panzerwagen, das Flugzeug, nicht so sehr das Ausruhen, sondern die Flucht. Rilkes Sprachvorbild ist oft zu spüren: wie seine Dichtung die Zirkusspringer, die Modistin, das Postamt einschließt, so verdeutlicht die gegenwärtige Lyrik die härteste Wirklichkeit und nennt sie bei ihrem Namen. Mitten in gleitenden Versen stößt man auf harte Gegenstände. Aber sie stören keineswegs; sie gehören zu ihrem innersten Wesen.

Zum Charakter der gegenwärtigen Lyrik gehört jedoch auch die Verbindung mit den hintergründigen Realitäten, das Zusammensein mit den Toten, die Verwebung von Traum und Leben, die Erfahrung der verschiedenen Schichten der Wirklichkeit. Bewußtes und Unbewußtes gehen ineinander über, die Trennungslinien fallen, Hell und Dunkel erscheinen ununterschieden. Der Lebende findet sich in viele Bezüge eingefügt. Das Labyrinthartige unserer Welt und unseres Weges durch die Welt ist einer der hauptsächlichen Gegenstände der Dichtung. Wir sehen uns auf eine unendliche Straße gestellt, auf eine ewige, ziellose Wanderung geschickt, auf der uns die Schatten der Unterwelt, die undeutbaren Zeichen unbekannter Mächte begegnen. Das ist in der Epik und in der Dramatik nicht anders. Das Motiv des Totentanzes (bei Marie Luise Kaschnitz, Hausmann und Britting) ist bezeichnend für die Hinordnung der Lebenden auf die Abgeschiedenen. Dazu gibt es auch eine bewußte Abkehr von der Welt des Schreckens. Der Zusammenhang mit den Erfahrungen unserer Zeit verrät sich dabei dennoch durch das Bemühen um mystische Versenkung in den Weltgrund, um das erahnende Innewerden tieferer Lebensgeheimnisse, um die Erfahrung der Hintergründe des Lebens.

Es gibt vor allem eine Lyrik des Kreuzes. Ein gewichtiger Teil der gegenwärtigen lyrischen Dichtung ist Zeugnis christlicher Glaubenshaltung, für die keine Not ohne Trost ist, menschliche Schuld durch göttliches Verzeihen getilgt wird und die Welt nur eine einzige Rettung findet: durch die Hinordnung auf Christus und die Verwirklichung des Reiches Gottes.

Marie Luise Kaschnitz

Unter den Dichtern unserer Zeit finden sich einige besonders bemerkenswerte Namen. Die seit dem Kriegsende veröffentlichten Gedichte von Marie Luise Kaschnitz sind Zeugnisse außerordentlicher Sprachgewalt, die furchtbare Visionen des Schreckens wachrufen. Der Zyklus „Große Wanderschaft" verdeutlicht in den Formen der Sprache die immerwährende heillose Bewegung, in der die Menschen, heimat- und wurzellos geworden, sich von Ort zu Ort wälzen, rat- und mutlos nebeneinander stolpern, hasten, fliehen. Sie besitzt ein begnadetes Vermögen, dunkle Seelengründe aufzudecken, den Tod zu beschwören und Totenklage zu erheben. Aber sie verfügt über viele Töne. Je weiter wir uns aus dem unmittelbaren Bannkreis des Krieges entfernen, um so beruhigter, so scheint es, wird auch ihre Sprache; vom Chaos befreit, lenkt sie den Blick auf das Bleibende und Ewige. So vermag sie den Verlassenen und den vom Leben Mißhandelten Trost zu spenden – aus Quellen, die einem religiösen Bewußtsein entspringen.

Manfred Hausmann

Manfred Hausmanns Lyrik zeigt den Dichter, der sich als Verfasser spielerisch gefälliger Erzählungen einen guten Namen gemacht hat, auf dem Wege zu tiefem religiösen Ernst. Seine Gedichte sprechen kaum einmal unmittelbar vom Erlebnis des Krieges, aber was in den letzten Jahren entstanden ist, trägt das Zeichen der Zeit, auch wenn es sich nicht gleich zu erkennen gibt. Hier hat sich ein innerlicher Mensch auf sich selbst zurückgezogen. Aus seinen Versen spricht ein starkes Christentum protestantischer Prägung, das mit der Paradoxie unserer Stellung in der Welt ernst macht. Im Hintergrund unseres Lebens steht die unnahbare Majestät Gottes, der die Kraft und Herrlichkeit hat. Trotz unmeßbaren Abstandes sind Gott und Mensch aufeinander hingeordnet. Die eigentliche Sünde des Menschen ist sein freventliches Spiel mit der Macht. In den meisten seiner Gedichte überwiegen Selbstbesinnung und Nachdenken. Aber es gibt auch eine Reihe eindrucksvoller Gedichte im Volkslied- und Balladenton. Die norddeutsche Heimat trägt den Dichter, Bremen und die Weser haben teil am Gepräge seiner Verse. Wirklichkeit und Traum gehen ineinander über. Wie so viele Dichter unserer Zeit ist er der Antike nah, deren frühe Lyrik er übersetzt. Vielleicht stellt man sein lyrisches Werk am besten unter das Motto „Verzweifelt und getrost", den Titel seiner Gedichte, das seiner evangelischen Gläubigkeit am stärksten Ausdruck verleiht.

Horst Lange

Unmittelbar hat das Erlebnis des Krieges Eingang gefunden in der Dichtung Horst Langes, der, den dunklen Gründen der Welt verbunden und doch darauf bedacht, ihnen zu entfliehen, in eindrucksvollen Versen das graue Elend der Soldaten einfängt und es zum Transparent undeutbarer Verhängnisse macht. Im Rhythmus des Marschierens drückt sich die harte Unerbittlichkeit des täglichen Einerlei aus:

> Der Frost frißt sich ins öde Land,
> Wintergestirne regieren,
> Die Sonne sank, der Sommer schwand,
> Es klirrt, wenn wir marschieren.
> Es klirrt von Eisen und von Eis,
> Die toten Äcker sind so weiß,
> Es klirrt, wenn wir marschieren.

Kein Ende nimmt der lange Weg
Infanteristen und Pionieren,
Der Nebel steigt und wälzt sich träg,
Es dröhnt, wenn wir marschieren.
Die Stirn ist kalt, das Blut floß heiß,
Und innen pocht das Herz mit Fleiß,
Es klirrt, wenn wir marschieren.....

Die Toten sind dem Dichter nah, das Unsichtbare und Unheimliche weiß er zu beschwören. In seinen „Kantaten" sucht er die Überwindung schwerer Jahre. Auch seine Welt ist vom Boden her religiös.

Hans Egon Holthusen

Von den Jüngeren ist Hans Egon Holthusen ohne Zweifel einer der bedeutendsten. Sein Gedichtband „Hier in der Zeit" enthält einmal den unmittelbaren Niederschlag des Kriegserlebnisses, andererseits das hintersinnige Bemühen um die Welt und die Dinge. Starke Intellektualität spricht sich in kühnen, weit schwingenden, oft bestürzend machtvollen Bildern aus. Die „Trilogie des Krieges" erweist ihn als einen Dichter von hohem Rang, dem es verliehen ist, das Erlebnis unserer Zeit in die Gestalt großer Dichtung zu verwandeln. Ihm gelingt, was in unserer Zeit trotz der Fülle der Erscheinungen sehr selten ist: die vollkommene Einheit von Form und Gedanke zum Lebensganzen des dichterischen Werks. Trotz offensichtlicher Anklänge an den späten Rilke stehen seine Verse als selbständige, neue Schöpfungen da, die in unverbrauchter Sprache noch nicht gesagte Dinge aussprechen. Die Überzeugung des Christen trägt das ganze Werk. Sucht man nach Verwandtschaften, so wird man am ehesten an Eliot und Auden denken. Manches wirkt wie ein Erzählbericht von antiker Größe.

Im dritten Jahre begann sich das Dickicht zu lichten.
Jene mit roten und goldenen Zeichen der Lüge bemalten
Vorhänge, die uns den Sinn der Geschichte verhängten,
Blähten sich schwer in der Zugluft der kommenden Wahrheit.
Wir sahen,
Daß die furchtbare Gleichung, die ein allmächtiger Rechner
Hatte in Ziffern des innern Vermögens der Völker ersonnen,
Aufgehn würde. Alle fühlten, es wurde gerechnet:
Tun und Erleiden war Summe und Abzug, ein Mehr und ein Weniger
In dem Entwurf eines Geistes, der jenseits des Menschen
Plante und maß und entschied..............
So enthüllte sich Wahrheit um Wahrheit. Das menschliche Walten,
Dieser brausende, tödlich entartete Lärm der Maschinen,
Oft unterbrochen von längeren Pausen des lautlosen Schreckens
Und einer gottverlassenen Langeweile, dies alles erglühte
Wie von Bedeutung im Lichte der höheren Aufsicht.

Die Flucht vor dem Verhängnis ist niemals eindrucksvoller
geschildert worden:

Vieles war zu verlieren und vieles im Rücken gelassen.
Fliehen war Freiheit gewinnen und Boden im Raume der Armut,
Fliehen mit hungrigem Magen und spröden, rissigen Lippen,
Fünfhundert Kilometer und weiter auf einem Gaul ohne Sattel,
Fliehen, Entkommen mit blutigen Füßen, zerrissenen Stiefeln,
Feuer im Rücken und Feuer von vorn, an den Brücken der Flüsse
Feuer und blutige Knäuel und Sterben nach einer kurzen,
Grausigen Prüfung. Märsche, endlose Märsche im beißenden Märzwind.
Bitteres Leben, das sich am nackten Gedörn der Robinien
Fühlte und in den Kreuzen am Weg mit den grellbunt bemalten
Marterwerkzeugen zuweilen sich selber erkannte.
Rast und kurze Gefechte im bessarabischen Weinberg,
Heiteres Schießen wie Zechgelage von Höhe zu Höhe,
Und der Feind, wie ein Bruder, nicht minder betrunken,
Grüßte vertraulich zurück mit lustigen, kleinen Granaten...
Aufbruch wieder und Flucht. O Heimweh nach Westen und Abend!

Diesen mächtigen Rhythmen stehen zartere Gedichte
gegenüber. Dem toten Bruder widmet er seine „Klage".
Liedmäßig ist sein Gedicht „Ein Mann vor Stalingrad".
Mit der heutigen Generation ist Holthusen eng verbunden

durch seine Zuordnung zu den Geheimnissen. Für ihn ist die Welt durchsichtig. Jenseits der empirischen Welt sieht er die Fäden der Schöpfung sich verweben, aus der Tiefe die Kräfte an die Oberfläche dringen. Die Erfüllung köstlicher Verheißungen ist an die eigene menschliche Mitwirkung gebunden. Der dritte Teil seines Gedichtbandes spricht davon in eindrucksvoller Weise. Es soll nicht vergessen werden, daß der Dichter heute als Kritiker und Essayist eine der maßgebendsten Stimmen geworden ist.

Rudolf Hagelstange

Mit Holthusen vergleichbar ist Rudolf Hagelstange, der durch seinen 1944 in Oberitalien geschriebenen Sonettenzyklus „Venetianisches Credo" nach dem Kriegsende bekannt wurde und seitdem in große hymnische Formen strebt. Die letzte Dichtung, die „Meersburger Elegie", zeigt ihn bereits als Beherrscher ausdrucksvoller poetischer Figuren. Seine Sonette sind ein Bekenntnis zur Menschlichkeit mitten in der dunkelsten Zeit der Krieges, zur Wahrung der ewigen Bestände im reißenden Strom der Geschichte, zur Hütung des religiösen Bewußtseins in allen Verwirrungen.

Reinhold Schneider

Reinhold Schneider wird es immer unvergessen sein, daß er inmitten der dunkelsten Zeit durch seine Verse Tröstung sprach bis in die vorderen Reihen der Schützengräben. Seine Worte dienten der Erweckung und Wachhaltung des christlichen Gewissens; unter den vielen Wankenden stand er da mit unerbittlicher Festigkeit. Kein Seher oder Prophet, war er doch ein Wissender aus der Sicherheit des Glaubens, unbeirrbar durch zeitweilige Erfolge des dämonischen Staates. Als andere von Siegen fabelten, verkündete er die Stunde des Gerichts und kommende Zusammenbrüche; als die dunklen Mächte ihre Zeichen aufzurichten schienen, rief er die Menschen zusammen zu Buße und Selbstbesinnung.

> Allein den Betern kann es noch gelingen,
> Das Schwert ob unsern Häuptern aufzuhalten
> Und diese Welt den richtenden Gewalten
> Durch ein geheiligt Leben abzuringen.

Reinhold Schneider gießt seinen Reichtum in wenige Formen, in das Sonett, in die kurze Erzählung, in den Essay. So ist ihm ein Lebenswerk entstanden von einem kaum noch übersehbaren Umfang, zugleich aber auch von einer bewunderungswürdigen Tiefe. Seine – wie es scheint – unerschöpfliche Kraft gewinnt er aus der lebendigen Einheit mit Christus, den er in glühender Liebe bekennt und zu dem er in apostolischen Sendungsbewußtsein seine Zeit hinführen möchte. Unter den christlichen Dichtern unserer Gegenwart hat er die klarsten Züge und die sicherste Stimme. Seine Dichtung umfaßt die ganze Weite der christlichen Wirklichkeit; er wurde ihr Verkünder, als andere Götter ihre Zepter schwangen. Alles Dichten und Denken steht für ihn im Zeichen des Kreuzes. So diente er der Heiligung und Rettung des Menschen, dem Aufbau des Gottesreiches, niemals unsicher, wohin die Herrschaft des Bösen führen würde. Er hat auch nach dem Kriege keinen Augenblick geruht, an dem Anliegen seines Lebens zu arbeiten, nicht so sehr mit dichterischen Gestaltungen, sondern in wissenschaftlichen oder betrachtenden Aufsätzen, immer „im Dienst am Geoffenbarten" stehend, bedeutende Gestalten der abendländischen Geschichte und ihre Werke an der Höhe des Kreuzes messend. Er tut es ohne Kleinlichkeit, vielmehr großen Sinnes, Er scheut sich nicht vor kühnen Umwertungen, die den Angesehenen unter Umständen herabsetzen, den Unscheinbaren erheben – kraft seiner Gabe der Unterscheidung, die Wunderbares leistet. Von ihm darf in Wahrheit ausgesagt werden, daß er viel Helligkeit verbreitet hat, indem er das Ewige Licht durch die Welt trug.

Waltraut Nicolas und Käthe Rheindorf

Ein gewisser Grundklang seiner Sprache ist in den Gedichten von Waltraut Nicolas wiederzufinden, die in den Sonetten „Schattenland" die Begegnung mit dem Entsetzen russischer Gefängnisse dichterisch verarbeitet, zarte Gebilde von einer gleichwohl intensiven Kraft. Auch hier wird erweislich, daß die Stärke zum Durchhalten, der Mut zur Rückkehr ins Leben nur dem unaufhörlichen Zwiegespräch mit dem Ewigen zu danken ist, das keine Tyrannei verhindern kann. Einen ganz ungewöhnlichen Ton, durchaus selbständig und ohne äußere Anlehnung an konventionelle Verse, haben die Gedichte von Käthe Rheindorf („Blume und Lied"). Hier ist abermals eine Liedkunst entstanden, in der sich durch Sprache und Rhythmus noch nicht vernommene Töne hören lassen, ein in der Tiefe begründetes religiöses Bewußtsein, das Zeit und Ewigkeit, Grauen und Schönheit, Leidenschaft und Verhaltenheit miteinander verbindet. Dunkle Erlebnisse werden zuletzt in frommer Heiterkeit überwunden.

> Wir hingen schon vor tausend Jahr,
> eh' Gottes Atem in uns fiel,
> im schattenlosen Sternenjahr
> du Wolke mein,
> ich dein Gespiel.

Du lauschtest dunklem Erdensang,
Da taute dich der Sternendom.
Die fremden Wasser rauschten lang
im Schoß der Welt,
Nun bist du Strom.

Ich wurde Wind. Ich weiß vom Meer,
von Inseln und Korallenhain,
und Himmel trug ich schattenschwer
und wurde Sturm.
Nun bin ich dein.

Wir wachsen wild. Wir schlagen schwer
am Rand der reinen Sterne hin.
Gott aber glättet unser Meer
in ewig neuem Anbeginn.

Das Drama

Weitaus ungünstiger ist die Situation des Dramas; fast stoßen wir auf ein Vakuum, die Bühne ist leer. Der Grund ist offensichtlich: das Drama verlangt eine Objektivierung der Geschehnisse, die erst nach Jahren zu leisten ist. Es war nach dem ersten Weltkrieg nicht anders. Sieht man von der dramatischen Behandlung der nazistischen Irrwege z. B. in Weisenborns Stück „Die Illegalen" und erst recht vom zeitkritischen Drama französischer Prägung ab, so bleibt nur weniges von repräsentativer Bedeutung: neben Brecht, Zuckmayers Drama „Des Teufels General" und Borcherts „Draußen vor der Tür". Beide stoßen bis ins Religiöse vor.

Bert Brecht

Geistig gehört auch Bert Brechts „Mutter Courage und ihre Kinder" in diese Reihe, obwohl es schon vor Ausbruch des zweiten Weltkriegs verfaßt worden ist; aber als ein Drama der

Emigration – es wurde in Skandinavien geschrieben – vermochte es als Ahnung und Warnung auszusprechen, was einige Jahre danach – post festum – nur noch Bestätigung und Veranschaulichung erlittener Erfahrungen war: das Elend und Unheil des Krieges. Die Dichtung ist eine „Chronik aus dem Dreißigjährigen Krieg". Formal ist sie eines der äußersten Beispiele für die Auflösung der klassischen Ästhetik. Das Werk ist ein in dramatische Form gebrachtes episches Geschehen, eine Art dramatisierter Ballade, die sich in einzelnen Bildern darstellt. Die Erinnerung an die Moritaten der Bänkelsänger stellt sich ein, um so mehr, als zahlreiche Lieder in den Text eingelassen sind. Hier finden wir keine dichterische Gestalt mehr, in der die bisher gültigen Lebensgesetze des Dramas erkennbar wären. Die alten Formen sind gesprengt; sie vermöchten wohl auch nicht mehr aufzunehmen, was heute zu sagen und darzustellen ist.

Das Werk berichtet in einer Bilderfolge die Geschichte der Marketenderin Anna Fierling, die mit den Truppen die Länder Europas durchstreift, ihre Heimat unter den Soldaten hat; sie ist eine handfeste Person mit drei Kindern und noch mehr Männern. Sie will am Kriege verdienen wie alle anderen und kennt nur *ein* Ziel: sich und die Ihren durchzubringen. Ihre Gestalt bleibt – bis auf wenige, grob herausgearbeitete Züge – im Ungefähren und Allgemeinen, wie auch alle andren Personen des Werkes, die Soldaten, der Koch, der Feldprediger uns nicht als Individuen, sondern als Typen entgegentreten. Sie macht die Schicksale des großen Krieges durch; ruhelose Wanderungen, Verlust ihrer Habe und neuen Gewinn, Gefangenschaft, Ordnungslosigkeit, Rechtlosigkeit. Sie verliert ihre beiden Söhne. Der Krieg, den sie ursprünglich als Quelle alles Segens betrachtete, verschlingt zum Schluß ihren kleinen Besitz. In aller Rauheit verbirgt sich ein mütterliches Herz. Der Tod ihres Sohnes Eilif würde sie schwer treffen, wenn nicht ein gütiges Geschick ihn ihr verheimlichte; sie will ihre taubstumme Tochter Kattrin nicht preisgeben, als sich ihr endlich eine Ruhezeit bietet unter der Voraussetzung, daß sie sich von ihr trennt. Dennoch wird der Krieg sie ihr nehmen. So muß sie ihre Straße allein weiterziehen. Das Stück schließt zwar ohne eigentliches Ende, ist aber doch in sich abgerundet.

So steht im Hintergrunde der Mutter Courage und ihrer Schicksale das eigentliche Problem des ganzen Schauspiels: der Krieg selbst. Was Anna Fierling nur in wenigen Augenblicken ihres viel umhergetriebenen Lebens ahnt, soll der Zuschauer erfahren: der Krieg ist kein Geschäft für die „Kleinen". Er wird allein von den „Großen" gemacht, und sie sind die eigentlichen Verdiener. Brecht hält es mit den Geringen und Mißhandelten, mit den Ausgestoßenen und Elenden. Mit ihnen bevölkert er die Bühne.

Brecht ist ein Ethiker des Theaters und ein radikaler Neuerer. Um ethischer Zielsetzung willen durchbricht er alle Traditionen des Dramas. Was er zu sagen hat, bietet sich in „Lehrstücken" und „Versuchen" dar. An Werken wie den seinen mag erkannt werden, wie sehr unsere Zeit aus den Fugen ist.

Carl Zuckmayer

Carl Zuckmayer ist es mit der Kraft seines bedeutenden Dichtertums und seines Gerechtigkeitssinnes gelungen, aus der Entfernung der Emigration ein Bild des nazistischen Deutschland zu gewinnen, in dem es nicht etwa bloß Teufel neben ein paar Engeln gab, sondern Menschen, die sich in furchtbare Konflikte gestellt sahen. Die Gestalten seines Stückes befinden sich in einer mörderischen Maschinerie; der

Carl Zuckmayer

Bert Brecht

Reinhold Schneider

Wolfgang Borchert

Nazismus richtet den zugrunde, der sich mit ihm verbündet. Das muß auch der Fliegergeneral Harras erfahren, der, obgleich keineswegs ein Freund der politischen Machthaber, dennoch vom herrschenden Regime die Chance annimmt, die Fliegerei des großen Krieges zu befehligen, und zuletzt zu den Opfern gehört, die der Moloch der Partei brutal sich selbst darbringt. Der Wille nicht des Krieges, sondern des Staates setzt sich absolut mit der grausamen Willkür, die immer eintritt, wenn göttliche Ordnungen geleugnet werden. So sehen sich die Menschen alles persönlichen Lebensraumes beraubt, ohne Freiheit, ja, ohne Ausblick nach draußen. Es gibt einen dreifachen Durchbruch. Der Leutnant Hartmann, einer aus der idealistischen Kriegsjugend, die ihren Glauben falschen Göttern geschenkt hat, bricht zusammen, als ihm die Augen geöffnet werden, und kommt zutiefst aufgewühlt zu Harras mit der Frage: „Glauben Sie an Gott?" Er geht in den Tod, als die Antwort ausbleibt. Oderbruch, der Ingenieur, ist der heimliche Verschwörer, der das verhaßte Regime treffen will, indem er absichtlich die Maschinen verdirbt, ohne Rücksicht darauf, daß mit jedem Absturz Menschen zugrunde gehen; er ist eine um so schwierigere Gestalt, da er als Christ handelt und sich auf das Christentum beruft. Und Harras selbst, der nicht gegen seine Überzeugung zu kämpfen vermag, wählt den Tod, indem er eine der Maschinen seines Freundes besteigt. Ein Stück also, dem es zu danken ist, daß entgegen der üblichen Schwarz-Weiß-Zeichnung die Tragik so manches in Schuld und Schicksal verstrickten Kampfes offenbar wurde. Die Umklammerung der einzelnen durch eine dämonische Macht hat oft genug zu den äußersten Entschlüssen gezwungen. Wo es um die Rettung des Menschen geht, sein Recht zur Freiheit und die Bewahrung seines Lebenssinnes, sind auch die gefährlichen Mittel begreiflich, selbst die furchtbaren Maßnahmen eines Oderbruch, des unbeirrbar starren und fanatischen Idealisten. Sie sollten jedoch nicht aus christlichen Überzeugungen hergeleitet werden. Trotz solcher Einschränkungen aber kann nicht geleugnet werden, daß die innersten Antriebe des Widerstandes in diesem Stück religiös sind. Zuckmayer selbst versteht sein Werk so und tut es mit gutem Grund. Der Feldzug des Regimes richtete sich gegen alle göttliche Ordnung; sie war es, die verteidigt wurde, wenn es um die Wiederherstellung der Menschenrechte, den Sturz der Tyrannei und den Vorrang der ewigen Gesetze ging oder die Frage nach Gott gestellt wurde.

Wolfgang Borchert

Der jüngsten Generation hat Wolfgang Borchert eine schauerliche Stimme verliehen, die Stimme derer, die „draußen vor der Tür" stehen und sich eine neue Heimat erbitten. Der Unteroffizier Beckmann kehrt aus Krieg und Gefangenschaft nach Hause, elend, krank, verhungert, mit seiner Gasmaskenbrille ausgerüstet und mit dem geschorenen Haar, wie es die Gefangenen aus den russischen Lagern mitbringen. Der Tod von elf Kameraden, die er ins Feuer geführt hat, verfolgt ihn bis in seine Träume, aus denen er schreiend aufwacht. Und nun – in der Heimat angekommen – schleppt er sich durch die Mitleidlosigkeit, die Furcht und Verzweiflung, die den Alltagsmenschen nach dem Krieg erfüllten. Er findet seine Frau an der Seite eines anderen, die Eltern durch Selbstmord geendet, sein Elternhaus von Fremden bewohnt, seinen Obersten, dem er die quälende Verantwortung zurückgeben will, in bürgerlicher Sekurität und auch nach der Niederlage noch schneidig und im Besitze seiner militärischen Phraseologie. Jedermann ist beschäftigt und hat keine Zeit. Nachdem er vergeblich den Tod in der Elbe gesucht hat, stirbt er „draußen vor der Tür" einen einsamen und verzweifelten Tod.

Worin besteht das Aufrüttelnde und Erschütternde dieses Stücks? Sicher nicht in der dramatischen Kunst, die sich über die Gesetze des Dramas und Theaters hinwegsetzt und sich den schweren Mißgriff leistet, Gott als jammernden und hilflosen Greis auf die Bühne zu bringen. Das kleine Werk hat vielmehr die Bedeutung eines Dokuments, das die Lage der Kriegsjugend kennzeichnet: aus der Bahn geworfen und zu früh mit untragbaren Lasten beladen, sehnt sie sich danach, den Weg in die Lebensmitte zurückzulegen, Heimatboden zu betreten, Wurzeln zu schlagen und zuletzt auch, den verlorenen Gott zu finden. In diesem Stück gibt es furchtbare Anklagen einer Jugend, die sich verraten weiß durch die Schuld der Älteren. Nicht sie war es, die sich rebellisch aus den Ordnungen der Welt gelöst hatte, vielmehr ist sie von anderen aus ihnen gestoßen und auf die Straße des Elends gestellt worden.

„Sie haben uns verraten. So furchtbar verraten. Wie wir noch ganz klein waren, da haben sie Krieg gemacht. Und als wir größer waren, da haben sie vom Krieg erzählt. Begeistert. Immer waren sie begeistert. Und als wir dann noch größer waren, da haben sie auch für uns einen Krieg ausgedacht. Und da haben sie uns dann hingeschickt. Und sie waren begeistert. Immer waren sie begeistert. Und keiner hat uns gesagt, wo wir hingingen. Keiner hat uns gesagt, ihr geht in die Hölle. O nein, keiner. Sie haben Marschmusik gemacht und Langemarckfeiern. Und Kriegsgerichte und Aufmarschpläne. Und Heldengesänge und Blutorden. So begeistert waren sie. Und dann war der Krieg endlich da. Und da haben sie uns hingeschickt. Und sie haben uns nichts gesagt. Nur — Machts' gut Jungens! haben sie gesagt. Macht's gut, Jungens! So haben sie uns verraten. So furchtbar verraten. Und jetzt sitzen sie hinter ihren Türen. Herr Studienrat, Herr Direktor, Herr Gerichtsrat, Herr Oberarzt. Jetzt hat uns keiner hingeschickt. Nein, keiner. Alle sitzen sie jetzt hinter ihren Türen. Und ihre Tür haben sie fest zu. Und wir stehen draußen. Und von ihren Kathedern und von ihren Sesseln zeigen sie mit dem Finger auf uns. So haben sie uns verraten. So furchtbar verraten. Und jetzt gehen sie an ihrem Mord vorbei, einfach vorbei. Sie gehn an ihrem Mord vorbei." (192 f.)

Die ganze Daseinsnot einer schwergeprüften Jugend antwortet auf die Frage des Kabarettdirektors: „Was haben Sie
denn so bis jetzt gemacht?" Beckmann sagt: „Nichts. Krieg:
Gehungert, Gefroren. Geschossen: Krieg. Sonst nichts." Er
will einen neuen Anfang machen. „Einmal muß man doch
irgendwo eine Chance bekommen ... Wo sollen wir denn an-
fangen? Wo denn? Wir wollen doch endlich einmal anfan-
gen! Menschenskind!" Lauter Ratlosigkeit, die zuletzt in Haß
und dann in todbringende Verzweiflung umschlägt. Auch
Gott hilft nicht. Er schweigt. Beckmann geht trostlos in den
Tod.

Nicht so Borchert selbst, der – ein merkwürdiges Geschick
– auch „draußen vor der Tür" sterben sollte, in einem Baseler
Hospital, wo er vergeblich von seinem schweren Kriegsleiden
Genesung zu finden hoffte. Es war ein Tag vor der eindrucksvollen Hamburger Uraufführung seines Stückes. Vor einem
seiner Bändchen Erzählungen steht das Motto: „Und wer
fängt uns auf? Gott?" Es scheint so, als sei mit der bangen
Ungewißheit ein Schimmer trostvoller Hoffnung verbunden.
Und in der Tat gewinnen wir aus den Erzählungen von dem
jungen Dichter ein anderes Bild. Im innersten Kern unver-
sehrt, legt er in ihnen Zeugnis ab von der Güte seines Herzens, das auf dem Wege war, die tiefen Verwirrungen der
Zeit zu bestehen und den ersehnten neuen Anfang wirklich
zu finden. Man wird aus seiner Welt mit dem glücklichen Gefühl entlassen, daß – trotz alles Grauens auf der Oberfläche der
Erscheinungen – die göttliche Mitgift an Adel, Schönheit und
Reinheit doch in Wahrheit unverlierbar ist und ihre Macht
von einem unberührbaren Seelengrunde aus zeigt. In seiner
vielleicht schönsten Erzählung, „Die Hundeblume", wird der
Haß besiegt durch die einzige kleine Blume, die auf dem
Wiesenstück des erbarmungswürdigen Gefängnishofes blüht.

In dem Augenblick, da er sie in den Händen hält, dieses kleine
bißchen lebendige Schönheit, ist er ein anderer:

> „Er war so gelöst und glücklich, daß er alles abtat und abstreifte, was ihn
> belastete: die Gefangenschaft, das Alleinsein den Hunger nach Liebe, die
> Hilflosigkeit seiner zweiundzwanzig Jahre, die Gegenwart und die Zu-
> kunft, die Welt und das Christentum – ja, auch das!... So befreit war er,
> und nie war er so bereit zum Guten gewesen, als er der Blume zuflüsterte ...
> werden wie du..." (52).

In der kleinen Erzählung „Nachts schlafen die Ratten doch",
handelt es sich ebenso um die Weckung und Erhaltung echter
Menschlichkeit – mitten im Entsetzen des Bombenkrieges:
Ein Kind sitzt Tag und Nacht vor den Trümmern des elter-
lichen Hauses, um den toten Bruder vor Rattenfraß zu schützen. Eine beiläufige Bemerkung des Lehrers, daß die Ratten
sich von Toten ernähren, hatte sich in der kindlichen Vorstellung festgesetzt. Ein Mann aus der Nachbarschaft, selbst
grau vor Elend, führt den Neunjährigen in seine Kinderwelt
zurück, indem er ihn beruhigt: „Nachts schlafen die Ratten
doch!" und die Neugierde des Kindes auf seine Kaninchen-
zucht weckt. Er bessert sich selbst mit seiner Tat. Der Durchbruch väterlicher Güte macht ihn selbst wieder zum Menschen.
In der Erzählung „Die Küchenuhr" spricht der Dichter von
einem jungen Mann, der unter den Bomben alles verloren hat,
das Haus, die Eltern, den Verstand, und in dumpfer Erinnerung nur eins ständig bei sich führt, die Küchenuhr, die immer halb drei zeigte, wenn er nachts nach Hause kam, und nun
– durch einen Zufall – für immer halb drei zeigt. Der Schwach-
sinnige erzählt allen Leuten seine Geschichte – wie es früher
war, als die Mutter noch lebte.

> „Einen Atemzug lang war es ganz still auf der Bank. Dann sagte er leise:
> Und jetzt? Er sah die anderen an. Aber er fand sie nicht. Da sagte er der
> Uhr leise ins weißblaue runde Gesicht: Jetzt, jetzt weiß ich, daß es das
> Paradies war. Das richtige Paradies."

Das sind sehr einfache Geschichten, aber von außerordentlicher Kraft. Aus ihnen spricht eine große Lebensreife, ein inneres Feuer, eine Leidenschaft für das Leben. Die Sprache aber strömt, vielleicht gerade weil sie aller konventionellen Schönheit widerspricht, in ihren immer wiederkehrenden Satzvariationen, Umkehrungen und Wiederholungen eine intensive, nachhaltige Wirkung aus, die für den Stil des Dichters bezeichnend ist. Auch das Drama legt, wie allein die mitgeteilte Stelle beweist, davon Zeugnis ab.

Die Erzählung

Theodor Plievier

Die Frage, die Oderbruch zu seinem wahnwitzigen Handeln treibt und Borchert zu seinen Anklagen führt, ist auch das Thema der bisher größten Darstellung des Krieges, Plieviers Stalingrad-Roman; es ist die Frage nach der Verantwortung. Dieser Krieg hat durch seine ungeheuerlichen Katastrophen eine außerordentliche Frucht gezeitigt: daß nämlich die Verantwortung für das allgemeine Geschehen nicht allein dem Staat, sondern auch dem einzelnen zugeschoben wird. Die Kriegsliteratur von heute erzählt nicht von Taten, sondern berichtet von Leiden und stellt damit die Gewissen auf die Probe. Immer wieder sehen wir uns auf die letzte Frage zurückgeführt: Was hätten wir tun sollen? Was müssen wir im Falle eines neuen drohenden Unglücks tun?

Das Dokument der Schlacht von Stalingrad war ein Jahr nach der Katastrophe fertig. Plievier, seit 1934 in Sowjetrußland, war Gelegenheit gegeben, den Todeskampf der 6. Armee in den Ruinen von Stalingrad aus der vordersten russischen Kampflinie zu beobachten. Er fand dabei die volle russische

Unterstützung; sie stellten ihm zur Verfügung, was ihnen in die Hände fiel: Feldpostbriefe, Tagebücher und Aufzeichnungen. Die eroberten Stabsquartiere lieferten ihm das notwendige Material. Schließlich konnte er die Gefangenen befragen, bis hinauf zum Feldmarschall. Was daraus entstand, nannte er selbst einen Roman.

Die Berechtigung dieser Bezeichnung soll hier nicht untersucht werden. Das Werk ist in keinem anderen Sinne ein Roman als Werfels „Lied von Bernadette", ein dokumentarischer Bericht, der sich auf die unmittelbaren Zeugnisse des Lebens stützt. Der Schriftsteller setzt die in ihnen vorhandenen Kräfte in Bewegung, wählt aus dem Vielerlei der Begegnungen und Gestalten aus, verdichtet eine ganze Gruppe zu einer einzigen Gestalt und führt das Knäuel der Vorgänge auf einfache Linien zurück. Um das Schicksal von Hunderttausenden zu verdeutlichen, schiebt er einige wenige Gestalten in den Vordergrund, während sich in der Tiefe die graue Masse der Elenden bewegt. Dann und wann findet ein Austausch von Vorder- und Hintergrund statt, so daß beides miteinander in Wechselwirkung steht. Das furchtbare Geschehen von Wochen kann nur dadurch sichtbar gemacht werden, daß an die Stelle des Nacheinander ein hohes Maß von Gleichzeitigkeit tritt; es ist so, als wenn zur gleichen Stunde verschiedene Filmoperateure an der Arbeit wären, die nachher die Ergebnisse ihrer Arbeit zu einem Ganzen koordinieren. Die Bedeutung des Dichters zeigt sich in der Fähigkeit, die vielen Eindrücke zu einem Ganzen zu komponieren. Es zeigt sich zugleich in dem Bemühen, dieses Stück deutscher Geschichte zu einem Gegenstand der Besinnung und Entscheidung zu machen, den Leser zu politischen und moralischen Schlußfolgerungen zu zwingen. Wir erkennen ihn auch in der Anordnung und Gruppierung der Personen, in der Durchführung der Leitlinien. Die erste Gestalt, die wir kennenlernen, ist der Grenadier Gnottke, der einer Strafkompanie angehört und Gräben ausheben muß; er ist der Totengräber des Romans. Er ist der letzte, er übersteht alles. Mit dem Feldmarschall der Armee verläßt er den Bericht, zwei Totengräber nebeneinander. „Es war die Fußspur von zwei nebeneinander schreitenden Männern." So schließt das Buch.

Der Roman setzt im November ein, zu einer Zeit, als das Drama schon zwei Monate im Gange war und der Gegner mit seinen Durchbrüchen begann. Bedeutungsvoll mündet er in den Fluß des Geschehens ein durch die Verwendung des mit dem Ungesagten verbindenden „Und". „Und da war Gnottke." Wir stehen vor einigen großen Teilgemälden, Abschnitten aus dem Ganzen. Plievier führt uns in das Elend der Namenlosen, die Ratlosigkeit der Führer, den Anteil der Heimat und zu dem einzigen großen Partner: dem Krieg selbst, der sich in einer Brutalität zeigt wie nie zuvor.

Da ist zunächst die Zerstörung alles Menschlichen, das Untersinken aller Würde im Schlamm der Vernichtung – wo die Menschen nur nach Waggons gerechnet, Leichen nur nach Kubikmeter gemessen werden. Der Hunger treibt dazu, um eines Stücks verwesenden Pferdefleisches willen Leben und Frau und Kinder aufs Spiel zu setzen und es dann auch wirklich zu verlieren. Das Buch schildert das Erfrieren, das dazu führt, daß den Kranken mit den Schuhen die Füße ausgezogen werden; die Arbeit in den Lazaretten, in denen die wenigen Ärzte im Schweiße ihres Antlitzes mit Säge und Messer ihre Pflicht tun und „aufarbeiten", was ihnen zu tun auferlegt ist. Dieser Truppe wird nichts erspart, weder Typhus noch Wahnsinn noch Delirium. Jeder einzelne hat sein Schicksal, seine Liebe, seine Hoffnungen; fast jeder hat sein Zuhause, seine Frau, seine Kinder oder seine Mutter. Das heimliche

Leben geht in tiefer Verschüttung weiter und taucht oft nur
auf in den Fieberträumen der Sterbenden. Es ist eine Agonie
einer Armee, geschrieben von einem, der selbst barmherzig
ist. Er zwingt die Offiziere, besonders die Generalität, scharf
in sein Licht: wie waren diese Menschen beschaffen, denen
auf engstem Raum Hunderttausende anvertraut waren? Sie
kommen im allgemeinen nicht gut weg: weder der Theore-
tiker Gönnern, der die Grundsätze der Militärakademie auf
das Schlachtfeld überträgt und in Phrasen redet, die wir noch
gut im Ohre haben; oder der General Damme, der eine unverbrauchte Vitalität ausleben will; auch nicht der Feldmarschall selbst, der ein Zauderer ist und es hätte verhindern können, daß dieses Elend über eine ganze Armee kam; der die
Übergabeforderungen der Russen Anfang Januar unbeantwortet ließ, obgleich nichts zu retten war. Aber mit all dem
bereitet Plievier die entscheidenden Fragen erst vor, die wir
aus Zuckmayers Oderbruch-Situation kennen: es ist der oft
spürbare Ansatz zum Durchbruch durch die Herrschaft des
Wahnsinns, der Anruf des Gewissens gegen den Frevel und
die Unmenschlichkeit. Er verdichtet die heimlichen und offenen Stimmen verantwortungsbewußter Offiziere in der Gestalt des Obersten Vilshofen, der einzigen überragenden Gestalt des Werks. Dieser sieht in Wahrheit durch diesen Krieg
hindurch, während die anderen vor ihm wie vor einer Wand
stehen bleiben. Er ist derjenige, der den Krieg auf Recht und
Unrecht hin prüft und die Sinnlosigkeit dieses Sterbens am
schwersten empfindet; der Letzte, an dem alle in der Katastrophe noch ihr Maß finden, ein Feind der Halbheiten, der
sich darum das Recht herausnimmt, das Opfer von Stalingrad
mit einer schweren Anklage zu beschließen: der „Führer" sei
kein Genie, sondern ein hergelaufener Lumpenkerl, die Generale des Lumpenkerls Genossen und Helfer, das Sterben

sinnlos und für ein böses Ziel; was man für Ruhm gehalten
hatte – eine Schmach; was man als schwere Geburtswehen
eines neuen Zeitalters betrachtete – Offenbarung von Freveln
und namenlosen Verbrechen. Gespenstisch taucht die Gestalt
Goebbels' auf, der, noch ehe es zu Ende ist, seine Vorbereitung trifft, um die Totenfeier zu einem Staatsakt erster Klasse
zu machen; die Stimme des Reichsmarschalls, dessen phrasen-
reiche Rede mitten in das Sterben der letzten Szenen hinein-
tönt; das stumpfe Gesicht und der Händedruck des „Führers",
der der eigentliche Akteur des grausigen Untergangs ist. Die
Bedeutung des Romans liegt nicht allein in der Schilderung
eines Vorgangs, der in der Kriegsgeschichte ohne Gleichnis
ist, sondern zugleich in der Stellung der Gewissensfrage, was
hätte geschehen müssen gegenüber dem ungeheuren Versagen.
Er will an der Schärfung des Gewissens mithelfen und den
Blick für die echten Rangordnungen wiederherstellen.

   Freilich, wie einfach ist das alles gesagt, wie schwer aber
angesichts der Ballung von Mächten, denen der einzelne oder
die Gruppe oder selbst eine große Menge im Augenblick der
Entscheidungen ausgesetzt ist! Und dennoch sind sich alle,
die zum Kriege ihre Stimme erhoben haben, in der Überzeugung einig, daß der Friede abhängig ist von dem Friedens-
willen des einzelnen und von seinem Mut, sich zum Frieden
zu bekennen. Seine Rettung freilich ist nur möglich durch
eine religiöse Wandlung des Menschen. Plievier spricht davon
nur wenig, obgleich er die Geistlichen der beiden Konfessionen in Tapferkeit das Werk der Tröstung tun läßt. Aber alle
Humanität begründet sich nur in Gott und kann nur aus ihm hergeleitet werden. Das Epos und das Drama des großen Krieges haben eine Ahnung davon, die Lyriker aber sprechen es
aus vollem Herzen aus.

BIOGRAPHISCHE DATEN UND WERKVERZEICHNIS

Bei den einzelnen Dichtern sind im wesentlichen nur diejenigen Werke aufgeführt, die für den Zusammenhang dieses Buches wichtig sind.

Die wichtigste Quelle für die Daten ist „Kutzbach: Deutsches Autorenlexikon", Bonn 1949.

Thomas Mann, geb. 1875 in Lübeck. Lebt in Pacific Palisades in Kalifornien. Sein Spätwerk umfaßt die folgenden Schriften: Roman: *Joseph und seine Brüder*, Bd. 1: *Die Geschichten Jaakobs* 33, Bd. 2: *Der Junge Joseph* 38, Bd. 3: *Joseph in Ägypten* 40, Bd. 4: *Joseph der Ernährer* 42, Neuausgabe 49. *Lotte in Weimar*, New York 39, Berlin 47. *Doktor Faustus, Das Leben des deutschen Tonsetzers Adrian Leverkühn, erzählt von seinem Freunde*, Berlin/Frankfurt 48. Dazu: *Die Entstehung des Doktor Faustus, Roman eines Romans* 49. Kleinere Erzählformen: *Die vertauschten Köpfe, Indische Legende* 40. *Das Gesetz* 42. *Ausgewählte Erzählungen* 49. Essay, Abhandlung und Rede: *Leiden und Größe der Meister* 35. *Achtung Europa!* 38. *Dieser Friede* 38. *Vom kommenden Sieg der Demokratie, Ein Vortrag*, erschienen Berlin 46. *Schopenhauer* 39. *Das Problem der Freiheit* 39. *Dieser Krieg* 40. *Denken und Leben* 41. *Adel des Geistes* 45. *Deutsche Hörer!* (55 Radiosendungen) 45. *Deutschland und die Deutschen*, Berlin 47. *Leiden an Deutschland*, Tagebuchblätter 1933/34, 47. *Neue Studien* 48. *Ansprache im Goethejahr* 49.

Franz Kafka, geb. 1883 in Prag, gest. 1924 in Sanatorium Kierling bei Wien. Das Schrifttum ist in der Obhut von Max Brod. Einer sechsbändigen Ausgabe aus dem Jahre 1934, die im nazistischen Deutschland schwer erreichbar war, soll jetzt eine zehnbändige folgen (Schocken-Verlag, New York). Sie wird umfassen: Die Romane: *Amerika, Der Prozeß, Das Schloß*, Kleinere Erzählungen, Fragmente und Betrachtungen, Tagebücher, Briefe und Aphorismen. Eine kleine Auswahl erschien 1948 als erste Probe, ehe die Schockenausgabe greifbar wurde, unter dem Titel des Eingangsfragments „*Beim Bau der chinesischen Mauer*", herausgegeben von Max Brod und Hans Joachim Schoeps bei Gustav Kiepenheuer.

Hermann Kasack, geb. 1896 in Potsdam. Lyrik: *Echo* 32. *Das ewige Dasein* (Gesammelte Gedichte aus 32 Jahren) 43, Neuauflage 48. Erzählungen: *Die Stadt hinter dem Strom* 47, 25. Auflage 49. *Der Webstuhl* 49.

Ernst Wiechert, geb. 1887 im Forsthaus Kleinort im Kreis Sensburg (Ostpr.) Lebt in der Schweiz. Roman und Novelle: *Der Knecht Gottes Andreas Nyland* 26. *Der silberne Wagen*, Novellen 28. *Die kleine Passion, Geschichte eines Kindes*, 1. Teil einer Romantrilogie „*Passion eines Menschen*", 29. *Die Flöte des Pan* 30. *Jedermann, Geschichte eines Namenlosen*, 2. Teil der Romantrilogie, 31. *Die Magd des Jürgen Doscocil* 32. *Der Todeskandidat* (Drei Erzählungen) 33. *Die Majorin* 34. *Der Kinderkreuzzug* 35. *Hirtennovelle* 35. *Das heilige Jahr*, Fünf Novellen 36. *Das Einfache Leben* 39. *Die Jerominkinder*, 2 Bände 45 und 47. Lyrik: *Totenmesse* 45 und 47. Dramatisches: *Das Spiel vom deutschen Bettelmann* 33, 50. Tsd. 41. *Der verlorene Sohn* 35. Selbstbiographisches: *Wälder und Menschen. Eine Jugend* 36. *Eine Mauer um uns baue. Dankaufsatz anläßlich der Ehrungen zum 50. Geburtstag* 37. *Der Totenwald. Ein Bericht* 45. *Jahre und Zeiten* 49. Rede: *Der Dichter und die Jugend* 36 (vor der Münchener Studentenschaft 33 gehalten). *Rede an die deutsche Jugend* 36. *Über Kunst und Künstler* 46. *Rede an die Schweizer Freunde* 47.

Hermann Hesse, geb 1877 in Calw (Württemberg), lebt in Montagnola im Tessin. Erzählungen: *Der Steppenwolf* 27, Neuausgabe 47. *Narziß und Goldmund* 30, Neuausgabe 47. *Das Glasperlenspiel. Versuch einer Lebensbeschreibung des Magisters Ludi Josef Knecht samt Knechts hinterlassenen Schriften*, hrsg. von H. H. Zürich 43, Berlin 47. Lyrik: *Die Gedichte*, Gesamtausgabe Zürich 42, Berlin 47.

Ernst Jünger, geb. 1895 in Heidelberg, lebt in Ravensburg. Werke: *Das abenteuerliche Herz, Aufzeichnungen bei Tag und Nacht* 29, zweite Fassung mit dem veränderten Untertitel: *Figuren und Capriccios* 38. *Der Arbeiter, Herrschaft und Gestalt* 32. *Blätter und Steine* 34, Neuausgabe 49. *Afrikanische Spiele* 36. *Auf den Marmorklippen* 39. *Myrdun. Briefe aus Norwegen* (*Tagebuch der Reise von* 1935). Zuerst als Sonderausgabe für die Wehrmacht, dann Zürich 48, mit Zeichnungen von Alfred Kubin 49. *Gärten und Straßen* 42. *Strahlungen* (die Kriegstagebücher umfassend) 49. *Der Friede*, zunächst in vielen Handschriften verbreitet, gedruckt Paris 48, Tübingen 49. *Atlantische Fahrt*, London 47, Zürich 48, Tübingen 49. *Sprache und Körperbau*, Zürich 47, Frankfurt 49. *Inselfrühling*, Zürich 48. *Die goldene Muschel*, Zürich 48, zusammen mit dem vorigen Tagebuch, Tübingen 49. *Heliopolis, Rückblick auf eine Stadt* 49.

Friedrich Georg Jünger, geb. 1898 in Hannover, lebt in Überlingen. Lyrik: *Gedichte* 34. *Der Taurus* 36. *Der Missouri* 40. *Der Westwind* 46. *Die Silberdistelklause* 46. *Die Perlenschnur* 48. Prosaschriften: *Über das Komische* 36. *Griechische Götter. Apollon - Pan - Dionysos* 43, Neuausgabe 47. *Die Perfektion der Technik* 46. *Orient und Occident*, Essays 48. *Gespräche* 48. *Nietzsche* 49. *Maschine und Eigentum* 49.

Hans Carossa, geb. 1878 in Tölz (Bayern), lebt in Rittsteig bei Passau. Erzählungen: *Doktor Bürgers Ende. Letzte Blätter eines Tagebuches* 13. *Eine Kindheit. Geschichte einer Jugend* 22, später vereinigt mit: *Verwandlungen einer Jugend* 28. *Führung und Geleit, Ein Lebensgedenkbuch* 33, 71. Tausend 49. *Rumänisches Tagebuch* 24, seit 38 betitelt: *Tagebuch im Kriege. Der Arzt Gion* 31. *Geheimnisse des reifen Lebens. Aus den Aufzeichnungen Angermanns*, 30, 97. Tausend 49. *Das Jahr der schönen Täuschungen* 41, 149. Tausend 45. *Aufzeichnungen aus Italien* 47. Lyrik: *Gedichte, vom Dichter ausgewählt* (Insel-Bücherei Nr. 500) 117. Tausend 49. Vortrag: *Wirkungen Goethes in der Gegenwart* 38, 55. Tausend 44. *Gesammelte Werke* in zwei Bänden 49.

Werner Bergengruen, geb. 1892 in Riga, lebt in Zürich. Roman: *Das Gesetz des Atum* 23. *Das große Alkahest* 26 (umgearbeitet zu: „*Der Starost*" 38.) *Herzog Karl der Kühne oder Gemüt und Schicksal* 30. *Der goldene Griffel* 31. *Der Großtyrann und das Gericht* 35, 182. Tsd. 44. *Am Himmel wie auf Erden* 40, 65. Tsd. 44. *Pelageja* 44. *Das Feuerzeichen* 49. Novellen: *Das Buch Rodenstein* 27. Die Sammlungen: *Sternenstand*, Zürich 47. *Die Sultanrose*, Basel 47. Lyrik: *Capri* 30. *Der Wanderbaum* 32. *Die Rose von Jericho* 36. *Dies Irae* 44. *Zauber- und Segenssprüche* 48. Kinderbuch: *Zwieselchen* 38. Biographie: *E.T.A. Hoffmann* 39. Reisebuch: *Baedeker* (später *Badekur*) *des Herzens. Ein Reiseverführer* 32. *Deutsche Reise. Wanderbilder* 34. *Römisches Erinnerungsbuch* 49. Übersetzungen: Tolstoi-Dostojewski-Turgenjew.

Elisabeth Langgässer, geb. 1899 in Alzey in Rheinhessen. Lebt in Rheinzabern in der Rheinpfalz. Lyrik: *Wendekreis des Lammes. Ein Hymnus der Erlösung* 24. *Die Tierkreisgedichte* 35. *Der Laubmann und die Rose. Ein Jahreskreis* 47. *Kölnische Elegie* 48. *Metamorphosen* 49. Erzählung: *Tryptichon des Teufels. Ein Buch von dem Haß, dem Börsenspiel und der Unzucht* 32. *Proserpina. Welt eines Kindes* 34. *Der Gang durch das Ried* 36. *Das unauslösch-*

liche Siegel 46. *Der Torso,* Erzählungen 47. *Das Labyrinth,* Novellen 49.

Stefan A n d r e s, geb. 1906 in Breitwies, lebt in Unkel am Rhein-R o m a n : *Bruder Luzifer* 33. *Eberhard im Kontrapunkt* 34. *Die unsichtbare Mauer* 35. *Der Mann von Asteri* 40. *Die Hochzeit der Feinde,* Zürich 47. *Ritter der Gerechtigkeit* 49. *Die Sintflut* (Trilogie); davon erschien der erste Teil: *Das Tier aus der Tiefe.* N o v e l l e : *Vom heiligen Pfäfflein Domenico* 36. *El Greco malt den Großinquisitor* 36. *Moselländische Novellen* 37. *Das Grab des Neides,* griechische Novellen 40. *Der gefrorene Dionysos* 41. *Wir sind Utopia* 42, Neuausg. 48. *Wirtshaus zur weiten Welt* 43. L y r i k : *Die Löwenkanzel* 34. *Der ewige Strom* 35. *Requiem für ein Kind* 48. D r a m a : *Schwarze Strahlen* 38. *Ein Herz, wie man's braucht* 46. *Tanz durchs Labyrinth* 46.

Franz W e r f e l, geb. 1890 in Prag, gest. 1945 in Beverley Hills, Kalifornien. L y r i k : *Gedichte aus 30 Jahren,* Stockholm 39. *Gedichte von 1907—1945,* Los Angeles 48. R o m a n : *Barbara oder Die Frömmigkeit* 29. *Die Geschwister von Neapel* 31. *Die vierzig Tage des Musa Dagh,* 2 Bände 33 und 39. *Der veruntreute Himmel* 40, Neuausg. 49. *Das Lied von Bernadette* 42, Neuausg. 49. *Stern der Ungeborenen. Ein Reiseroman* 46. E s s a y : *Realismus und Innerlichkeit* 47.

Rudolf Alexander S c h r ö d e r, geb. 1878 in Bremen, lebt in Bremen. L y r i k : *Mitte des Lebens, Geistliche Gedichte* 30. *Ein Weihnachtslied* 34. *Die Ballade vom Wandersmann* 35. *Ein Lobgesang.Geistliche Gedichte* 37. *Kreuzgespräch* 39. *Die Weltlichen Gedichte* 40. *Der Mann und das Jahr* 45/46. *Auf dem Heimweg* 47. *Weihnachtslieder* 47. *Gute Nacht* 47. *Alten Mannes Sommer* 47. M y s t e r i e n s p i e l: *Ein Osterspiel* 38. P r o s a : *Der Wanderer und die Heimat* ʼ31. *Aus Kindheit und Jugend* 34. Ü b e r s e t z u n g : Aus der Antike: Homer, Die Odyssee 10, Neuausg. 48. Die Ilias, Neuausg. 49. Vergil, in einem Bande 38. Horaz, Gesamtausgabe 35. Cicero, Über das Greisenalter 24. Aus dem Französischen: Racine, Athalie 37. Berenice 37. Molière, Die Schule der Frauen 37. Aus dem Englischen: Shakespeare, Wie es Euch gefällt 40. Ein Sommernachtstraum 40. Was Ihr wollt 41. Romeo und Julia 42. Troilus und Cressida 47. Pope, Der Lockenraub 08. T.S. Eliot, Der Mord im Dom 47. Der Familientag 49. R e d e n u n d A u f s ä t z e : Gesamtausgabe I/II 39.

Gertrud v o n le F o r t, geb. 1876 in Minden, lebt in Oberstdorf. L y r i k : *Hymnen an die Kirche* 23, 7. Aufl. 46, mehrfach übersetzt. *Hymnen an Deutschland* 32. *Gedichte* 49. R o m a n : *Das*

Schweißtuch der Veronika, 1. Band: *Der römische Brunnen* 27, 2. Band: *Der Kranz der Engel* 46. *Die Magdeburgische Hochzeit* 38, 40. Tsd. 48. Novelle und Erzählung: *Die Letzte am Schafott* 31, Neuausg. 46. *Die Opferflamme* (Inselbücherei Nr. 533) 38, 55. Tsd. 43 *Die Abberufung der Jungfrau von Barby* 40, 25. Tsd. 48. *Die Consolata*, geschr. 43, gedruckt 48. Legende: *Der Papst aus dem Ghetto* 29, 16. Tsd. 48. *Das Reich des Kindes* 33, *Das Gericht des Meeres* (Inselbücherei Nr. 210), 43, 40. Tsd. 49. Essay: *Die ewige Frau. Die Frau in der Zeit. Die zeitlose Frau* 34. 57. Tsd. 48. *Madonnen, Bildband* 48. *Unser Weg durch die Nacht, Worte an meine Schweizer Freunde*, 2. Aufl. 49.

Marie Luise Kaschnitz (eigentlich Baronin M. L. von Kaschnitz-Weinberg), geb. 1901 in Karlsruhe, lebt in Frankfurt am Main. Lyrik: *Gedichte* 47. *Totentanz und Gedichte zur Zeit* 47. Roman und Novelle: *Liebe beginnt* 33. *Elissa* 38. *Die Abreise* (in der Zeitschrift „Die Erzählung". Januar 1950, S. 15). Essay: *Griechische Mythen* 43 u. 46.

Manfred Hausmann, geb. 1898 in Kassel, lebt in Worpswede. Lyrik: *Jahreszeiten. Lieder* 24. *Jahre des Lebens* 38. *Alte Musik* 41. *Füreinander. Liebesgedichte* 46. *Sappho. Lieder und Bruchstücke aus der griechischen Frühzeit* (übersetzt) 48. *Das Erwachen. Lieder und Bruchstücke* (übersetzt) 48. *Die Gedichte* (enthaltend: *Jahre des Lebens, Alte Musik, Füreinander*) 49. Drama: *Marienkind. Laienspiel* 27. *Lilofee* (bereits früher geschrieben) 36. *Das Worpsweder Hirtenspiel* 46. Erzählung: *Die Frühlingsfeier* 24. *Orgelkaporgel* 24. *Die Verirrten* 27. *Lampioon küßt Mädchen und kleine Birken, Abenteuer eines Wanderers* 28, 134. Tsd. 48. Dazu als Fortsetzung: *Salut gen Himmel* 29. *Kleine Liebe zu Amerika* 30. *Abel mit der Mundharmonika* 32. *Abschied von der Jugend* 37. Essay: *Geheimnis einer Landschaft* — *Worpswede* 40. *Geliebtes Bremen. Eine Erinnerung* 47.

Horst Lange, geb. 1904 in Liegnitz, lebt in Mittenwald. Lyrik: *Nachtgesang* 28. *Zwölf Gedichte* 33. *Gesang hinter den Zäunen* 39. *Gedichte aus zwanzig Jahren* 48. Drama: *Kephalos und Prokris* 49. Erzählung: *Am Kimmerischen Strand* u. a. 48.

Hans Egon Holthusen, geb. 1913 in Randsberg, lebt in München. Lyrik: *Hier in der Zeit* 49. *Klage um den Bruder, Sonette* 47. Essay: *Die Welt ohne Transzendenz. Eine Studie zu Thomas Manns „Dr. Faustus"* 49. *Die Bewußtseinslage der modernen Literatur* 49. *Rilkes Sonette an Orpheus. Versuch einer Interpretation* 38.

Rudolf Hagelstange, geb. 1912 in Nordhausen am Harz, lebt in Überlingen. Lyrik: *Es spannt sich der Bogen* 43 u. 47. *Venetianisches Credo*, 44 geschrieben, 45 in der Officina Bodoni, Verona, als Handdruck gesetzt, 45 in Deutschland herausgegeben, 25. Tsd. 48. *Strom der Zeit* 48. *Blumen-Abc (für Kinder)* 49. *Allegro (heitere Verse aus Italien)*, in Vorbereitung (Kiepenheuer). *Meersburger Elegie*, in Vorbereitung (Tschudy St. Gallen). *Beschwörung der Erde* („Erzählung", 1950, 2. Heft).

Reinhold Schneider, geb. 1903 in Baden-Baden, lebt in Freiburg. Aus seinem umfangreichen Schrifttum sei nur ein Teil, darunter das ihm selbst Wesentliche, hervorgehoben. Lyrik: *Sonette* 39. *Jetzt ist des Heiligen Zeit. Die letzten Tage* 46. *Apokalypse* 46. *Die neuen Türme* 46. *Stern der Zeit* 48. Erzählungen: *Nach dem großen Kriege* 41. *Der Überwinder* 42. *Der Abschied der Frau von Chantal. Die dunkle Nacht. Das getilgte Antlitz. Die Stunde des heiligen Franz von Assisi. Taganrog* 46. Biographie und Geschichte: *Die Leiden des Camoes oder Untergang und Vollendung der portugiesischen Macht* 31, Neuausg. 38. *Die Hohenzollern. Tragik und Königtum* 32. *Das Inselreich. Gesetz und Größe der britischen Macht* 36. *Kaiser Lothars Krone. Leben und Herrschaft Lothars von Supplinburg* 37. *Las Casas vor Karl V. Szenen aus der Konquistadorenzeit* 38, 14. Tsd. 41. *Macht und Gnade. Gestalten, Bilder und Werte in der Geschichte* 40, Neuausg. 47. Reisetagebuch: *Portugal, Ein Reisetagebuch* 31, Neuausg. 48. *Auf Wegen deutscher Geschichte. Eine Fahrt ins Reich* 34. Schriften zur Literatur: *An den Engel in der Wüste. Die Wende Clemens Brentanos* 40. *Zur Zeit der Scheide zwischen Nacht und Tag. Der Lebenskampf der Droste* 40. *Fausts Rettung* 46. *Kleists Ende* 46. *Macht und Gewissen in Shakespeares Tragödie* 47.

Waltraut Nicolas, geb. 1897 in Barkhausen, lebt z. Zt. in Juist (sonst Hermannsburg) Lyrik: *Schattenland* (Sonette) 48. Roman: *Der Weg ohne Gnade* 43. *Die Ersten und die Letzten* 47.

Käthe Rheindorf, geb. 1898 in Duisburg, lebt in Wehr (Eifel). Lyrik: *Blume und Lied.* Gedichte 47. Novellen: *Erde und Wind* 40.

Bert Brecht, geb. 1898 in Augsburg, lebt in Berlin. Drama: *Baal* 22. *Die Dreigroschenoper* 28. *Aufstieg und Fall der Stadt Mahagonny. Mutter Courage und ihre Kinder. Eine Chronik aus dem Dreißigjährigen Kriege* 41. *Furcht und Elend des Dritten Reiches, 27 Szenen* (in Paris 38 uraufgeführt). *Der brave Soldat Schwejk. Herr Puntila und sein Knecht*, 48 Uraufführung in Zürich. Prosa: *Drei-*

groschenroman 34, Neuausg. 49. *Kalendergeschichten. Neue Erzählungen und Gedichte* 49.

Carl Zuckmayer, geb. 1896 in Nackenheim (Hessen), lebt teils in USA., teils in der Schweiz. Lyrik: *Gedichte* 1916—1948. 48. Drama: *Der fröhliche Weinberg* 25. *Schinderhannes* 27. *Katharina Knie* 28. *Der Hauptmann von Köpenick* 31. *Der Schelm von Bergen* 34. *Karl Michael Bellman* 39. *Des Teufels General* 49. *Barbara Blomberg* 49. Erzählung: *Salware oder Magdalena von Bozen* (geschr. 36) 49.

Wolfgang Borchert, geb. 1921 in Hamburg, gest. 1947 in Basel. Das Gesamtwerk (enthaltend Drama, Erzählung und Lyrik) erschien 1949 (mit einem Lebensbild von Bernhard Meyer-Marwitz).

Theodor Plievier, geb. 1892 in Berlin, lebt in Wallhausen bei Konstanz. Erzählungen: *Des Kaisers Kuli. Roman der deutschen Kriegsflotte* 30. *Der Kaiser ging, die Generäle blieben* 32. *Stalingrad* 45, 150. Tsd. 48, mehrfach übersetzt. *Das gefrorene Herz* 48. Drama: *Haifische*, Komödie 30. *Des Kaisers Kulis* 32. Essay: *Über die Freiheit*, in: Literatur und Politik, Sieben Vorträge zur heutigen Situation in Deutschland 48.

ANMERKUNGEN

Einleitung

[1] Max Scheler, Philosophische Weltanschauung. Bonn 1929.
S. 15. — [2] Hans Egon Holthusen, Die Bewußtseinslage der modernen Literatur. In „Merkur", Heft 17 (1949). S. 681. — [3] A. Camus,
Le Mythe de Sisyphe. In der Ausgabe der Sammlung „Dichtung
der Gegenwart — Frankreich", herausgegeben von C. A. Weber.
München 1948. S. 127f. — [4] Vgl. Erich Kahler, Die Säkularisierung
des Teufels. „Stockholmer Neue Rundschau", Heft X (April
1948). Abgedruckt in der von dieser Zeitschrift veranstalteten
„Auswahl" 1949. S. 283. — [5] Ernst Jünger, Heliopolis. Tübingen
1949. S. 48. — [6] Holthusen, a.a.O. S. 684. — [7] Im Nachwort des
Ro-Ro-Ro-Drucks. — [8] Zitat bei Max von Brück, Thomas Mann
im Spätwerk. „Gegenwart", 3. Jg. Nr. 19. — [9] Zitat bei Thomas
Mann, Die Entstehung des Doktor Faustus. Frankfurt 1949. S. 83.
— [10] A.a.O. — [11] Ernst Jünger, Strahlungen. Tübingen 1949. S. 8 f.

Thomas Mann

[1] E. Kahler, Die Säkularisierung des Teufels. A.a.O. — [2] Die
Geschichten Jaakobs. Stockholmer Ausgabe S. 5. — [3] Vorwort
zur amerikanischen Ausgabe des Gesamtromans. Abgedruckt in:
„Hamburger Akademische Rundschau", 2. Jg. (1947/48). S. 560.
— [4] Eine gute Gesamtdarstellung von Thomas Manns Spätwerk,
die hier berührt wird, bietet der schon zitierte Aufsatz von Max
von Brück in der Zeitschrift „Die Gegenwart". Kritisch wertend
ist H. Becher, Thomas Mann unter den Patriarchen. In „Stimmen
der Zeit" (1934) 126. Band. S. 372ff. — [5] Thomas Mann, Die Entstehung des Doktor Faustus. A.a.O. S. 20. — [6] Max von Brück,
a.a.O. S. 14. — [7] Die Entstehung des Doktor Faustus. S. 33. —
[8] In: Entstehung des Doktor Faustus. — [9] Ebenda S. 33. — [10] Kahler,
a.a.O. S. 300. Zur Kritik dieses Weltbildes sind heranzuziehen:
H. E. Holthusen, Die Welt ohne Transzendenz 1949. Chr. E.
Lewalter / H. Paeschke, Thomas Mann und Kierkegaard. Ein Briefwechsel. „Merkur", 3. Jg. Heft 9. S. 925—936.

Franz Kafka

[1] Sieht man von Max Brod ab, dessen eigene Auffassungen trotz seiner Freundschaft zu Kafka am stärksten bestritten werden, so treten als Interpreten des Werks am meisten hervor: Max von Brück, Versuch über Kafka, „Gegenwart" 1948 (1. April). S. 25 ff. Erich Heller, Franz Kafka, „Hamburger Akademische Rundschau", 3. Jg., 2. Heft. S. 120 ff. Günther Anders, Franz Kafka – pro und contra, „Stockholmer Neue Rundschau", Heft VI, April 1947. Abgedruckt in der „Auswahl". S. 330 ff. Jedenfalls verdient Max Brod den Dank aller Freunde Kafkas, daß er durch die zahlreichen Mitteilungen aus dem Leben des Dichters eine abrundende Betrachtung überhaupt möglich macht. So wird beispielsweise der Fragment gebliebene Roman „Das Schloß" durch seine Angaben erst als Ganzes überschaubar. Daß Kafka den Landvermesser sterben lassen wollte, wissen wir erst durch Max Brod (vgl. Werke Band IV, S. 415). – [2] A. a. O. S. 25. – [3] Max von Brück, a. a. O. S. 29. – [4] Werke, Band V. S. 280. – [5] Werke, Band V. S. 121. – [6] Vgl. Max von Brück, a. a. O. S. 26. – [7] G. Anders, a. a. O. S. 347. – [8] Werke, Band V. S. 279 f. – [9] Ebenda S. 280. – [10] Ebenda S. 282. – [11] Ebenda S. 283. – [12] Anders, a. a. O. S. 347. – [13] Betrachtungen über Sünde, Leid, Hoffnung und den wahren Weg. Nr. 100. Kleine Ausgabe 234. – [14] Heller, a. a. O. S. 136. – [15] Diese Auffassung vertritt am meisten Heller. – [16] Zum Ganzen vgl. Anders, a. a. O. S. 361 ff. – [17] Darüber Muir, der englische Übersetzer Kafkas. Vgl. dazu Heller. – [18] u. [19] Heller, a. a. O. S. 141. – [20] „Die Kaiserliche Botschaft", Werke, Band I. S. 154 ff. Das ganze Fragment ist in der genannten kleinen Ausgabe abgedruckt. – [21] Vgl. Anders, a. a. O. S. 365. – [22] Werke, Band V. S. 286 f. – [23] Zitat bei Anders S. 364. – [24] Werke, Band V. S. 286.

Hermann Kasack

[1] Bollnow, Existenzphilosophie 1947. S. 378. – [2] Die Stadt hinter dem Strom. S. 478. – [3] S. 458. – [4] S. 184 f. – [5] S. 485. – [6] Der Webstuhl. S. 47 ff.

Hermann Hesse

Wichtigste Veröffentlichung: Hugo Ball, Hermann Hesse, Berlin 1927. Fortgesetzt von Anni Carlsson. Frankfurt 1948.
[1] Zitat aus Ball-Carlsson. – [2] Über Hesses Verhältnis zur Geschichte vgl. Theodor Litt, Die Geschichte und das Übergeschichtliche. Hamburg 1949, S. 22 ff.

Ernst Jünger

Wichtigste Literatur: Hubert Becher, Ernst Jünger. Mensch und Werk. Warendorf 1949. Gerhard Nebel, Ernst Jünger. Abenteuer

des Geistes. Wuppertal 1949. Karl O. Paetel, Ernst Jünger. Die
Wandlung eines deutschen Dichters und Patrioten. In Reihe:
Dokumente des anderen Deutschland. New York 1946. Alfred
von Martin, Der heroische Nihilismus und seine Überwindung.
Ernst Jüngers Weg durch die Krise.
[1] Heliopolis. S. 124. — [2] Ebenda S. 107. — [3] Ebenda S. 215. —
[4] Ebenda S. 21. — [5] Ebenda S. 23. — [6] Ebenda S. 426.

Friedrich Georg Jünger

[1] Maschine und Eigentum. S. 191. — [2] Ebenda S. 176. — [3] Ebenda S. 170. — [4] Griechische Mythen. S. 12.

Hans Carossa

Dankbar benutzt wurde der „Gruß der Insel an Hans Carossa".
Wiesbaden 1948.
[1] Führung und Geleit. S. 107. — [2] Ebenda S. 52 ff. — [3] Ebenda
S. 147. — [4] Ebenda S. 24. — [5] Ebenda S. 78. — [6] Ebenda S. 101. —
[7] Ebenda S. 54. — [8] Ebenda S. 58. — [9] Aufzeichnungen aus Italien.
S. 128 f.

Elisabeth Langgässer

[1] Vgl. den Aufsatz: Möglichkeiten christlicher Dichtung —
heute. „Hochland", 41. Jahrgang. S. 244 ff. — [2] Das unauslöschliche Siegel. S. 19 und 210. — [3] Ebenda S. 21. — [4] Ebenda S. 22. —
[5] Ebenda S. 24. — [6] Ebenda S. 28. — [7] Ebenda S. 44. — [8] Ebenda
S. 52. — [9] Ebenda S. 52. — [10] Ebenda S. 99. — [11] Ida Görres-
Coudenhove in einem Aufsatz über die Dichterin. „Neues Abendland", Jahrgang 1948. S. 270 ff. — [12] Das unauslöschliche Siegel.
S. 282. — [13] Ebenda S. 446. — [14] „Frankfurter Hefte", Jahrgang
1948. S. 1130.

Stefan Andres

[1] Ritter der Gerechtigkeit. S. 266. — [2] Ebenda S. 377.

Franz Werfel

[1] Vgl. Joachim Maass, Das begnadete Herz — Werk und Wesen
Franz Werfels. „Stockholmer Neue Rundschau", Heft II, Januar
1946. Abgedruckt in der „Auswahl" S. 82. Das Zitat findet sich
S. 92. — [2] Vgl. die Besprechung durch Ida Fr. Görres in „Frankfurter Hefte" 1947. S. 316 ff. — [3] Vgl. Hanns Braun, Das Religiöse
im modernen Roman, „Hochland", 41. Jg. (1948). S. 178. —
[4] Stern der Ungeborenen. S. 96.

Rudolf Alexander Schröder

¹ Zum Biographischen vgl. Lotte Denkhaus, Rudolf Alexander Schröder. Stuttgart 1947.

Gertrud von le Fort

Wichtigste Literatur: Theoderich Kampmann, Gertrud von le Fort. Die Welt einer Dichterin 1935. A. Elfert, Gertrud von le Fort. In: Literaturwiss. Jahrbuch der Görres-Ges. 1936. Band 68. Gertraud Lesowsky, Gertrud von le Fort. Wiener Diss. 1941. Hubert Becher, Der Kranz der Engel. Opfer und Gehorsam in Gertrud von le Forts neuem Roman: In: „Wort und Wahrheit", 2. Jg. 1947. Heft 2. (Herder Wien). Maria Eschbach, Die Bedeutung Gertrud von le Forts in unserer Zeit 1948.

¹ Maria Eschbach, a.a.O. S. 17. – ² Die Magdeburgische Hochzeit. S. 126. – ³ Ebenda S. 328 f. – ⁴ Die ewige Frau S. 187 – ⁵ Ebenda S. 62. – ⁶ Ebenda S. 65.

BILDERNACHWEIS

Thomas Mann Kaethe Augenstein, Bonn
Franz Kafka Schocken Books Inc., New York
Hermann Kasack Heinz A. Binder, Stuttgart
Hermann Hesse Marie-Agnes Schürenberg, Berlin-Charlottenburg
Ernst Jünger Fritz Volquard Arnold, München
Friedrich Georg Jünger S. Lauterwasser, Überlingen
Hans Carossa Herbert Römer, Braubach
Werner Bergengruen Kaethe Augenstein, Bonn
Stefan Andres Ruth Schramm, München
Franz Werfel Edith Schlesinger, Amsterdam
R. A. Schröder Marie-Agnes Schürenberg, Berlin-Charlottenburg
Elisabeth Langgässer Kaethe Augenstein, Bonn
Gertrud von le Fort Insel-Verlag, Wiesbaden
Marie Luise Kaschnitz Tita Binz, Heidelberg
Rudolf Hagelstange Kaethe Augenstein, Bonn
Reinhold Schneider Bildarchiv Herder, Freiburg i. Br.
Manfred Hausmann Saebens, Worpswede
Waltraut Nicolas Fr. Hübner, Nachf., Konstanz
Hans Egon Holthusen Gabriele von Simson, München
Käthe Rheindorf Hilde Sabel, Köln-Ehrenfeld
Bert Brecht Willi Saeger, Berlin-Charlottenburg
Carl Zuckmayer Kaethe Augenstein, Bonn
Wolfgang Borchert Rosemarie Clausen, Hamburg
Horst Lange R. Piper & Co., Verlag, München

Im gleichen Verlag erscheint:

Hermann Schneider

GESCHICHTE
DER DEUTSCHEN DICHTUNG

Nach ihren Epochen dargestellt

Mit Zeittafel, Kurzbiographien, Werkverzeichnissen
und Register

2 Bände, 776 Seiten, Ln. ca. DM 32,–

ATHENÄUM-VERLAG · BONN

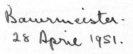

Bauermeister.
28 April 1951.